Anonymus

Die Brueder St. Johannis des Evangelisten aus Asien in Europa

oder die einzige wahre und echte Freimaurerei

Anonymus

Die Brueder St. Johannis des Evangelisten aus Asien in Europa

oder die einzige wahre und echte Freimaurerei

Inktank publishing, 2018

www.inktank-publishing.com

ISBN/EAN: 9783750106185

Die Brüder St. Johannis des Evangelisten aus Asien in Europa oder die einzige wahre und ächte Freimaurerei

nebst einem Anhange

die

Feßlersche

kritische Geschichte der Freimaurerbrüderschaft und ihre Nichtigkeit

betreffend

von

einem hohen Obern.

Berlin 1803.

bei Johann Wilhelm Schmidt.

V o r r e d e.

Die Freimaurerei ist auf der einen Seite etwas anerkannt ehrwürdiges und ihr Studium den besten und edelsten Menschen würdig, und doch wieder auf der andern Seite, in Hinsicht auf ihre Entstehung so dunkel, und in Hinsicht auf die Auslegung ihrer Hieroglyphen so vieldeutig, daſs einem, wenn man tiefer in sie hineingeht, der Verstand beinahe still steht. Die eine Parthei sagt bei dem Anblick der Hieroglyphen: eine jede Sprache bestehe aus Zeichen, Begriffen, Sätzen, Bildern und Hieroglyphen. Sie behauptet ferner, diese Parthei, die Rubricirung der Worte habe Begriffe, die Zusammenfassung der Begriffe, Bilder, und die Kombination der Bilder, Hieroglyphen erzeugt. Durch die Hieroglyphen nähere man sich der Natursprache, und der wahre Maurer müsse Hieroglyphen zusammensetzen, Gleichung zwischen ihnen anstellen, und sich den Weg zur Natursprache auf diese Art bahnen lernen, die nur ein Wort sey. Die Natursprache soll uns der Natur Gottes theilhaftig machen. Die andere Parthei sagt: die Hieroglyphen seien etwas höchst Unvollkommenes und nichts als ein Mantel, in den sie Betrüger verhüllen, um ihre Nebenmenschen zu bethören und irre zu leiten.

In den neuesten Zeiten hat der Doctor und Professor Feſsler ein neues System der Maurerei erfunden und die höhere Grade zwar aber nur als Initiationen zu den höhern Erkenntniſs-Stufen sehen lassen. Den Aufschluſs über das Ganze gewährt ihm aber seine kritische Geschichte der Freimaurer-Brüderschaft. Diese bietet er den Logen für 125 Thaler im Manuscript an. Da nun unserer Meinung nach eine Geschichte des Ordens nur dann möglich fällt, wenn man die berühmten maurerischen Systeme, was die höhern Grade betrift, geradezu abdrucken läſst und publik macht, wo man die Geschichte des Ordens giebt, wie sie das System selbst in den Akten aufbewahrt, so haben wir das System der Ritter und Brüder Eingeweihten St. Johannes des Evangelisten aus Asien in Europa hier abdrucken lassen.

Dies System verbreitet äuſserst viel Licht über die Maurerei und weiht uns in den Geist der neuesten höhern Grade ein.

Dies System nimmt vier Schöpfungen an: 1) die unsichtbare Schöpfung Aziloth, die Schöpfung auſser der Zeit, 2) die erste allgemeine sichtbare Schöpfung, Beria genannt, 3) die Geisterschöpfung Zezira, und 4) endlich die Schöpfung der Welten, Namens Asia.

Der Unendliche brachte homogene Wesen, die verklärten heiligen Geister, zuerst hervor. In der verständigen Welt herrschte der Sohn der Morgenröthe, der erste Ausfluſs des Unendlichen in der verklärten Schöpfung. Er war so verklärt, daſs vom Unendlichen die Strahlen seiner Majestät gerade auf ihn zu giengen, und die ganze Geisterwelt lag zwischen dem Unendlichen und ihm. Um den Unendlichen waren sieben herrliche Geister gelagert, die immer die ersten Ausflüsse des Unendlichen empfingen und die einzigen Mittler waren, durch welche sich die Majestät des Ewigen offenbarte. Der Unendliche herschte über jene Schöpfung, die man die Schöpfung der heiligen Geister nannte. Der Sohn der Morgenröthe aber herschte über Millionen bis an die Kreise der Söhne Gottes. Der Sohn der Morgenröthe erkannte, daſs die sieben allgewaltigen Geister das Mittel wären, durch welches sich in ihm die Herrlichkeit des Unendlichen so feierlich offenbarte, und sich durch ihn wieder durch alle Kreise bis zum Unendlichen verbreitete, dafs er aber und alle seine Ausflüsse dem Unendlichen unterworfen wären, weil sie das Bild der Majestät des Ewigen an sich trugen, ohne dem keine Verklärung hätte seyn können, das Bild des heiligen selbstständigen Feuers. Der Sohn der Morgenröthe strebte nach der Selbstständigkeit, und die unzähligen Geister, die er beherschte, folgten ihm. Der Unendliche entzog ihm daher seine Ausflüsse und nun entstand — da das Licht aufhörte — ein dunkles, kaltes, feuriges Wasser, ein irdisches, schleimigtes, schweflichtes Salzwasser, Mot oder Schlamm, das Chaos, der Erebus. Auf diesem Chaos schwebte der Geist Gottes d. i. der weltschaffende Geist, die Ausgeburt des Unendlichen oder des Worts, schwebte über den Gewässern. Dieser Geist Gottes heifst Elohim. Der Sohn der Morgenröthe bekam nun den Namen Luzifer, weil er das Bild des ersten unsichtbaren Menschen in der Verklärung ist.

Nun geschahe die Schöpfung der Welt, die Moses beschreibt. Elohim hatte in Osten einen Garten gemacht, den er aus Schamajim d. i. aus Feuer 🜂 und Wasser 🜄 genannt, genommen, den die Schrift Eden nennt, und dessen Erde den Namen Adamah führt, die von der Erde Eretz wohl zu unterscheiden ist. Hier versammlete Elohim alle Kräfte und Substanzen in einen Punkt und schuf den Menschen nach seinem Bilde, der hier im fixen Osten alle Regionen der sichtbaren Schöpfung mit einem mal übersehen konnte. Hier gab er ihm die Gewalt zu herschen frei, wie der Sohn der Morgenröthe in der verklärten Schöpfung geherscht hatte. Diesen Menschen nannte Elohim Adam, oder den Menschen aus rother jungfräulicher Erde. Adam war aus zwei Actionen zusammengesetzt, männlich und weiblich, und doch nur eins, und die ganze Schöpfungskraft lag in ihm eingeschlossen. Er war herlich, durchsichtig und glänzend, er der durch den rothen und weissen ♀ des feurigen Wassers  gebildet wurde. Der Sohn der Morgenröthe, Lucifer nun genannt, war aber sein und des Unendlichen Widersacher. Er faſste den Entwurf, Adam in sein Verderben hinein zu ziehen. Adam, der die ganze Schöpfung beherschte, fand in dem unermeſslichen Raum nichts, das ihm gleichen konnte, und doch wünschte er sich etwas, um seine Herrschaft vermehrt zu sehen. Dieser Wunsch war der Ehebruch des freien Willens. Nun schlief er den ersten Schlaf der Begierlichkeit. Hier schied Jehova-Elochim das Wasser von dem Feuer, nahm das Wasser und bauete daraus das Weib. Nun war in ihm Geist, Blut und Leben, nach dem Bild der finstern Welt. Der Baum des Lebens war Adam selbst, und jener die Erkenntnifs des Guten und des Bösen war das Weib.

Esset nicht von seiner Frucht, sprach Jehova-Elochim, denn sonsten werdet ihr des Todes sterben. Aber das Weib, lüstern nach der unsterblichen Herrschaft, erkannte die Schöpfungskraft Adams, zu der sie ihn beredete. In diesem Augenblick wurden sie Fleisch, Bein, Leben, Blut nach thierischer Art, denn der Tod hatte sich ihrer bemächtigt. Es hungerte sie auch nach thierischer Art. Nun erhielten sie ihren Wohnplatz auf der finstern, materiellen Erde. Adam behielt nun alle Macht, Kraft und Herrlichkeit, die er in der Verklärung besessen, in sich eingeschlossen, in seiner körperlichen Hülle lag alles geistigerweise verborgen. Aber Jehova-Elochim hatte ihm und seinen Nachkommen auferlegt, dafs sie diese Erkenntnifs nur mit Mühe, Sorgen und äufserst demüthiger Gewalt suchen und nur in Reue und

Bufse finden können. Dies ist das Geheimnifs der Erbsünde.

Alles ist also im Menschen concentrirt, wer nun so glücklich ist, es in sich selbst zu finden, (denn sonst findet er es nirgends) der wird so glücklich seyn wie Moses, dessen Grab niemand gesehen hatte. Gott schlofs mit Abraham einen Salzbund, erneuerte ihn mit Moses und dann trat der Mittler auf, der zwei Namen und 4 Zahlen hat. Man findet diesemnach in der vorliegenden Schrift:

1. Belehrungen vom Alten und der Art, wie der Orden fortgepflanzt worden ist,
2. Einen allgemeinen Begriff von der ursprünglichen Lehre.
3. Aufklärung vom besondern und allgemeinen Nutzen des Ordens.

Der Orden soll sich bei den Chaldäern und Egyptern
bei den Magis der Perser und Syrer

bei den Hohenpriestern, Regenten, Nasien, Essäern, der Israeliten,
bei den Pythagoräern der Griechen,
bei den Gymnosophisten der Anthiogier,
bei den Braminen der Indianer,
bei den Razzi Hinnos der Hetrurier,
bei den Druiden der alten abendländischen Völker und
bei den Barden der Deutschen

gezeigt haben. Es soll uns

1. Die sichtbare Schöpfung oder das Buch der Natur,
2. den Menschen und
3. Die buchstäbliche, heilige Offenbarung oder die Bibel

kennen lehren. Es wird mit Ueberzeugung gelehrt:

Es sey der Ursprung aller sichtbaren und unsichtbaren Wesen, in sich selbst bestehend ein Geist, der ohne Zufluſs und Abnahme sey, weder Anfang noch Ende habe; der keines äuſsern

Vergnügens bedürfe; dem nichts an Macht, Gröſse und Herrlichkeit gleich sey; der in sich selbst seine eigene Vollkommenheit und Vergnügen besitze.

Vom Menschen wird gelehrt:

a. Was derselbe in seiner ersten Vollkommenheit müsse gewesen seyn.

b. Wie und was er durch Aneignung eines hinfälligen Lebens geworden sey.

c. Was er nach Ablegung einer Wiederverherlichung seines Leibes und dann darauf erfolgenden zweiten Vereinigung mit der allerreinsten Bewegungskraft und einem ewig sanften Licht-Leben werden wird.

Ob dies alles wahr sey? — wer wollte dies behaupten, aber das ist wahr, daſs zur Kenntniſs der Geschichte des menschlichen Geistes dies System ewig denkwürdig bleibt, und daher ein nothwendiges Bedürfniss für die Bibliothek eines jeden Philosophen ist.

Die Systeme der Philosophen enthalten der Schwärmereien und Träumereien gewiss eben so viel, als das System der vorliegenden asiatischen Brüder. Sind sie desfalls aber nicht denkwürdig und für die Geschichte nothwendig? Zeigen sie nicht, wie sich der menschliche Geist nach und nach entwickelte?

Auch dies System der asiatischen Brüder belehrte uns über die Entwickelung des menschlichen Geistes und weihet uns in so viele Begriffe der alten Welt ein. Selbst als Betrügerei muss man dasselbe daher kennen lernen und seiner Aufmerksamkeit würdigen. Es ist nicht gleichgültig, was in der Maurerei gelehrt wird und worauf die höhern Grade hinausgehen. Wir müssen sie insgesammt kennen lernen.

Der Hofsecretair Boheman in Stockholm hat dies System, seine Betrügereien zu verstecken, gemissbraucht. Es ist wahr, für Betrüger eignet es sich sehr. Wenn man je verrückt werden kann, so ist dies System das treflichste, verrückt zu machen. Unverständlichkeit auf Unverständlichkeiten finden sich in ihm, und doch läſst sich wieder ein gewisser Sinn in alle diese Unverständlichkeiten hineinlegen. Alles also, was nur immer erforderlich ist, um die Menschen verrückt zu machen.

Wie schätzbar muſs daher in dieser Hinsicht nicht der vorliegende Abdruck seyn, und wie viele Menschen wird er nicht vom Verderben retten. Jeder Freimaurer sollte ihn eben sowohl in seiner Bibliothek haben, als ihn der Philosoph in der seinigen haben muſs. Der Philosoph, um die Verirrungen des menschlichen Geistes aus demselben kennen zu lernen, der Maurer, um sich warnen zu lassen.

Dies Werk erspart den Logen übrigens eine Ausgabe von 120 Rthl. da es mehr als die bloſse kritische Geschichte, sondern die Aktenstücke selbst liefert. Uebrigens läuft dasselbe mit dem Klerikat der Tempelherrn, den Brüdern des Lichts und dem ungarischen System auf eins hinaus. Man kennt daher dem Wesentlichen nach, alle diese Systeme, sobald man dies eine studirt und sich zu eigen gemacht hat. Auch mufs ich den Brüdern noch bemerklich machen, dafs sie nun, wenn sie dies Werk gelesen, alle theosophische Schriften und namentlich Agrippa de scientiis occultis entbehren können. Berlin den 23. April 1803.

Frater a Scrutato
als hoher Oberer.

Erster Theil.

Die allgemeinen Gesezze des hochwürdigsten und weisen Ordens der Ritter und Brüder St. Johann des Evangelisten aus Asien in Europa.

Die Barmherzigkeit des Unendlichen über Uns!

Seeligkeit und Friede,

durch

1 △ 3 △ 4 △ 1.

Es stehet geschrieben:

Dies ist die ächte wahre und einzig seeligmachende Lehre des heiligen Lichts, von dem alles Leben, alle Zeugungskraft der verschiedenen Saamen ausfliesset, jene Lehre die Moses und Christus durch Johann, seinen Gesalbten unsern Vätern gab.

Diejenige Lehre der wir noch nach vielen Jahrtausenden das reine Zeugniſs ihrer Aechtheit ablegen werden etc.

Diese Lehre geliebtesten Söhne und Brü-

A

der, erfülle beständig euren Leib, eure Seele und euren Geist und erhalte euren Willen immer zur Beobachtung unsrer Gesezze geneigt, denn wahrlich! sie sind nicht minder heilig, als diejenigen, welche Gott durch Mosen und Christum seinen Auserwählten gab, wer sie lies't, der merke mit Aufmerksamkeit und Ehrfurcht darauf.

Erster Abschnitt.

Der allerhochwürdigsten und weisesten sieben Väter und Brüder, Vorsteher der sieben unbekannten Kirchen in Asien, im versammleten grofsen Synedrion allgemeine Unterwerfungspunkte.

Art. 1. Der angehende Ritter und Bruder St. Johann des Evangelisten aus Asien verspricht für die erste Hauptstuffe dieser Brüder St. Johann des Evangelisten, und für alle und jede, die er jezt oder in Zukunft im hohen Orden der Hochwürdigsten und weisen Ritter und Brüder St. Johann des Evangelisten aus Asien in Europa erhalten, und für alle Aemter und Würden, die er durch die Wahl der vorstehenden Kapitel oder durch den Befehl der respectiven hochwürdigsten und weisen Väter und Brüder im versammleten kleinen fürwährenden Synedrion von Europa begleiten wird, nicht das geringste wider die Rechte der Völker überhaupt und eines jeden ins besondere, und unter welchem Vorwand es auch immer seyn kann oder mag, vorzunehmen; wohl im Gegentheil aber alles Unrecht und Gefährde, so viel von ihm abhänget, zu verhüten, zu unterdrükken und zu zerstören.

Art. 2. Er verspricht den Gesezzen des Ordens vollkommene Unterwerfung und wahren unverbrüchlichen Gehorsam.

Art. 3. Da alle Geheimnisse des Ordens wahres Licht sind, so verspricht er ihnen getreu bis an das Ende seines Lebens zu folgen, ohne jemals zu fragen, wer sie ihm gegeben hat, woher sie gekommen sind, wirklich kommen, oder in Zukunft kommen werden. Denn wer das Licht klar siehet, mufs unbekümmert um seinen Ursprung seyn. Die Geschichte aller Zeiten rechtfertiget mehr als hinlänglich diese Nothwendigkeit.

Art. 4. Er verspricht die drey Grade der Freimaurer Ritter und Brüder, nach aller Möglichkeit, als die Pflanzschule unsers hohen Ordens zu schüzzen und zu ihrer Ausbreitung alle von ihm abhangende Hülfe zu leisten.

Art. 5. Er verspricht ferner in keinem Falle Hand zu irgend einer Verfolgung der verschiedenen maurerischen Lehren zu biethen, d. i. er verspricht feierlich, alle Brüder der verschiedenen Sisteme, nach den ersten und allgemeinen Grundgesetzen des Ordens zu behandeln, dafs er sie alle als seine Brüder lieben, ehren und ihnen in jedem Fall gutes thun will, und dafs er niemals an ihren Irrungen Theil nehmen wolle, es sey denn, dafs er sie brüderlich eines Bessern belehren wollte; wäre es aber dafs seine Bemühungen fruchtlos abliefen, so soll er sie als ihm völlig fremd ansehen, und sie ganz vergessen.

Er erkläret weiter, dafs er den hochwürdigsten und weisen Orden der Ritter und Brüder St. Johann des Evangelisten aus Asien nach

A 2

allen möglichen Kräften schüzzen, dessen Ausbreitung in gleichem Verstande, so rechtschaffen als wirksam betreiben, seine Glieder mit der aufrichtigsten und natürlichsten Bruderliebe schäzzen, und sie bei jeder Gelegenheit wirksam unterstützen wolle. Mit eins sie alle zusammengenommen, und jeden ins besondere so aufrichtig zu lieben, als nur immer die Natur die Liebe eines Bruders gegen den andern gebeut.

Art. 6. Er verspricht weiter den hohen Orden, den hochwürdigsten und weisen kleinen fürwährenden Synedrion, das General-Kapitel des Ordens, das Kapitel seiner Provinz, seine Obermeister und Meisterschaft, von allen Geheimnissen (doch mit Ausschluſs aller ihm bekannten Künste und Wissenschaften, die er einmal aus Pflicht zu entdekken schuldig und gehalten seyn solle) die gerade zu einem Verband für oder wider den Orden abzwecken könnten, wahr, rechtschaffen, und ohne alle Verweilung zu benachrichten.

Art. 7. Alle diese Punkte hat Endesunterzeichneter, ohne allen Zwang ganz mit angeborner Freiheit verstanden, angenommen und erkannt, und sie zu Recht und Ordnung für und wider sich angehalten. Geschrieben in dem Kapitel der Obermeisterschaft N. N. des Ordens der Ritter und Brüder St. Johann des Evangelisten aus Asien in Europa zu N. N. der Provinz N. N. den △ im Jahr der Reforme.

Zweiter Abschnitt.

Wer in den Orden aufgenommen werden kann.

Art. 1. Jeder Bruder, sey er welcher Religion, von welchem Stande und Sistem er immer wolle, wenn er nur sonsten ein edeldenkender rechtschaffener und Biedermann ist, kann in den Orden eintreten. Hauptsächlich weil das Wohl und die Glückseeligkeit der Menschen der einzige Endzweck unsers Sistems nicht von der Religion, in der wir geboren, noch von dem Stande, in dem wir erzogen worden sind, im geringsten abhängen kann.

Art. 2. So ein Bruder mufs aber durch eine ordentliche gesetzmäfsige Melchizedeck. oder St. Johannes □ als Freimaurer, Ritter und Meister legalisirt seyn.

Art. 3. Unter dem Namen Melchizedeck verstehet sich aber jene □, in welcher Juden, Türken, Perser, Armenier, Kopten u. s. w. arbeiten (deren viele in Europa, als in Italien, Holland, Portugal und Spanien existiren, der Orden aber für ganz Europa zum grofsen Werke der Einheit bestimmt ist.) Die St. Johannis □ bestehen wie bekannt, nur aus Christen.

Art. 4. Es erhellet daher, dafs der Aufzunehmende den reinen Glauben an einen wahren Gott frei bekennen müsse.

Art. 5. Alle von Natur Gebrechliche, als Krumme, Lahme, Einäugige u. s. w. können in den Orden inclusive der ersten Hauptstufe angenommen werden; Bei der zweiten und dritten Hauptstuffe aber mufs die Anfrage im Sinedrion geschehen.

Dritter Abschnitt.

Wer nie in den Orden eintreten kann.

Art. 1. Da die Religion das heiligste unter den Menschen ist, und da es das legaleste Zeugnifs der Vernunft und Thorheit ist, wenn jemand für einen Gotteslästerer oder Religionsspötter will gehalten werden, so kann so ein Mensch, wenn diese üble Eigenschaft ihm wesentlich geworden ist, niemals in den Orden aufgenommen werden.

Art. 2. Die Könige und Fürsten sind das Bild des Ewigen auf Erden, wer daher ihre heilige Rechte nur im geringsten verletzt, kann unter der vorhergegangenen Bedingnifs niemals in den Orden aufgenommen werden.

Art. 3. Wer immer die Rechte der Menschheit zu kränken, oder auch nur mit Vorsatz einzuschränken sucht, kann nie in den Orden aufgenommen werden.

Art. 4. Wer die heiligen Rechte der Tugend gewissenlos entweihet, die Gerechtigkeit frevelhaft mit Füfsen tritt, Wittwen und Waisen oder irgend einen Menschen, sey er wessen Religion, wessen Standes er immer wolle, sey er reich oder arm, grofs oder klein mit Vorsatz drükket und verfolget, kann nie in den Orden aufgenommen werden.

Vierter Abschnitt.

Wer Bedingnisweise in den Orden treten kann.

Art. 1. Jedermann der überzeugende Hoffnung giebt, sein Herz nicht ganz verdorben, sondern Besserung für dasselbe in den Orden zu hoffen sey, kann in den Orden eintreten.

Fünfter Abschnitt.

Was im Orden ausdrücklich verboten und wie ein Uebertreter zu ahnden ist.

Art. 1. Wer immer in oder auch aufser den Versammlungen der Brüder von Gott oder irgend einer Religion mit Hohn, Verachtung und auf alle Fälle mit Nachtheil spricht, oder den einen oder den andern lächerlich machet; soll zum erstenmal auf drey Monate, und wenn er zum zweitenmal in diesen Fehler stürzet, auf fünf Monate, zum drittenmal auf sieben Monate, zum viertenmal auf einundzwanzig Monate und endlich zum fünftenmal da ihm die üble Eigenschaft wesentlich geworden ist, auf immer aus dem Orden ausgeschlossen seyn.

Art. 2. Wer in oder aufser den Versammlungen der Brüder im geringsten etwas wider gesalbte Häupter spricht, soll so bald es angezeigt und im Orden kund gemacht wird, ohne Rücksicht auf ewige Zeiten aus dem Orden ausgeschlossen werden. Daher warnt man auch einen jeden Bruder liebevoll, alle Gespräche von Staats- und Kriegs-Sachen sorgfältigst zu meiden.

Gespräche die diesem groben Fehler immer zum Grunde liegen, wann einer aus einem geleiteten blinden Eifer über Dinge raisonnirt, die in seinem Beruf weder enthalten sind, noch auf den Endzweck des Ordens den geringsten Einfluſs haben können.

Art. 3. Wer sein zu dreymalen ganz frei und ungezwungen abgegebenes eidliches Jawort im geringsten bricht, soll auf immer vom Orden ausgeschlossen seyn.

Art. 4. Wer immer von einem Menschen, sey er auch wer er will, mit Nachtheil spricht, soll das erstemal auf drey Monate, das zweitemal auf fünf Monate, das drittemal auf sieben Monate, das viertemal auf neun Monate, das fünftemal auf dreizehn Monate, und das sechstemal da ihm diese üble Eigenschaft gewiſs wesentlich geworden ist, auf ewig vom Orden ausgeschlossen werden.

Art. 5. Gleiche Bewandniſs soll es mit jenen haben, die Gerechtigkeit mishandeln, und Wittwen, Waisen, Bedürftige u. s. w. drükken und verfolgen.

Art. 6. Wer von seinem Bruder im Orden mit Nachtheil und zu seinem Schaden spricht, der soll das erstemal auf sieben Monate ausgeschlossen, und dabei gehalten sein, dem beleidigten Bruder im öffentlichen Kapitel eine feierliche Abbitte zu thun, im zweiten Fall soll er auf dreizehn Monate, im dritten und lezten Fall aber soll er, als ein dem Orden schädliches Glied vom Orden auf immer ausgeschlossen werden.

Art. 7. Jeder Bruder der in seiner Obermeisterschaft oder bei übrigen öffentlichen Versammlungen der Brüder sich betrinkt, unschickliche Reden führt, und überhaupt sich unanständig beträgt, der soll das erstemal drei Monate, im zweiten Fall fünf Monate, und im dritten Fall sieben Monate, und so stuffenweise bis zum siebentenmal, jedesmal um zwei Monate höher von seiner Obermeisterschaft suspendiret sein; sollte aber ein Bruder diesen Fehler das achtemal begehen, so soll er auf sieben Jahr vom Orden ausgeschlossen werden.

Art. 8. Der Orden kennt keine andere Geheimnisse als jene, welche in den Hieroglyphen der drei Graden der Freimaurer, Ritter und Brüder enthalte sind; so wie er keinen andern kennt, so nimmt er auch von den sogenannten höhern Graden, sie mögen Nahmen haben wie sie immer wollen, keine Notiz.

Es sollen daher alle und jede Brüder, die die sogenannten höhern Grade empfangen haben, und in den Orden eintreten, unter den Brüdern des Ordens keinen Gebrauch davon machen, auch soll kein Bruder auf die höhern Grade antworten. Ueberhaupt aber will der Orden alle Brüder für unnütze Aufnahme-Ausgaben väterlich gewarnet haben; doch stehet es den Brüdern frei, ihren Versammlungen oder Kapiteln, wenn sie wollen, beizuwohnen. Der Orden trennt keinen Bruderbund, es sei denn einer, dessen Verhältnisse, unter dem Schein der Frömmigkeit die natürliche Rechte verlezte.

Sechster Abschnitt.

Die vollständige Ordnung des Sistems betreffend.

Art. 1. Das Sistem der Ritter und Brüder St. Johann des Evangelisten aus Asien in Europa soll für jetzt in die Zukunft und auf ewige Zeiten aufs feierlichste, wie es hiemit geschiehet, für Europa eingesetzt sein.

Art. 2. Dieses Sistem aber soll nichts anders als die ächten Geheimnisse und moralisch-physische Aufschlüsse der Hieroglyphen des sehr ehrwürdigen Ordens der Ritter und Brüder Freimaurer besitzen, weil der Orden ausser diesen keine andere Wahrheiten kennet.

Art. 3. Der Orden selbst aber soll nichts

anders als eine brüderliche Vereinigung edeldenkender, frommer, gelehrter, erfahrner und verschwiegener Männer, ohne Rücksicht auf Religion, Geburt und Stand sein, welche bemühet sind nach den Anweisungen des Ordens die Geheimnisse aus den Erkenntnissen aller natürlichen Dinge zum besten der Menschheit zu erforschen.

Art. 4. Der Orden aber soll in fünf Abtheilungen wie folget bestehen.

a) Die erste Probestuffe der Suchenden.
b) Die zweite Probestuffe der Leidenden.
1. Die erste Hauptstuffe der Ritter und Brüder St. Johann des Evangelisten aus Asien in Europa.
2. Die zweite Hauptstuffe die weisen Meister.
3. Die dritte Hauptstuffe der Königlichen Priester, oder der ächten Rosenkreutzer, oder die Stuffe Melchizedeck Eins.

Art. 5. Der Orden soll unter einem aus zwei und siebenzig Gliedern bestehenden kleinen fürwährenden Synedrion stehen, dessen Pflicht ist, über alle Theile des Ordens brüderlich zu wachen.

Art. 6. Der Synedrion selbst aber hat nur nach den Gesetzen, denen er mit unterworfen ist, zu urtheilen, und soll auf folgende Art eingetheilet sein.

An der Spitze des Ganzen
a) Der oberste Ordens-Grofsmeister
b) Der oberste Synedrions-Vicarius und oberste Ordens-Kanzler.

Dann kömmt folgende Eintheilung im ganzen

a) Der oberste Ordens-Großmeister

Chacham Hackolel.

Erster Ausschuß von dreien an deren Spitze

b) Der oberste Synedrions-Vicarius und Oberster Ordens-Kanzler.

I. Rosch Hamdabrim.

1. Abraham.
2. Elsazer.
3. Israel.

c) Der oberste Synedrions-Expeditor und oberste Geheime-Archivs-Verwahrer und Justitiarius

Ocker Harim.

Der oberste Synedrions-Inquisitor

Maschgiach.

5) Der zweite Ausschuß von fünfen, an deren Spitze die beiden obersten Visitatores.

I. Isch Zadick. II. Pokeach Ibrim.

1. Seth.
2. Enos.
3. Kenan.
4. Machalalel.
5. Jared.

e) Dritter Ausschuß von Sieben, an deren Spitze die beiden obersten Visitatores

I. Thumim Bemahloth. II. Somech Noplim.

1. Hemom.
2. Henoch.
3. Methusalach.
4. Lamech.

5. Nachem.
6. Sem.
7. Japhet

f) Vierter Ausschufs von Neun, an deren Spitze die beiden obersten Visitatores.

I. Tham Weja-schor. **II. Metibh Ja-ckol.**

1. Ruben.
2. Ody.
3. Dan.
4. Naphthali.
5. Jad.
6. Assur.
7. Isaschar.
8. Sebulon.
9. Ben-Ony.

9. Fünfter und aus den vorhergehenden gesetzmäfsig verordneter qua fürwährender in toto agirender Synedrion.

a) Der oberste Ordens-Grofsmeister

Chacham Hackolet.

b) Der oberste Synedrions-Vicarius und oberste Ordens-Kanzler.

I. Rosch Hamdabrim.
II. Jacob Zadick.
III. Pockeach Ibbrim.
IV. Thumim Bemachloth.
V. Somech Nophlim.
VI. Tham Wijaschor.
VII. Metibh Lackol.

c) Oberste Synedrions-Expeditor und geheimer Archivs-Verwahrer, und

oberster Synedrions-Justitiarius
Ocker Harim.

d) oberster Synedrions-Inquisitor
Maschgiach.

e) oberste Synedrions-Secretaire.
8. Moses.
9. Aaron.
10. Josua.
11. Saul.
12. David.
13. Salomon.

Art. 7. Jeder Bruder des Ordens, der im Synedrion nach der bezeichneten Norma rücket, soll den vacanten Namen seiner Stelle bekommen, und es soll immer der nehmliche Name beim Orden beibehalten werden, denn wenn gleich ein Bruder zu seinen Vätern heim gehet, so bleibt sein Name und sein Plaz activ bei jenem Bruder der seine Stelle ersetzt, und dies ein für allemal, und durch den ganzen Orden.

Art. 8. Unmittelbar nach dem Synedrion folget das General-Kapitel des Ordens unter nachgesezter Eintheilung.

a) Der General-Obermeister.
b) Der Generalats-Kanzler.
c) Der Generalats-Expeditor und Archiv-Verwahrer.
d) Der General-Inquisitor.
e) Der General-Secretair.
f) Der Schatzmeister.
g) Der Schwerdtträger.
h) Der Insignien-Verwahrer.
i Fünf Secretairs.

Art. 9. Europa soll in vier Provinzen eingetheilet sein, und jede Provinz soll den Namen von Ost, Süd, West und Nord führen.

Art. 10. Jede Provinz soll ein Provinz-Kapitel in sich fassen, welches aus folgenden Gliedern bestehen soll.

a) Der Provinzial-Grofsmeister.
b) Der Provinzial-Kanzler.
c) Der Provinzial-Expeditor und Archiv-Verwahrer.
d) Der Provinzial-Inquisitor.
e) Der Provinzial-Secretaire.
f) Der Provinzial-Schatzmeister.
g) Der Schwerdt-Träger
h) Der Insignien-Bewahrer.
i) Vier Secretaire.

Art. 11. Jede Provinz soll aus Obermeisterschaften bestehen, und es können so viel Obermeisterschaften sein, als es sein können. Jede Obermeisterschaft soll die erste Hauptstuffe und die beiden Probestuffen in Händen haben, doch dürfen bei der Obermeisterschaft nur die Hauptstuffe, so wie bei den Meisterschaften die Probestuffen in Thätigkeit sein.

Art. 12. Jede Obermeisterschaft soll aus den in den Kapiteln agirenden Brüdern bestehen, auch darf die Zahl der Obermeisterschaft nicht höher, als aus 33 Gliedern bestehen.

Art. 13. Wenn daher eine Obermeisterschaft die angemerkte Zahl von 53 übersteiget, so soll eine neue Obermeisterschaft formirt werden.

Art. 14. Unmittelbar nach den Obermeisterschaften, folgen die Meisterschaften, und hier folgen die Abtheilungen der ersten und zweiten Probestuffe.

Art. 15. Jede Probestuffe darf aus zehn Gliedern, und niemals darüber bestehen.

Ein Bruder der ersten Hauptstuffe soll da den Vorsitz führen, und mit unter die Zahl der zehn gerechnet sein.

Art. 16. Die Anzahl der Meisterschaften ist ebenfalls unbegrenzt.

Art. 17. Es sollen allezeit zehn Meisterschaften unter einer Obermeisterschaft stehen, und so eine Abtheilung soll Decade heißen.

Art. 18. Jede Probestuffe empfängt die ihr gehörigen Schriften.

Art. 19. Es erhellet daher, daſs jeder Bruder der ersten Hauptstuffe berechtiget ist, um Errichtung einer Meisterschaft zu bitten, und man soll ihm sie (es wären denn äuſserst wichtige und legale Gründe darwider vorhanden) niemals abschlagen.

Art. 20. Auch kann jeder Bruder der ersten Hauptstuffe um eine Errichtung einer Obermeisterschaft bitten, man soll sie aber nur jenen ertheilen, von denen man überzeugt ist, daſs sie ihr vorstehen können.

Art. 21. Die zweite Hauptstuffe ist nirgends als beim Hochwürdigsten Synedrion zu erhohlen, ihre Anzahl aber hänget von der Willkühr des Hochwürdigsten Synedrions ab.

Art. 22. Die dritte Hauptstuffe wird ebenfalls nur beim Hochwürdigsten Synedrion erhohlet. Die Zahl der Brüder dieser Hauptstuffe für Europa ist auf 72 Glieder gesetzt.

Art. 23. Die Stelle des obersten Ordens-Groſsmeisters lieget beim Synedrion Es stehet aber dem Synedrion ganz frei, einen Bruder, welchen er will, und den er durch Prüfung fähig erkennet, dazu zu wählen und zu ernennen, doch soll der oberste Ordensgroſsmeister keine andere Vorrechte im Orden, als den Vorsitz im Synedrion haben, auch soll jeder zeitliche Oberst-Ordens-Groſsmeister mit dem obersten Synedrions-Vicarius und obersten Ordens-Kanzler den Synedrion und beide mit dem Synedrion den ganzen Orden dirigiren.

Art. 24. Der Orden soll sich bemühen sich nach allen Kräften zu verstärken, doch soll es mit der äuſsersten Vorsichtigkeit geschehen. Es sollen daher, wenn Aufnahme-Kapitel ist, nicht alle Brüder dabei erscheinen. Es ist hinlänglich, wenn über die Zahl der regierenden Glieder noch etliche vorhanden sind, die gesetzmäſsig assistiren, in den Unterweisungs-Kapiteln soll aber so viel möglich, jede Obermeisterschaft und Meisterschaft vollständig erscheinen.

Sechster Abschnitt.

Wie die Stellen im Orden zu besetzen sind.

Art. 1. Der Synedrion soll die ersten Stellen bei Einrichtung des Ordens, seien sie in welcher Qualität sie immer wollen, ganz allein ertheilen und besetzen.

Art. 2. Folgende Ordnung soll aber in Ertheilung der vacanten Stellen getroffen und beobachtet werden.

Art. 3. Die Stelle des obersten Ordens-Groſsmeisters wird durch die Wahl des Synedrions vergeben, und die Art, wie man dabei zu Werke gehen soll, ist in einem eigenen dazu gehörigen Abschnitt gesetzmäſsig bestimmt und vorgeschrieben.

Art. 4.

Art. 4. Wenn die Stelle des General-Obermeisters vacant ist, so soll der Generalats-Kanzler mit Zuziehung seines Kapitels, und der vier Provinzial-Kapitel von Osten, Süden, Westen und Norden, drei Brüder zu dieser Stelle dem Hochwürdigsten Synedrion vorschlagen, und der Synedrion soll gehalten sein, einen von diesen dreien zum General-Obermeister zu ernennen.

Art. 5. Gleiche Bewandnifs hat es mit den übrigen Stellen im General-Kapitel, nur mit der einzigen Ausnahme, dafs die Provinzial-Kapitel nie dabei concurriren.

Art. 6. Wenn eine Provinzial-Grofsmeister-Stelle vacant ist, so sollen die Obermeisterschaften dieser Provinz unter sich zusammentreten, und drei Brüder dazu in Vorschlag bringen und der Synedrion wird einen davon zur Stelle ernennen.

Art. 7. Gleiche Bewandnifs soll es mit den Obermeisterschaften und Meisterschaften haben.

Art. 8. Es soll jeder Bruder, welcher einen Suchenden zur Aufnahme im Orden vorschlagen will, sich bei seinem Obermeister gehörig melden, und für die suchende Person Bürge sein.

Art. 9. Der Obermeister soll dann mit seinem ersten und zweiten Meister über die Aufnahme consultiren, und wenn diese drei zusammengenommen den Suchenden würdig finden, so soll

Art. 10. die gehörige Anzeige durch den Weg der Gesetze bis ins Synedrion gemacht, und denn die Resolution von dahero erwartet, auch soll dieser Anzeige das gehörige Bittschreiben nebst dem Brief des Suchenden beigelegt werden.

Art. 11. Diese vier Brüder müssen also ein für allemal und allezeit Bürge für den Suchenden sein.

Art. 12. Jeder Bruder, der in die erste Probestuffe eintritt, soll 14 Monath, in der zweiten Probestuffe aber sieben Monat verbleiben, und von dieser Zeit für sich selbst nichts weiter suchen dürfen.

Art. 13. Jeder Bruder der ersten Hauptstuffe soll vier Jahr da bleiben, ohne weitere Beförderung suchen zu dürfen.

Art. 14. Die Artikel 12. 13. 14. verstehen sich aber nicht dahin, daſs der Orden nach dieser bestimmten Zeit schuldig sei einen Bruder zu befördern, die Rede ist nur, wie lange ein Bruder gesetzmäſsig in dieser oder jener Abtheilung sein soll.

Der Fall kann auch möglich sein, daſs ein Bruder drei und mehrere Jahre in der ersten Probestuffe bleibt, weil man nur den denkenden, den ruhigen und den Wahrheits-Forschenden, gehorsamen und verschwiegenen Bruder, zufolge den Gesetzen befördern darf.

Art. 16. Alle Aemter und Würden im Orden bleiben von jenem der sie bekleidet besetzt, so lange er lebt.

Art. 17. Es soll aber der Synedrion den Bedacht dahin nehmen, jeden Bruder nach Verdiensten zu befördern.

Art. 18. Der Synedrion hat aus dieser Ursach die ganz unbegrenzte Gewalt zu lösen und zu binden, wie er will, und er soll ein für allemal in Besetzung der Stellen niemal auf das Alter im Orden, oder auf profane Würde und Ansehen die geringste Aufmerksamkeit werfen, wohl aber die Stelle nach der Würde und dem Adel des Herzens, nach den erworbenen Verdiensten im Orden, und nach den Kenntnissen und Wissenschaften des Bruders vergeben.

Achter Abschnitt.

Von den Deputirten.

Art. 1. Zehn Meisterschaften zusammen, sollen einen Deputirten bei ihrer Obermeisterschaft haben.

Art. 2. Jede Obermeisterschaft soll auch einen Deputirten im Provinz-Kapitel haben.

Art. 3. Jede Provinz soll einen Repräsentanten im General-Kapitel haben. Die Repräsentanten der Provinzen an den Synedrion müssen aber ihre Vollmacht mitbringen

Art. 4. Das General-Kapitel mit Einschluſs des ganzen Ordens, hat für sich selbst, unmittelbar mit dem Hochwürdigsten Synedrion zu thun.

Neunter Abschnitt.

Wie die Geschäfte des Ordens zu tractiren sind.

Art. 1. Alle Geschäfte des Ordens sollen schriftlich tractirt werden, und sie sollen allezeit von unten hinauf von Stelle zu Stelle, und so wieder zurück laufen.

Art. 2. Alle Geschäfte, welche gerade zu an den Synedrion gerichtet sind, geschehen auf folgende Art.

a) Jeder Bruder, der an den Synedrion schreibt, soll sein Schreiben halbbrüchig abfassen.

b) Wenn nun das Schreiben gehörig versiegelt

ist, so soll auf dem Umschlag folgende Aufschrift stehen.

An den hochwürdigsten und weisen kleinen fürwährenden Synedrion des Ordens der Ritter und Brüder St. Johann des Evangelisten aus Asien etc. in Europa.

Provinz v. Osten etc.
Obermeisterschaft N. N.
von
Bruder N. N.

Art. 3. Wenn aber ein Bruder an seine Obermeisterschaft oder an seine Provinz geschrieben hätte, so soll es auf die nemliche Art geschehen, nur muſs er dann die Obermeisterschaft, oder die Provinz anstatt den Synedrion setzen.

Art. 4. Alle Schriften die den Orden oder eines seiner Glieder, oder die Aufnahme eines Bruders angehen, sollen allezeit im Original eingesandt werden.

Zehnter Abschnitt.

Was im Orden zu bezahlen ist.

Art. 1. Alle Aufnahmen im Orden, sie mögen Namen haben wie sie immer wollen, sollen gratis geschehen, weil Wahrheiten zum Wohl, zur Einheit und Aufklärung der Menschheit nicht taxirt und ums Geld verkauft werden.

Art. 2. Alle Unkosten, so sich bei Aufnahmen im Orden finden, sollen von allen Brüdern gleich getragen werden, und der Neuaufgenommene soll nicht mehr als jeder andere bezahlen, sonsten könnte es allenfals den Anschein haben, als hätte er einen Theil seiner Aufnahme bezahlen müssen.

Art. 3. Nur allein der Obermeister und sonst kein Bruder, sei er auch wer er immer wolle, soll davon ausgenommen sein; der Obermeister ist frei.

Art. 4. Wenn aber der Hochwürdigste und weise kleine fürwährende Synedrion seine obersten Visitatores in dieser Qualität abschicket, so sollen sie in allem frei sein.

Art. 5. Jeder oberste Ordens-Visitator muſs sich, wenn er in dieser Qualität bei einer Meisterschaft, Obermeisterschaft, oder bei dem Provinz-Kapitel eintritt, durch einen vom hochwürdigsten und weisen kleinen fürwährenden Synédrion unterzeichneten Beglaubigungs-Brief beim Obermeister, der zur Inspection seinen ersten und zweiten Meister zuzuziehen hat, legitimiren.

Art. 6. Gleiche Bewandniſs hat es beim Provinzial-Kapitel.

Art. 7. So ein oberster Visitator hat das Recht alle Acten, Protocolle und so weiter nebst allen Arbeiten zu untersuchen und jeden Bruder, sei es auch über was es wolle anzuhören.

Art. 8. Er soll aber allezeit in dieser Qualität an der rechten Seite des Obermeisters sizzen, und der Obermeister darf in seiner Gegenwart nicht das geringste vornehmen, ohne zuvor um Erlaubniſs gefragt, und sie erhalten zu haben.

Art. 9. Das hochwürdigste General-Kapitel soll zwar auf gleiche Art visitirt; zu so einer Visitation aber soll allezeit der oberste Synedrions-Vice-Kanzler nebst zwei obersten Visitatoren delegirt werden.

Art. 10. Um aber alle Weitläufigkeiten und beschwerliche Untersuchungen der Brüder, und mehr Beschwerlichkeiten aller Arten so viel möglich, und die Gesetze gestatten zu erleichtern, so sollen alle Erlafse und Circularien den Weg der Gesetze laufen, und jeder Erlafs oder Circulare soll bei jeder Stelle des Ordens abgeschrieben, und dafs diese Abschrift mit dem Original gleichlautend sei, in den General- und Provinzial-Kapiteln, von dem General-Obermeister und Provinzial-Grofsmeister, dem Kanzler, dem Archivs-Verwahrer, und dem Secretaire legalisirt, vidimirt, und ad Acta gelegt werden; bei den Obermeisterschaften aber sollen sie durch den Obermeister, den ersten und zweiten Meister und den Secretaire, bei den Meisterschaften aber durch den Meister, den einführenden Bruder, den Secretaire und den jüngsten Bruder der Meisterschaft legalisirt und vidimirt werden.

Art. 11. Jeder Bruder soll bei seiner Aufnahme einen Personalbrief bekommen, den der oberste Synedrions-Expeditor dem Obermeister zuzustellen hat. Der Obermeister soll für diesen Brief gleich beim Empfang zwei Dukaten bezahlen, und diesen Brief soll der Obermeister gleich nach der Aufnahme dem neu Aufgenommenen gegen den Erlag der zwei Dukaten zustellen.

Art. 12. Jeder Bruder der eine Meisterschaft errichten will, zahlt für seinen Constitutions-Brief sieben Dukaten, für den Tapis zwei Dukaten, und für die Ordens-Acten für jeden Bogen 10 Xr. Schreibegebühren.

Art. 13. Jeder Bruder der eine Obermeisterschaft errichten will, zahlt für seinen Constitutions-Brief zwölf Dukaten, für die Ordens-

Acten wird wiederum 10 Xr. pro Bogen entrichtet.

Art. 14. Das Provinzial-Kapitel zahlt für seinen Provinzial-Brief 25 Dukaten, die Acten der Bogen 10 Xr.

Art. 15. Das General-Kapitel zahlt für seinen Investitur-Brief 50 Dukaten, und für die Acten 10 Xr. pro Bogen.

Art. 16. Jeder Bogen der Ordens-Acten in Provinzial- und General-Kapiteln, muſs aus dem Synedrion signirt sein.

Art 17. Wenn einmal eine Meisterschaft, Obermeisterschaft, Provinzial- oder General-Kapitel seine gesetzmäſsigen Briefe erhalten hat; so bleibt er beständig, und wenn gleich der Meister, Obermeister u. s. w. abgehet, so hat der nachfolgende nicht das geringste mehr zu bezahlen.

Art, 18. Jeder Bruder zahlt zum Beitrag für jeden Monat zu seiner Obermeisterschaft 33 Xr.

Art. 19. Jeder Bruder im Orden soll zur Unterhaltung sowohl der ordinairen Ausgaben als extraordinairen im Orden, als z. B. für die Correspondenz und Postporten in ganz Europa, für Schreiber, für dienende Brüder, Papier, Siegellack und überhaupt für alle Kanzelei-Materialien in zweien Ratis, als am Tage St. Johann des Evangelisten, und am Tage Johann des Täufers einen ihm beliebigen und seiner Möglichkeit angemessenen Beitrag leisten. Dieser gemeinschaftlich fürs Ganze gewidmete Beitrag soll einem jeden aufzunehmenden und aufgenommenen Bruder durch die Communication der Gesezze intimirt werden. Der aufgenommene Bruder schreibt daher seinen freiwilligen halbjährigen Beitrag supra auf ein Folio-Blatt Papier, mit Beisezzung seines Namens, sigillirt es, und stellet es entweder dem Obermeister oder dem Bruder Secretair zu, der es, so, wie es ist, und mit Vorwissen des Obermeisters per Couvert in die Expedition des Synedrions zu besorgen hat; der Bruder Expeditor hat es zu registriren und dem Synedrions - Controlleur alle Quartal mit den Ausgaben zu verrechnen.

Art. 20. Die Brüder der beiden Probestuffen bekommen, weil sie wieder zurücktreten können, keine Personal - Briefe, keine Namen und keine Wappen.

Art. 21. Jeder Bruder bekömmt bei seiner Aufnahme einen Ordensnamen und ein Wappen, dessen er sich im Orden bedienen mufs, und bei dem er in den öffentlichen Versammlungen der Brüder mufs genannt oder gerufen werden, weil kein Personen - Name in den Versammlungen der Brüder passirt wird.

Eilfter Abschnitt.

Von den Kleidungen des Ordens.

Art. 1. Die Kleidung der ersten Probestuffe ist folgende:

a) Ein runder schwarzer Huth mit schwarzen Federn.

b) Ein schwarzer Mantel, mit einem dergleichen Futter.

c) Eine ganz schwarze Binde mit drey Knöpfen, in Form von Rosen.

d) Ganz weifse Handschuh.

e) Ein Degen mit schwarzem Band und Quästen.

f) Ein schwarzes Band, an welchem gegenwärtiges Zeichen von Silber hanget; das nemliche Zeichen ist auch in dem Mantel auf der linken Seite mit Silber gestickt.

Art. 2. Die Kleidung der zweiten Probestuffe ist folgende:

a) Ein schwarzer runder Huth, mit weiſs und sckwarzen Federn.

b) Ein schwarzer Mantel, mit weiſsem Futter und weiſsem Kragen auf welchem folgendes Zeichen in Gold gestickt ist.

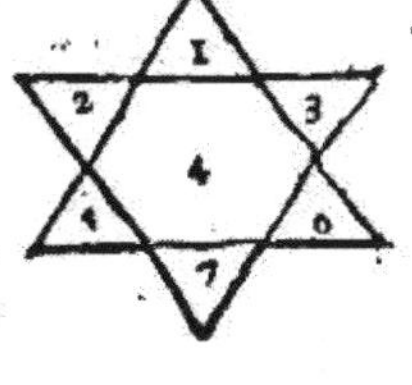

c) Das nemliche Zeichen von Gold an einem weiſsen Bande.

d) Eine schwarze Binde mit weiſsen Kanten und drey weiſsen Rosen.

e) Ein paar weiſse Handschuh.

f) Ein schwarz und weiſser Degenquast.

Art. 3. Die Kleidung der ersten Hauptstuffe ist folgende:

a) Ein runder schwarzer Huth mit weiſsen schwarzen, gelben und rothen Federn.

b) Ein schwarzer Mantel mit weiſsem Futter und Kragen, die Enden des Mantels und Kragen sind mit goldenen Borten besetzt. Auf der linken Seite des Mantels, ist ein rothes Kreuz mit vier grünen Rosen auf folgende Art angebracht:

Die innerste Einfassung des Kreuzes ist

grün, und in der Mitte im grünen Schilde M und A in Gold verschlungen zu lesen.

c) Das nemliche Kreuz von Gold und emaillirt nach der Farbe an einem rothen Bande, das Kreuz decket oben ein runder Huth.

d) Eine Binde um den Leib, rosinenroth mit grünen Kanten und drey Rosen.

e) Weiſse Handschuh, auf welche auſsen ein rothes Kreuz mit vier grünen Rosen in vier Ecken gestickt ist.

f) Ein Quast am Degen von den vier Farben.

Art. 4. Die Kleidung der zweiten Hauptstufe ist folgende:

a) ein rother Huth, mit weiſsen, schwarzen, rothen und gelben Federn.

b) Ein rother Mantel mit einem grünen Kreuz und Rosen. In der Mitte siehet man die Buchstaben I und C verschlungen in Gold gestickt, in einem rothen Felde wie folget.

c) Das nemliche Kreuz von Gold nach den Farben emaillirt an einem grünen Bande mit rothen Kanten welches ein runder Huth dekket.

d) Eine grüne Binde rothen Kanten und drey grünen Rosen.

e) Weiſse Handschuh mit rothen Kreuzen und grünen Rosen innen und auſsen.

f) Einen Degenquast grün und roth.

Art. 5. Die Kleidung der dritten Hauptstuffe ist folgende:

a) Ein von Gold roth und grün gemachter Huth, der Huth ist vorne aufgeschlagen, auf dem Aufschlage ist der Name Jehovah in Gold gestickt, auf dem Huth sind weiſse, rothe, gelbe, schwarze und grüne Federn.

b) Ein langes rosenrothes Unterkleid dicht an

den Leib gemacht, mit spitzigen Ermeln, an beiden Aermen sind die Aufschläge von dem Zeuge des Huths.

c) Die Binde um den Leib ist gleich jener von dem Zeuge des Huths, an der Binde sind drey Rosen, eine weiſs die andere roth und die in der Mitte hat die Farbe der Binde.

d) Strümpfe und Schuhe sind ebenfalls von rosenrother Seide.

e) Der Mantel ist ganz von dem Zeug des Huths mit grünem Unterfutter, an der linken Seite des Mantels ist ein goldener hoch erhabener Punkt gestickt, von welchem unzählige Radien ausgehen,

f) Um den Hals hängt eine goldene Kette, wovon das erste Glied ein Kettenglied, das zweite M und A verschlungen, das dritte ein Kettenglied und das vierte I und C. ebenfals verschlungen. Die Schilder für die Buchstaben sind grün, nach jeder vierten Abtheilung folget ein Baum, wo zur Rechten ein Mann und zur linken ein Weib stehet, die mit einer Hand das Zeugungsglied bedecken, mit der andern aber den Baum berühren. Am Ende der Kette hängt der priesterliche Schmuck Arons in seinen Abtheilungen.

g) Weiſse Handschuh, die innen und auſsen wechselsweise mit grünen und rothen Kreuzen geziert sind.

Zwölfter Abschnitt.

Die weitere Verfassung des Ordens betreffend.

Art. 1. Da der Orden der Ritter und Brüder St. Johann des Evangelisten aus Asien in

Europa nichts anders, als eine brüderliche Vereinigung edeldenkender wahrheitsforschender und ganz den allgemeinen Zweck der Einheit suchender Männer ist, so soll sich jeder Bruder nach allen seinen Kräften bemühen, dem Plan des Ganzen zu folgen und ihm thätig nützlich zu seyn.

Art. 2. Weil aber die Beschäftigungen des Ordens sich geradezu auf die Untersuchungen aller natürlichen Dinge beziehen, so soll sich jeder Bruder bestreben, die allgemeine Anfangsgründe dieser Kenntnisse zu erlernen.

Art. 3. Die Anfangsgründe dieser Kenntnisse sind aber die Bemühungen der Erkenntnisse des Buchs des Menschen von zehn Blättern, gesiegelt mit sieben Siegeln. Die Erkenntnisse der Natur und ihrer Abtheilungen so wohl in Theorie als Practic.

Art. 4. Denn die geheimen Wissenschaften des Ordens und die Vortheile, welche daraus entspringen sind zwar für alle gegeben, den Geist des Ordens und die Erkenntnisse der natürlichen Dinge kann man aber nicht geben.

Art. 5. So wie die Gesetze der drey Grade der Freimaurer, Ritter und Brüder sich platterdings mit der Moralität beschäftigen, und wie sie dem Staate ohne Unterschied der Stände und Religion nur gute und nützliche Bürger, der ganzen menschlichen Gesellschaft aber gute und würdige Glieder bilden, wir aber den Grund dieser bildenden Moralität in allem Betracht thäthig in Ausübung bringen; so ist die Pflicht des ganzen Ordens und aller seiner Glieder ächte Thätigkeit.

Art. 6. Da der Orden sich nach allen seinen Kräften bestrebt, alle Erkenntnisse der Natur nach den Anweisungen zu erlangen die er wirklich hat, und da diese Erkenntnifs gröfstentheils die drey Naturreiche angehen, so sollen die Brüder sie alle drey untersuchen, damit sie in der Folge im Buche der Natur die ersten Buchstaben sprechen können.

Art. 7. Der Orden giebt also einem jeden nach seiner Art die nöthigen Anweisungen gratis.

Art. 8. Da aber die erste und zweite Probestuffe und die erste Hauptstuffe gerade zu die physischen Kenntnisse nebst den legalen Aufschlüssen der dreien Tapis des sehr ehrwürdigen Ordens der Ritter und Brüder Freimaurer besitzen, und ihre Anwendungen in der Natur der Dinge suchen müssen, so sollen die Brüder dieser Stuffen sich äufserst bestreben, die Anweisungen, Gründe, Sätze und die so mannigfaltigen Bearbeitungen der Scheidekunst überhaupt und der höheren Scheidekunst ins besondere wohl zu studiren, da dies die Mittel sind, einen sehr grofsen Theil der natürlichen Geheimnisse zu erforschen, und ihre Entdeckung zum Vortheil des menschlichen Geschlechts so wohl im moralischen als physischen Verstande anzuwenden.

Art. 9. Des Ordens Beschäftigung aber soll immer seyn, die Wahrheiten natürlicher Dinge nach den Anweisungen und der Ordenslehre zu bearbeiten, die Wahrheiten zu suchen, und dann die entdeckten Wahrheiten gehörig zu bearbeiten.

Art. 10. Es soll keine Meisterschaft der zweiten Probestuffe, und also um so weniger eine weitere Stuffe in Ordenssachen, Untersuchungen oder Arbeiten vornehmen, ohne die gehörige Anfrage gemacht zu haben, wann diese angenommen, ohne die gesetzmäſsige Protocolle mit Zeichen, Tag und Stunde, und so weit es regulirt, angesetzt zu haben.

Art. 11. Es soll kein Bruder in Ordensarbeiten, ganz allein Versuche machen, wohl aber,

Art. 12 sollen immer die Meisterchaften und Obermeisterschaften zusammen arbeiten und jeder Meister oder Obermeister soll die Aufsichten über die Arbeiten haben.

Art. 13. Die erste Stuffe arbeitet aber nur theoretisch.

Art. 14. Die zweite Probestuffe in dem ihr angewiesenen Metall oder Mineral.

Art. 15. Die erste Hauptstuffe aber in der Materie des Ordens und in den weiteren da einschlagenden Arbeiten.

Art. 16. Ueber jede Arbeit soll das gehörige Protocoll gehalten werden; der Zustand der Arbeit aber alle drey Monate, oder wenn die Arbeit kurz, alle vier Wochen nach dem Wege der Ordnung in das Synedrion eingeschickt werden.

Art. 17. Es soll aber doch nicht einem jeden Bruder verboten seyn, für sich separat zu arbeiten wenn er will und kann. Man will aber jeden Bruder für Schaden väterlich gewarnet haben.

Art. 18. Jeder Bruder der aber separat für sich arbeiten will, sollte zuvor beim Synedrion um die Erlaubniſs bitten, daſs er es thun darf, und die Arbeit einschicken die er machen will.

Der Synedrion wird dann thun was der Wohlfahrt des Bruders am besten ist, damit kein

Bruder durch unsistematische naturwidrige Arbeiten in Schaden gesetzt werde.

Art. 19. Alle Arbeiten sollen in der geringsten Proportion unternommen werden, aus Ursach dafs der Schade nicht merklich ist wenn sie gählings verfehlt würde, und es möglich ist dafs das leztere geschehe, wenn man in der Manipulation nicht im strengsten Verstande erfahren ist, oder sie suchen muſs, da die Arbeiten der Natur eben so geheimniſsvoll als mannigfaltig sind.

Art. 20. Der Synedrion soll einen erfahrnen, wohlgeprüften arbeitenden Bruder haben, der die geheimen Arbeiten des Ordens unter den Augen des Synedrions manipulirt, untersucht und den Wahrheiten nachforscht.

Art. 21. Der Synedrion soll aber aus seinem Mittel einen dirigirenden Bruder aus dem Synedrion, als Director dieses arbeitenden Bruders setzen, dieser Bruder soll die Aufsicht über die Arbeiten haben, seine Protocolle führen, sie dem ganzen Synedrion in extenso vorlegen und sie dann endlich dem Ordensarchiv beilegen.

Art. 22. Da überhaupt alles im Orden und in den respectiven Stellen und Kapiteln zu registriren ist, so sind vorzüglich die Ordensarbeiten mit der ersten Strenge aufzuzeichnen.

Art. 23. Man will überhaupt, dafs die Brüder samt und sonders keine Versuche machen, von denen sie nicht durch den Orden authorisirt sind, denn es soll ein für allemal die üble und sehr schädliche Gewohnheit im Orden nicht eindringen, dafs man die Natur senge und brenne, Vermögen opfere, in der Hoffnung Reichthümer zu erwerben, an deren statt man endlich den Bettelstab erringet.

Die Natur ist in sich ganz einfach, so soll sie auch im Orden untersucht, erforscht und bearbeitet werden. Der Unendliche hat dem Orden so viele Kenntnisse davon geschenkt, dafs man den armen und reichen Bruder, einen jeden nach seiner Art und nach seinen Verdiensten gesetzmäfsig davon überzeugen kann.

Art. 24. Es sollen aber um alles dies zu erleichtern, alle vierzehn Tage zum wenigsten einmal in den respectiven Kapiteln, Unterweisungs-Kapitel gehalten werden, damit jeder Bruder alles klar wisse, was in seine Stuffe gehört. Denn der Orden will keine Unwissende und Misvergnügte, sondern wohl unterrichtete und vergnügte Brüder in seinem Schofse haben.

Wie die fernern Geschäfte des Ordens weiter in Ordnung geschehen sollen.

Art. 1. Der Synedrion soll, wie bekannt, aus dem obersten-Ordens-Grofsmeister, aus dem obersten Synedrions-Vicarius und obersten Kanzler, aus dem obersten Vice-Kanzler, aus den sechs obersten Visitatoren, aus dem obersten geheimen Eypeditor und Archivs-Verwahrer, dann Justitiarius, aus dem obersten Synedrions-Inquisitor und aus 6 Secretairs bestehen.

Art. 2. Der oberste Ordens-Grofsmeister soll allezeit Chacham Hackolet heifsen, und sein Amt soll sein, den ganzen Orden mit Weisheit und Tugend durch seine Beispiele zu leiten, auch soll er über alle Vortheile des Ordens und seiner Glieder väterlich wachen.

Art. 3. Der oberste Ordens-Grofsmeister soll

soll er über alle Vortheile des Ordens und seiner Glieder väterlich wachen.

Art. 3. Der oberste Ordens - Grofsmeister soll aber Personal- und Constitutions-Briefe, und überhaupt alles unterzeichnen, wo sich die sieben Glieder des Synedrions zusammen unterzeichnen.

Art. 4. Der oberste Synedrions-Vicarius, und oberste Ordenskanzler soll allezeit Hamdabrim heifsen, und seine ersten Pflichten sind mit jenen des obersten Ordens - Grofsmeisters gemeinschaftlich, dem er an die Seite zur Hülfe gegeben ist.

Art. 5. Der oberste Synedrions-Vicarius und oberste Ordenskanzler aber soll alle im Synedrion eingelaufene Schriften empfangen, sie öffnen, seine Resultata darauf setzen und sie unterzeichnen, auch ihre Antworten besorgen. Er soll überhaupt und ins besondere die Hand über die moralisch physische und Polizei-Verfassung des Ordens haben.

Art. 6. Es soll weiters in seinem Hause das Archiv und die Kanzlei des Ordens nebst dem grofsen und kleinen Ordenssiegel verwahret liegen.

Art. 7. Alle Schriften die nicht vom ganzen Synedrion unterzeichnet worden, unterzeichnet er allein, unter ihm der oberste Synedrions-Secretair, weiter unten der Secretair des Monats, und am Rande der oberste Synedrions Expeditor.

Art. 8. Auch ist er der Vicarius des Ordens zu allen Zeiten und er vertritt auch zu gleicher Zeit die Person des oberten Ordens-

Groſsmeisters, wenn seine Stelle, auf welche Art es auch immer sey, vacant ist.

Art. 9. Der erste oberste Ordens-Visitator soll allezeit Jsch Zadick heiſsen, und sein Amt ist, über die physischen Arbeiten des ganzen Ordens zu wachen, sie alle zusammen und jede insbesondere wohl zu durchdenken, ihre Möglichkeit zu prüfen, die darin haftende Fehler zu verbessern, kurz für dieses Fach des Ordens nach seinen äuſsersten Kräften zu wachen.

Art. 10. Er soll aber alle seine Resultate dem Synedrion samt seinen Protokollen abgeben, damit sie in dem Archiv des Ordens können bewahret werden.

Art. 11. Der zweite oberste Ordensvisitator soll allezeit Pockeach Ibhrim heiſsen und sein Geschäft soll seyn, die höhern Wissenschaften des Ordens mit Demuth, Reue und ächter Gottesfurcht zu besorgen, auch soll er zu gleicher Zeit die Würde eines obersten Vice-Kanzlers im Synedrion begleiten, dessen Amt ist, dem obersten Ordens-Synedrions-Vicarius und obersten Kanzler an der Seite zu stehen, ihm Hülfe zu leisten und in seiner Abwesenheit alle die Geschäfte seines Amtes zu verrichten.

Art. 12. Er soll über alles dieses, die gehörigen Protokolle führen, und sie zu weiterer Verwahrung ins Archiv abgeben.

Art. 13. Der dritte oberste Ordens-Visitator soll aber allezeit Thumim Bemahloth, der vierte Somech Nophlim, der fünfte Tham Wejaschor, der sechste aber Metibh Lakol heiſsen. Ihre Pflichten sind folgende:

a) Thumim Bemahloth ist der oberste Ordens-Visitator der Provinz von Osten, die er auch im Synedrion vorstellet. Seine Pflicht ist über alles was von da her kommt, oder dahin abgehet, die gehörigen Manualien zu führen, auch empfängt er allezeit die Resultate der Provinz und jene des Synedrions, deren Ausfertigung er zu besorgen und sie zur Unterzeichnung dem obersten Synedrions-Vicarius und obersten Kanzler zu bringen hat. ...

Auch unterzeichnet er alles was in seine Provinz abgehet, unter dem obersten Synedrions-Vicarius und obersten Kanzler.

b) Somech Nophlim, von Süden.

c) Tham Wejaschor, von Westen.

d) Metibh Lakol, von Norden. Ihre Pflichten sind jenen des obersten Visitators von Osten ganz gleich.

Art. 14. Es soll aber jener, der den Namen Metibh Lakol führt, auch zu gleicher Zeit die Stelle des obersten Synedrions-Secretarius vertreten und sein Amt soll seyn, alle Geschäfte des Ordens und die Aufsätze ins reine zu bringen und sie gehörig mit zu unterzeichnen.

Art. 15. Der oberste Synedrions-Geheimer Expeditor und Archiv-Verwahrer und Justiziarius soll allezeit Ocker Harim heißen und seine Pflicht soll seyn, alle eingelaufene und eingegangene Schriften gehörig zu protocolliren und zu verwahren, zu gleicher Zeit aber auch ihre Expedition zu besorgen, auch hat er die Stelle des Justiziarius des Ordens über sich, dessen Geschäfte sind, alle Fehler der Brüder, die im Synedrion berichtigt werden, zu untersuchen, sie auseinander zu setzen, und im Synedrion sein schriftliches Parere darüber abzugeben; nach diesem Parere wird dann der Synedrion urtheilen, wie es die Gesetze mit sich bringen.

Art. 16. Der oberste Ordens-Inquisitor soll allezeit Maschgias heifsen und sein Amt soll seyn, über die Polizeiverfassung des Ordens und seiner Glieder zu wachen, um den Orden für Schaden, Gefährde u. s. w. bewahren und rein zu erhalten.

Art. 17. Die sechs Secretairs sollen aber allezeit, der erste Moses, der zweite Aron, der dritte Josua, der vierte Saul, der fünfte David und der sechste Salomon heifsen, alle Monat soll ein anderer die Geschäfte des Ordens im Synedrion besorgen.

Art. 18. Im General-Kapitel hat der General-Obermeister alles dies zu thun was der oberste Synedrions-Vicarius im Synedrion thut, der Generalats-Kanzler aber soll ihm zur Hülfe seyn und gleiches Geschäft mit ihm besorgen, die Pflichten des Expeditors, Inquisitors, Secretairs, und der übrigen fünf Secretairs sind den obigen gleich.

Art. 19. Gleiche Bewandnifs soll es mit den Provinz-Kapiteln haben.

Art. 20. Und nach dieser Form haben sich die Obermeisterschaften und Meisterschaften zu betragen und ihre Geschäfte zu machen.

Art. 21. Jeder Obermeister einer gesetzmäfsigen Obermeisterschaft, soll die zweite Hauptstuffe empfangen, so wie jeder Obermeister einer Meisterschaft die erste erhält, doch sollen beide im Orden von unten auf, gesucht und verdient werden, so dafs kein Bruder eine höhere Stelle bekommen kann, er habe denn zuvor die niedere begleitet und ihre ganze moralische und physische Kenntnifs erlanget.

Vierzehnter Abschnitt.

Fernere Beobachtungen im Orden.

Art. 1. Kein Bruder kann zufolge seines Alters eine Stelle im Orden suchen, der Synedrion soll die Aemter im Orden an jene vergeben, die im Stande sind, ihr mit Würde und Kraft ihrer Wissenschaften und Kenntnisse vorzustehen. Treue, Redlichkeit, Verschwiegenheit und Gehorsam muſs im Orden ohnedem jedem Bruder wesentliches Eigenthum sein.

Art. 2. Wenn ein Bruder vom Orden auf eine gesetzte Zeit suspendiret oder gar ausgeschlossen worden, sollen ihm sowohl in einem als dem andern Fall alle mögliche Liebes-Dienste unter der Hand erwiesen, und ihm ja auf keine andere Art nur das geringste Uebel oder der geringste Schaden vom Orden aus, oder von seinen Gliedern zugefüget werden.

Art. 3. Es soll wohl im Gegentheil jener Bruder, der einem suspendirten oder ausgeschlossenen Bruder des Ordens das geringste Leid zugefüget, auf immer vom Orden ausgeschlossen sein.

Art. 4. Der Orden soll seine Jahres-Rechnung von der Zeit der Reforme der Erneuerung und Stiftung von Johann dem Evangelisten anfangen, zufolge dieser ist das Jahr 1581 △ 1541.

Der Orden soll folgende Festtage feiern

1) Den Geburtstag des Kaisers und denjenigen der Souverains jeden Landes, in welchem die Provinz oder die Obermeisterschaft u. s. w. würklich existiret, und diese beiden Feste sollen in eins gezogen werden.

2) Das Fest der Geburt Christi und den Tag

Johann des Evangelisten und diese beide sollen in eins, nur am letztern Tage gefeiert werden.

3) Der Tag da Moses gebohren wurde, der Tag da er die Kinder Israels aus Egypten führte; der Tag da er die Gebote auf dem Sinai empfangen

und endlich der Tag, da er zu seinen Vätern gieng, und sich von Israel trennte. Alle Feste sollen auf den 21ten Merz als den neuen Jahrestag des Ordens verlegt, und in diesem Feste mit eingeschlossen sein.

4) Der Tag da Melchizedeck Brod und Wein opferte, der Tag da Christus das Abendmahl einsetzte, und der Tag Johann des Täufers sollen am letzten Tage zusammen gefeiert werden.

Art. 6. Auf so einen Festtage sollen sich die Brüder Mittags zwölf Uhr versammlen, und mit ihrer Obermeisterschaft essen. Es soll aber zuvor Lamm- und Schweinefleisch, dann Brod und Wein mit Salz von dem Obermeister unter die Brüder stehend vertheilt werden.

Art. 7. Und es soll kein Bruder an so einem Tag wegbleiben, es wäre denn, daſs ihn der Dienst seines Landesherrn oder Krankheiten daran hinderten, wer auſser diesem wegbleibt, soll sieben Monat von den Versammlungen der Brüder ausgeschlossen sein.

Art. 8. Es soll aber die Tafel nach der in einem separaten Abschnitt festgesetzten Ordnung gehalten werden.

Funfzehnter Abschnitt.

Von den Ordens-Gliedern.

Art. 1. Alle Siegel des Ordens sollen nach der Vorschrift des kleinern Synedrions-Siegels gemacht, und nur dadurch unterschieden werden, daſs der Rand das Kapitel oder die Stelle auszeichnet, z. B. groſses oder kleines Siegel des hochwürdigsten General-Kapitels des Ordens der Ritter und Brüder St. Johann des Evangelisten aus Asien in Europa.

Art. 2. Eben so unterscheidet sich die Provinz.

Art. 3. Die Obermeisterschaften aber sezzen: Ordenssiegel des hochwürdigsten Haupt-Kapitels Caschawia u. s. w.

Sechszehnter Absohnitt.

Von der Titulatur im Orden.

Art. 1. Wer an den Synedrion schreibt, soll also schreiben:

Hochwürdgster und weisor kleiner fürwährender Synedrion,
Hochwürdigste und weise versammlete
Väter und Brüder.

In der Aufschrift.

An den Hochwürdigsten und weisen kleinen fürwährenden Synedrion des Ordens, der Ritter und Brüder St. Johann des Evangelisten aus Asien
in Europa

Unterschrift. Treu verbundenste
gehorsamste
N. N.

Art. 2. An das General-Kapitel
Hochwürdigstes General-Kapitel

In der Aufschrift
An das Hochwürdigste General-Kapitel des Ordens, der Ritter und Brüder St. Johann des Evangelisten aus Asien
in Europa

Unterschrift. Treu verbundenste
gehoramste
N. N.

Art. 3. An das Provinz-Kapitel N. N.
Hoch und sehr ehrwürdiges Provinz-Kapitel von Osten etc.

In der Aufschrift.
An das Hoch- und sehr ehrwürdige Provinz-Kapitel von Osten etc. des Ordens der Ritter und Brüder St. Johann des Evangelisten aus Asien
in Europa

Unterschrift. Treu verbundenste
gehorsame
N. N.

Art. 4. An die Obermeisterschaft.
Hochwürdige Obermeisterschaft N. N. der Provinz N.

In der Aufschrift.
An die Hochwürdige Obermeisterschaft N. N. der Provinz von N. N des Ordens, der Ritter und Brüder St. Johann des Evangelisten aus Asien
in Europa

Unterschrift. Treu verbundenste
gehorsame
N. N.

Art. 5. An die Meisterschaft der zweiten Probestuffe.

Ehrwürdige Meisterschaft N. N.

In der Aufschrift:

An die Ehrwürdige Meisterschaft N. N. der Obermeisterschaft N. N. der Provinz N. N. des Ordens, der Ritter und Brüder St. Johann des Evangelisten aus Asien in Europa

Unterschrift. Treu verbundenste — N. N.

Art. 6. An die Meisterschaft der ersten Probestuffe.

Würdige Meisterschaft N. N.
sonst wie oben Art. 5.

Jeder Bruder der ersten Probestuffe heifst:
Würdiger Bruder
der zweiten Probestuffe, Ehrwürdiger Bruder
der ersten Hauptstuffe, Hochwürdiger Bruder
der zweiten Hauptstuffe Hochwürdigster Bruder
der dritten Haupstuffe, Hochwürdigster und wohlweiser Bruder.

Siebenzehnter Abschnitt.

Von den Ausnahmen im Orden.

Art. Wenn der oberste Ordens-Grofsmeister ein Hand-Billet an das General-Kapitel u. s. w. erläfst; welches aber vom obersten Ordensvicarius und obersten Kanzler contrasignirt worden: so soll es die nemliche Kraft haben, als wenn es den Weg der Gesetze gelaufen wäre; dies Hand-Billet darf aber nur mit dem Personal-Ordens-Siegel des obersten Grofsmeisters gesiegelt seyn.

Art. 2. Wenn der oberste Ordensvicarius

und oberste Kanzler oder in dessen Abwesenheit der oberste Vice-Kanzler im Synedrion ein Handbillet an das Generalkapitel u. s. w. erläfst, so soll es die nemliche Kraft haben, als wenn es den Weg der Gesetze gelaufen wäre. Dies Handbillet aber mufs mit dem kleinen Synedrions-Siegel, ohne weitere Contrasignirung gesiegelt seyn.

Art. 3. Gleiches erstreckt sich auf den General-Obermeister und den Provinzial-Grofsmeister, bei beiden aber müssen die respective Kanzler contrasigniren, und mufs allezeit mit dem kleinen Ordenssiegel gesiegelt seyn.

Art 4. Es verstehet sich aber von selbst, dafs von so einem Handbillet nicht eher als im ersten Nothfall oder bei wichtigen Expeditionen, oder wenn eine Sache Verzögerung erlitten, mit einer andern zu eben dieser Zeit noch zu endigen, Gebrauch gemacht werden darf.

Art. 5. Es ist bekannt, dafs es leider gewisse eingebildete Vorrechte gewisser Systeme giebt, welche glauben, dafs sie das Recht haben, aufser den gewöhnlichen □ Freimaurer, Ritter und Brüder zu machen. Sollte sich also ein und der andere Bruder unsers Bundes so einen gesetzwidrigen Schritt erlauben, so soll er nicht nur allein auf ewig vom Orden ausgeschlossen, sondern auch sein Unternehmen allen gesetzmäfsigen □ bekannt gemacht werden.

Art. 6. Der hochwürdigste und weise kleine fürwährende Synedrion soll aber das Recht haben zu lösen und zu binden, das ist zu dispensiren, anzunehman und auszuschliefsen, wie, wenn und wen er will. Auch sollen alle Gesezze, die der Synedrion in Zukunft und zu allen

Zeiten im Orden zum Wohl der Brüder, zur Vervollkommung der Einheit aller Menschenkinder ihres Bundes vorkehren, ordnen und festsezzen, und vollkommene Kraft der Gesetze, als wenn sie hier buchstäblich und von Wort zu Wort eingerückt wären, zu ewigen Zeitn haben, auch wiederhohlt darinn alle Dispensationen, Suspensionen, Exclusionen und Beförderungen, kurz alles und jedes begriffen, verstanden und geschrieben sey.

Art 7. Der Hauptinhalt aber aller Gesetze ist Rechtschaffenheit, Menschenliebe, Brudertreue, Mitleiden und Erbarmen gegen Nothleidende, Verschwiegenheit, Selbstverläugnung, Gehorsam, Demuth und Bescheidenheit, Vorsichtigkeit und Wachsamkeit über Herz und Leben, Vergebung seiner Feinde, kurz die höchste Vervollkommung seiner selbst in seinem Stande und Beruf — sey er auch gleich Regent oder Unterthan — Herr oder Diener — Fremder oder Bürger im Staat — Hausvater oder Ehegatte, Bruderoder Sohn — Freund, Gesellschafter oder Nachbar — kurz jeder Bruder unsers Ordens soll ein Verehrer Gottes — ein Verehrer der Könige und Fürsten — ein folgsamer guter Bürger — ein getreuer Freund seiner Brüder — ein Wohlthäter der Menschheit — ein edeldenkender, Wahrheitsforschender, mit eins ein ehrlicher Mann im strengsten Verstande seyn.

Der aller hochwürdigste und weiseste grosse Synedrion ordnet.

a) Daſs jedes dirigirende Glied und also mit Einschluſs des obersten Ordens-Groſsmeisters die sieben Glieder des Synedrions an jedem Festtage des Ordens jedes Glied für sich, einen nach dem Gesetz rechtmäſsig erkannten und legalisirten Freimaurer, Ritter Bruder und Meister, ohne den gewöhnlichen Weg zu folgen, geradezu dem Orden, in welcher Provinz oder Obermeisterschaft er will, zur Aufnahme nach seinem Belieben zutheilen kann.

Gegeben im allerhochwürdigsten und weisesten Synedrion der Ritter und Brüder St. Johann des Evangelisten aus Asien in Europa am 4/7 △ 1740.

Beschlossen und ausgefertigt im hochwürdigsten und weisen kleinen fürwährenden Synedrion des Ordens der Ritter und Brüder St. Johann des Evangelisten aus Asien in Europa.

Die versammleten Väter und Brüder am 1/9 △ 1741.

Isch Zadick.

Rosch. Hamdabrim.

Pokeach Ibhrim.

Thumim Bemahltoh.

Somech Nophlim. Tham. Wejaschor.

Melibh Lackol.

Josua Secretair.

Die Barmherzigkeit des Unendlichen über Uns!
Seeligkeit und Friede
durch
1 △ 3 △ 4 △ 1.

Der hochwürdigste und weise kleine fürwährende Synedrion.

Die versammleten Väter und Brüder.

Dies ist der Innhalt der Gesetze, die unter dem Namen des Gesetzes, des Buchs von 10 Blättern im Synedrion liegen, ein Inbegrif aller Gesetze, die der Synedrion ordnet.

Art. 1. Der erste Theil der in 17 Abschnitten bestehenden allgemeinen Gesetze des Ordens der Ritter und Brüder St. Johann des Evangelisten aus Asien in Europa, soll in beständiger und führwährender Activität sein und bleiben, und hier verstanden sein, als wenn er buchstäblich von Wort zu Wort hier eingerückt wäre.

Art. 2. Wenn ein Bruder des Ordens einen Mann entdecket, der alle Fähigkeiten besitzet, die der Orden bei einem suchenden fordert, dieser Mann aber nicht Freimaurer Ritter und Meister wäre, so soll er doch davon die Anzeige bei seinem Meister oder Obermeister machen.

Art. 3. Der Obermeister soll dann mit Zuziehung seiner beiden Meister über den Werth des Mannes consultiren, und wenn sie an ihm alle und jede Eigenschaften die der Orden an seinem Suchenden wünscht, ausgezeichnet ſinden, so soll

Art. 4. der Obermeister an den Synedrion schreiben, die beiden Meister sollen das Schreiben mit Zuziehung der Secretairs und desjenigen Bruders, der diesen Mann vorgeschlagen hat, unterzeichnen, um also gefertigter den Weg der Gesetze laufen lassen.

Art. 5. Ehe aber dieses geschiehet, so soll der Freund des Suchenden sich alle Mühe geben, den Suchenden zu überzeugen, wie nützlich und der Verfassung des Ordens gemäſs es wäre, wenn er sich in einer oder der andern ihm gefälligen □ aufnehmen lieſse.

Art. 6. Er soll sich bestreben ihn zu überzeugen, wie wenig Einfluſs die verschiedenen Mishelligkeiten der Freimaurer, ihre Streitigkeiten, und selbst ihre Verfolgungen unter einander auf den Geist der ächten Freimaurer gehabt haben, daſs dieser Einfluſs nie von Wichtigkeit hat sein können, und es niemal sein wird.

Art. 7. Wenn alle diese Bemühungen fruchtlos abgelaufen, und der Suchende profane Anstände fände, die sich wohl immer legal zeigen können, so soll das obenangemerkte Schreiben gesetzmäſsig ablaufen.

Art. 8. Der Synedrion soll dann die Erlaubniſs zur Aufnahme eines solchen Manns cum Dispensatione mit der Clausul ertheilen.

Art. 9. Daſs so ein Suchender sich mit der Zeit und Gelegenheit in eine gesetzmäſsige □ aufnehmen lasse, die mit dem Orden im Verband stehet, bis dahin er in Geduld stehen möchte.

Art. 10. Doch soll von dieser Dispensation nur im höchsten Fall, und aus äusserst wichtigen Gründen Gebrauch gemacht werden.

Art. 11. Der Orden soll keine Mitglieder öffentlicher Schande oder der verwerflichsten Armuth und Dürftigkeit Preis geben, weil

Art. 12. ein armes Mitglied im Orden nicht im Stande ist, die Vortheile die er wirklich für seine Person im Orden empfängt, als ein Armer zu nutzen, denn ein Armer hat Mangel an Brodt, und wer Mangel an Brodt hat, hat keine Stätte noch Wohnung die geräumig genug zu unsern Absichten wäre.

Art. 13. So ein armes Mitglied soll vom Orden unterstützt und ihm Brodt und Unterhalt durch profane Gewerbe und Arbeiten verschaft werden.

Art. 14. Denn es soll Niemand im Orden angenommen werden, der nicht in der Gesellschaft der ganzen Welt sein Brod als ein ehrlicher Mann auch ohne den Orden verdienen kann.

Art. 15. Die Brüder der ersten Probestuffe bekommen keine andere als theoretische Lehren.

Art. 16. Die Brüder der zweiten Probestuffe bekommen nebst der Theorie auch practische Arbeiten, welche sowohl in Medicamenten als weitern Untersuchungen bestehen.

Art. 17. Jeder Bruder der ersten Hauptstuffe empfängt die Aufschlüsse aller dreien Tapis, des sehr ehrwürdigen Ordens der Ritter und Brüder, Freimäurer, Lehrling, Geselle und Meister, nebst der Erkenntniß des rohen Steins seiner Stuffe, praktische Arbeiten und Medicamenten gratis nach der Willkühr des Ordens.

Jeder Bruder der zweiten Hauptstuffe bekommt seine vollständige Lehre.

Art. 19. Gleiche Bewandnifs hat es mit den Brüdern der dritten und letzten Hauptstuffe.

Art. 20. Jede Meisterschaft darf die Zahl von zehn Gliedern mit Einschlufs des Obermeisters nicht übersteigen.

Art. 21. Die erste Hauptstuffe darf aber die Zahl von 33 Gliedern nicht übersteigen.

Art. 22. Wenn also die Zahl voll ist, so mufs eine neue Meisterschaft, oder Obermeisterschaft entstehen.

Art. 23. Wenn drey Brüder beisammen sind, so können sie um die Constitution einer Meisterschaft bitten.

Art. 24. Wenn aber vier Brüder beisammen sind, so können sie die Constitution einer Obermeisterschaft suchen.

Art. 25. Wer bei der Versammlung der Brüder ohne Degen und Handschuh' erscheint, soll auf drei Monat von eben diesen Versammlungen suspendiret sein.

Art. 26. Und wer in die Zukunft ohne Degen, Handschuh, Huth, Ordenszeichen und Binde erscheinet, soll auf sieben Monat von den Versammlungen der Brüder ausgeschlossen sein.

Art. 27. Wenn einmal die Mäntel beigeschaft sind, so soll es die nemliche Bewandnifs gleich bei dem Artikel 26 haben.

Art. 28. Die monatliche Beiträge sollen die gesetzmäfsige Summa von 33 Xr. nicht übersteigen, und die Gesetze erlauben nicht sie zu erhöhen.

Art. 29. Es ist aber keinem Bruder verboten,

ten, diesen gesetzmäſsigen Beitrag zu erhöhen, oder zu vermehren, so hoch er will und wie er will, der Ueberschuſs aber über oben angeregte 33 Xr. ist der freiwillige Beitrag, den die Geseze zwar erlauben aber nicht authorisiren.

Art. 30. Wenn in einer Provinz einmal alle Stellen des Provinzial-Kapitels besetzt sind, so soll der Provinzial-Groſsmeister, so bald eine oder die andere ledig wird, das Recht haben, aus seiner Provinz, wen er will, dazu zu ernennen; doch muſs er die Anzeige davon an den Synedrion machen, der Synedrion wird dann die Legalisation davon anfertigen lassen.

Art. 31. Gleiche Bewandniſs soll es mit dem Generalkapitel haben.

Art. 32. Doch behält sich der Synedrion immer die Legalisirung solcher Subjecte vor.

Art. 33. Der Synedrion hat das Recht die Exclusiva zu geben, d. i. es kann der Fall seyn, daſs ein Bruder zwar vom Orden nicht suspendirt, wohl aber zur Bekleidung eines Amts im Orden oder in der That unfähig ist, oder durch sein Betragen im Orden sich dazu unfähig gemacht hat.

Art. 34. Es soll daher die Exclusion den Aemtern gleich der Suspension der vollkommenen Exclusion als eine Strafe im Orden angesehen werden, wenn der, der sie empfängt, sie nicht wegen natürlicher Unfähigkeit empfangen hat.

Art. 35. Alle Producte der Arbeiten sollen allezeit von einer ganzen Meisterschaft oder Obermeisterschaft untersucht und nicht eher zum Kauf gegeben werden, es haben denn alle Brüder sie als ächt erkannt und wohl geprüft.

Art. 36. Wer in die Versammlungen der

D

Brüder mit einem Stock eintritt, wenn es auch nur bei einem Instructionskapitel wäre, der soll auf drey Monat von den Versammlungen ausgeschlossen seyn.

Art. 37. Wer unbedeckt in die Versammlungen eintritt; soll drey Monat von den Versammlungen ausgeschlossen seyn.

Art. 38. Jeder zeitige General-Obermeister, der Kanzler seines Kapitels, der Provinzial-Groſsmeister und seine Kanzler sollen allezeit gesetzmäſsige Mitglieder der 72 Synedrions-Brüder seyn.

Art. 39. Es sollen im Generalkapitel in jedem der Provinzen Vice-Kanzlers seyn, und diese sollen ebenfalls in dieser Qualität Mitglieder der 72 Synedrions-Brüder seyn.

Art. 40. Der geheime Synedrions-Expeditor, Archiv-Verwahrer und oberste Synedrions-Justiziarius soll ebenfalls ein Mitglied der 72 Synedrions-Brüder seyn.

Art. 41. Gleiche Bewandniſs soll es mit dem obersten Synedrions-Inquisitor haben.

Art. 42. Es soll jedem Suchenden, ehe er in den Orden eintritt, die General-Instruction vorgelesen werden.

Art. 43. Auch soll man jedem Suchenden erklären, daſs im Orden kein anderer Unterschied Platz finde als jener, den Adel, Würde und Rechtschaffenheit des Herzens, nebst gründlicher Wissenschaft ertheilen.

Art. 44. Noch soll man jedem Suchenden vor seiner Aufnahme sagen, daſs er in den Orden gratis aufgenommen wird und alle Beförderung eben so empfängt; daſs er aber für sein gesetzmäſsiges Personal-Patent zwey Ducaten zu bezahlen habe.

Art. 45. Die Arbeiten des Synedrions sollen aber wie folget, behandelt werden.

a) Die Abtheilung von dreien bearbeitet platterdings die Universalien der drey Naturreiche.

b) Jene von fünf die Astralien.

c) Jene von 7. die 7 Metalle.

d) Jene von 9 aber alles was man Mineralien nennt.

Art. 46. Wer einmal bei einer Obermeisterschaft zur Aufnahme angesagt worden, kann von dieser bei keiner zweiten angesagt werden,

Art. 47. Es soll kein Bruder im Orden seyn, der nicht zu einer Obermeisterschaft gehört, habe also ein Bruder gleich die zweite, oder auch die dritte Hauptstuffe, so gehört er doch zu jener Obermeisterschaft bei welcher er eingetreten ist, und er muſs da alle Vortheile und Verbindungen mit gemeinschaftlich tragen.

Art. 48. Es soll kein Bruder in den Orden angenommen werden, er habe denn volle 27 Jahr erreicht.

Art. 49. Bei Aufnahme in die erste und zweite Probestuffe soll allezeit bei der dritten Aufnahme Brod, Wein und Salz gesetzmäſsig vertheilt werden.

Art. 50. Bei Aufnahme in die erste Hauptstufe soll aber allezeit bei der siebenten Aufnahme Brod, Fleisch Wein und Salz vertheilt werden.

Art. 51. Es soll aber die erste Hauptstuffe nie über sieben Brüdern gegeben werden, d. i.

die Zahl der zur Aufnahme bestimmten Brüder darf die Zahl sieben nicht übersteigen.

Art. 52. Es soll bei allen Versammlungen der Brüder Salz auf dem Tisch stehen.

Art. 53. Die Instructions - Kapitel sollen wie die Aufnahme - Kapitel geöffnet und geschlossen werden.

Art. 54. So oft ein Festtag des Ordens ist, so sollen die Brüder der ersten Hauptstuffe den Vorabend des Tages, d. i. auf den Abend sich der gewöhnlichen Speisen enthalten, und nur mäſsig Brod und Wein zu sich zu nehmen.

Art. 55. Die Brüder der zweiten Hauptstuffe sollen die nemliche Verpflichtung haben, sie sollen aber den folgenden Tag nüchtern bis zur Tafel bleiben.

Art. 56. Die Brüder der dritten Hauptstuffe aber sollen den ganzen Vortag von früh, da die Sonne aufgehet bis zu ihrem Untergang nüchtern bleiben. Nach Sonnenuntergang aber soll ihnen erlaubt seyn, eine warme Brühe mit Fleisch, Brod und Wein aber mäſsig zu sich zu nehmen, auch sollen sie den folgenden Tag bis zur Tafel nüchtern bleiben.

Art. 57. Die Art. 54. 55. 56. sind als ein freiwilliger Nachtrag zu den allgemeinen Gesetzen anzusehen bei welchen sie wirklich einverleibt sind.

Art. 58. Der hochwürdigste Synedrion will aber dies alt hergebrachte Gesetz, Art. 54 55 u. 56 exclusive der dritten Hauptstuffe aufgehoben und dafür ein selbstbeliebiges freiwilliges Allmosen geordnet haben, dergestallt daſs jeder Bruder im Orden einen ihm bekannten, oder ihm zugekommenen Armen selbst das Allmosen reichen soll.

Art. 59. Jeder Bruder im Orden soll so lange er lebt, ein Mitglied jener Obermeisterschaft seyn, bei der er aufgenommen worden, habe er gleich die zweite und selbst die dritte Hauptstuffe erhalten.

Art. 60. Die Brüder der beiden Probestuffen sollen an den Festtagen des Ordens, zwar in dem nemlichen Hause und in dem nemlichen Zimmer aber an einer separaten Tafel speisen.

Art. 61. Die Brüder der Obermeisterschaft speisen alle an einer Tafel.

Art. 62. Wenn aber die Tafel des obersten Ordens-Großmeisters bei seiner Installirung gehalten wird, so sollen nur die Brüder der zweiten und dritten Hauptstuffe und bei seiner Wahl active Brüder, d. i. die deligirten mit ihm speisen. Jene der ersten, speisen in einem zweitem Zimmer, Jene der Probestuffen aber gar nicht mit.

(L. S.) Roach Hamdabrim.
Pockeach Ibhrim.
Metibh Lackol.

Art. 63. Sigl. $\frac{3}{9}$ △ 1744. Es sollen beim General-Kapitel über die gesetzte Zahl der Generalats-Brüder, 6 Brüder Consultores und 4 bei jedem Provinzial-Kapitel seyn.

Art. 64. Sigl. $\frac{14}{6}$ △ 1744. Da sich verschiedene Brüder äußerten, daß die gesetzmäßig freiwilligen Beiträge an den beiden Festen Johann des Evangelisten und Johann des Täufers überflüssig scheinen, und man sie ungebürlich vermuthen könnte, daß sie platterdings zum Vortheil des Synedrions eingenommen würden, so hat der versammlete Synedrion folgende gesetzmäſsige endliche und ernstliche Erklärung abgegeben.

Es sind einstweilen beim hochwürdigsten Synedrion zwey Schreiber monatlich mit Fl. 4 angestellt, es ist die Summe dieser Ausgabe monatlich Fl. 8 also jährlich Fl. 96. Hier ist weder Quartier und eben so wenig Holz und Licht in Anschlag gebracht. Noch ist also keine Rede von den Postporten, die, wie wir es legal wissen, schon sehr hoch angelaufen.

Da alle diese Ausgaben einen Bruder wie den andern angehen, und also gemeinschaftlich sind, so scheint es der Billigkeit äuſserst gemäſs zu seyn, daſs jeder Bruder nach seinen Kräften einen freiwilligen Beitrag giebt. Der Synedrion glaubt, daſs es menschenfreundlich und gewiſs noch mehr als brüderlich sey, wenn die Brüder im Synedrion für die Brüder in allgemeinen und separaten Anwendungen Tag und Nacht unermüdet arbeiten und Lehre und Arbeit ganz umsonst mittheilen. Was die Taxen der Acten betrift, so werden sie, wie es die Gesetze klar ausweisen, nur einmal bezahlt, und diese sind nicht hinlänglich daſs man die Schreiber und dienende Brüder nur auf sechs Monate bezahlen könne, wenn sie auch alle eingegangen wären, noch sind aber keine erhoben worden, denn die Obermeisterschaft Caschawia hat Constitutions-Brief und Acten gratis empfangen. Wenn sich die Zahl der Brüder vermehrt, so mehren sich die Ausgaben, wie die Einnahmen wenn solche fallen sollte, weil denn das arbeitende Personal nicht hinlänglich ist. Nun ist zum Ueberfluſs keine Rede von den Arbeiten des Ordens gewesen, und also glaubt das Synedrion daſs dergleichen Gründe hinlänglich sind, den Weg der Vermuthungen in Rücksicht der Anwendung der freiwilligen Beiträge auszuweisen.

Man verlangt keine Vortheile, nur wünscht man dafs man nicht (wie es bisher geschehen ist) immer zwey Theile auf die Einnahme zahlen mufs.

Es hat also bei den freiwilligen Beiträgen sein ganz unabänderliches Verbleiben.

Art. 65. Sigl. $\frac{30}{10}$ △ 1744. Der versammlete Synedrion hat dem ehemaligen hochwürdigsten Bruder Scharica zugestanden:

1mo. Dafs er unter dem Namen Nachem der Zahl der 72 Brüder im Synedrion einverleibt sey.

2do. Dafs er in Rücksicht seiner dem (nun aufgehobenen) Synedrion begleiteten Stelle von der gesetzmäfsigen Unterwerfung des Provinzial- und General-Kapitels befreiet wäre.

3tio. Dafs er aus dieser Ursach geradezu unter der Autorität der Gesetze unter dem hochwürdigsten und weisen kleinen fürwährenden Synedrion von Europa stehe, und auch mit demselben gerade zu seine Ordensgeschäfte machen könne.

Art. 66. Sigl. $\frac{14}{10}$ △ 1744. Da der ehemalige hochwürdigste Ordensgrofsmeister Bruder Hemon in Rücksicht seiner vielen profanen Geschäfte bei den sich immer häufenden Ordens-Geschäften seine Stelle dem Orden mit der Erklärung zurückgegeben: dafs er als ein exemter Bruder im Orden zu leben und directe mit dem Synedrion in Verbindung zu bleiben wünsche, so hat dieser beschlofsen.

1mo. Dafs der hochwürdigste Bruder Henon

seine Stelle abgegeben, diese aber vacant bleiben sollte, bis der Synedrion anderwärtig darüber disponiren wird.

2do. Dafs der hochwürdigste Bruder Henon unter den 72 Brüdern im Synedrion einen Platz habe; dafs er

3tio. diesen Platz unter den sieben des Synedrions bekleiden solle, und dafs

4to. er von den Entdeckungen im Orden in jedem Fall soll legal unterrichtet werden.

5to. Und dafs endlich in den Jahrbüchern des Ordens sein Name angemerkt werde, dafs er dem Orden bei seiner ersten Einführung in Europa die entscheidenste brüderliche Dienste geleistet habe.

Art. 67. Sigl. $\frac{14}{10}$ △ 17‘4. Die Artikel zwey bis inclusive zehn sind dahin zu verstehen; Es darf kein Suchender von einem Bruder im Orden vorgeschlagen werden, er sey denn zuvor Freimaurer, Ritter und Meister einer ächten □, (vide General-Instruction.) Dies ist also der Fall, dafs laut diesen Artikeln auch ein Profan könne vorgeschlagen werden. Und dies ist der Verstand der Dispensation. Er soll dann jener □, die gesetzmäfsig in ganz Europa erkannt, und mit dem Orden in einem engern Verbande stehet, zugewiesen und da entweder gratis oder um den halben Aufnahms-Ertrag angenommen werden, oder wenn der Synedrion so einen Bruder gleich in den Orden annehmen will, so soll er dann die Reception nach der statutenmäfsigen □ Landes Taxe bei der bezahlen.

Art. 68. Sigl. $\frac{1}{10}$ △ 1744. Da die Stelle eines Provinzial-Schwerdtträgers nur eine Ceremoniell- und Ehrenstelle im Provinz- und Generalkapitel ist, so soll der Bruder, der diese Stelle begleitet, zu gleicher Zeit jene eines Consultors begleiten.

Art. 69. Sigl. $\frac{11}{18}$ 1744. Es sollen um die Geschäfte und Arbeiten der Brüder zu erleichtern, im General- und in den Polizeikapiteln, ein Vice-General-Obermeister, und Vice-Provinzial-Großmeister seyn. Doch ist mit dieser Stelle das Recht nicht verbunden, wenn der General-Obermeister, oder der Provinzial-Großmeister zu seinen Vätern heim gehet, daß der Vice-General-Obermeister oder Vice-Provinzial-Großmeister die vacante Stelle erhalten, der Wahlfürschlag bleibt frei, so lange aber der eine oder die andern leben, nicht gegenwärtig oder verhindert sind, die Ursach mag auch Namen haben wie sie will, so vertreten sie seine Stelle, kraft welcher sie auch alles mitunterzeichnen sollen.

Art. 70. Sigl. $\frac{1}{8}$ △ 1744. Es wird wiederholt geordnet, daß kein Bruder in eine Versammlung der Brüder ohne Degen u. s. w. eintrete; auch wird wiederholt verboten, mit einem Stock in die Versammlung der Brüder einzutreten, die Brüder welche Stöcke bei sich haben, sollen sie im Vorzimmer lassen, der führende Bruder soll darauf sehen, daß darüber gehalten werde, und er soll alle Brüder, die eines von diesen Requisiten bei sich haben, zurückweisen.

Art. 71. Sigl. $\frac{1}{10}$ △ 1744. Es sollen die Brüder Inquisitores besser auf ihre Pflicht halten, damit keine Unheilige untergeschoben werden können.

Art. 72. Sigl. $\frac{21}{18}$ △ 1744. Es sollen die Acten des Ordens, bei den Meisterschaften, Obermeisterschaften u. s. w. in einem Kästchen wohl verwahret seyn, auf dem Kästchen soll aber allezeit die Adresse des Provinzial-Grofsmeisters, oder des Kanzlers der Provinz stehen, damit es sicher ist, wenn sich ein Fall ereignen sollte, dafs so ein Bruder zu seinen Vätern heim gienge. Auch sollen drey verschiedene Schlösser dieses Kästchen schliefsen, wovon bei den Meisterschaften, der Meister, der Secretair und der einführende Bruder bei dem Obermeister, und der erste und zweite Meister allezeit jeder einen Schlüfsel haben soll. Die Acten sollen aber allezeit bei dem Meister oder Obermeister liegen.

Art. 73. Sigl. $\frac{21}{10}$ △ 1744. Es soll bei Aufnahmen der einführende Bruder allezeit den Degen blos haben, und die Spitze in die Höhe halten.

Art. 74. Sigl. $\frac{21}{10}$ △ 1744. Wenn die Obermeisterschaft die Zahl von 33 Brüdern erstiegen, so mufs der Ueberflufs der Brüder eine neue Obermeisterschaft formiren, die alte kann dann wieder auf 15. Glieder zur neuen aufnehmen, und so jede Obermeisterschaft. Der Ueberschufs mufs aber wieder und allezeit eine neue Obermeisterschaft formiren.

Art. 75. Sigl. $\frac{21}{10}$ △ 1744. Es sollen bei jeder Obermeisterschaft Provinz- und General-Kapitel, wie auch beim Synedrion dienende Brüder seyn, die Freimaurer, Ritter und Meister sind. Sie sollen alle die erste Probestuffe des Ordens, jene vom General-Kapitel und Synedrion aber sollen die zweite Probestuffe des Ordens empfangen.

Art. 76. Sigl. $\frac{21}{10}$ △ 1744. Der im XI. Abschnitt 11ten Artikel angesetzte gesetzmäfsige Personalbrief wird aus der Ursach abgegeben, dafs der Orden keiner Täuschung ausgesetzt sey. Es kann der Fall möglich seyn, dafs durch das üble Betragen oder die Unvorsichtigkeit eines Bruders Wort, Zeichen u. dgl. verrathen werden, er also bei einer oder der andern Meister- oder Obermeisterschaft (dessen Oberer ein gerader rechtschaffener Mann ganz voll von Zutrauen ist, der sich gar keiner Hinterlist versiehet) eintreten könne.

So aber soll jeder Bruder, der eine fremde Obermeisterschaft besucht, oder jeder Bruder, der den Festen des Ordens beiwohnen will, sich durch seinen Personalbrief legalisiren, aufser diesem soll ihm der Eintritt verwehret seyn.

Art. 77. Sigl. $\frac{11}{10}$ △ 1744. Wenn ein Bruder vom Bruder vom Orden ganz ausgeschlossen wird, so soll die Synedrions-Expedition das Personalpatent gegen Erlag der zwey Ducaten zurücknehmen.

Art. 78. Sigl. $\frac{11}{10}$ △ 1744. Es soll der erste Artikel des alten Constitutions-Buchs des sehr ehrwürdigen Ordens der Ritter und Brüder Freimaurer, welches auf Befehl des hochwürdigsten Bruder-Grofsmeisters Herzog von Montagu und aus den gesammelten geheimen Urkunden nach vorheriger gesetzmäfsigen Genehmigung der grofsen □ de dato 25ten März 1722 herausgegeben worden ist, jezt und zu ewigen Zeiten wiederholt, buchstäblich gesetzmäfsig zu jeden Bruders Wissenschaft anerkannt werden. Der Inhalt dieses Artikels lautet wie folget:

Erste Pflicht. In Ansehung Gottes und der Religion.

Ein Freimaurer ist hierdurch verbunden das

Moralgesetz, als ein wahrer Noachite zu beobachten, und wenn er die Kunst recht verstehet, so wird er niemals einen thörichten Atheisten, noch einen ruchlosen Freigeist abgeben noch wider sein Gewissen handeln.

In den alten Zeiten waren die christlichen Maurer verpflichtet sich den christlichen Gebräuchen eines jeden Landes, wo sie zu wandern oder zu schaffen hatten, gleichförmig zu halten. Da aber die Maurerei unter allen Völkern auch von andern Religionen angetroffen wird; so liegt ihnen anjetzt nur ob, derjenigen Religion beizupflichten, worin alle Menschen übereinkommen, jedem Bruder aber seine eigene besondere Meinung zu lassen, d. i. man fordert nur, daſs sie tugendhafte und getreue Menshen sind, und auf Ehre und Ehrbarkeit halten, sie mögen im Uebrigen durch diese oder jene Namen, Religionen oder Meinungen von einander unterschieden seyn wie sie wollen, denn sie stimmen allesammt in den drey groſsen Artikeln des Noach überein, welches genug ist, die Verbindung der Loge zu bewahren.

Es ist also die Maurerei der Mittelpunkt ihrer Vereinigung und das glückliche Mittel zwischen solchen Personen, die sonst in einer stäten Entfernung von einander hätten bleiben müssen, treue Freundschaft zu stiften.

Art. 79. Sigl. ⁱ⁰⁄₁₁ △ 1744. Doch da der hochwürdigste Synedrion auf die wiederholten Vorstellungen des hochwürdigsten Generalkapitels die Nothwendigkeit eingesehen hat, in den vier Provinzen des Ordens (Osten, Süden, Westen und Norden) gewisse Unterabtheilungen in den respectiven Provinzen, der ganzen Provinz zu machen, weil das einzige Provinzialkapitel unmöglich im Stande ist über eine so weit ausgedehnte Provinz ein nutzbringendes wachsames Auge zu halten; so ordnet der hochwürdigste und weise kleine fürwährende Synedrion: daſs da z. B. das Provinzialkapitel von Osten aus verschiedenen Provinzen, als Siebenbürgen, Ungarn, Oesterreich, Tyrol, Mähren, etc. bestehet; jede dieser Provinzen in separate Unterabtheilungen wie folget, eingetheilt seyn soll. Es soll also jede Provinz ein Provinzial-Administrations-Kapitel haben, welches mit folgenden Gliedern zu besetzen ist:

Der Bruder Provinzialadministrator.
— Provinzial-Administrations-Kanzler.
— Archivverwahrer und Expeditor.
— Inquisitor.
— Secretair.
— 2 Consultores.

Die Obermeisterschaften jeder separaten Provinz sollen also alle Correspondenzen des Ordens, sie mögen Namen haben wie sie immer wollen, erstens an ihr Provinzial-Administrations-Kapitel abgeben, welches sie an das Provinzialkapitel der ganzen Provinz zu weiterer Bestellung zu übermachen hat. Diese Ordnung soll mit dem $\frac{7}{1}$ △ 1645. allgemein angeführet seyn.

Art. 80. Sigl. $\frac{16}{12}$ △ 1744. Wenn eine Versammlung der Brüder im Provinzial-Administrations-Kapitel u. s. w. angesagt wird, und ein oder der andere Bruder die Stunde versäumt und nicht pünktlich erscheint, so soll er seiner Stelle verlustig seyn, es wäre denn, daſs ihn die Geschäfte seines Souverains daran verhinderten, bei so einem Falle ist es Pflicht die dem

Orden heilig ist. Hier sind auch Krankheiten und unvorhergesehene Vorfälle mit einverstanden.

Art. 81. Sigl. ⁴⁴⁄₁₂ △ 1744. Der Synedrion hat mit dem äusersten Misfallen vernommen, daſs die Brüder bei den Versammlungen der Provinzen u. s. w. wenn sie über Gegenstände zu deliberiren haben, so eine Deliberation auf eine ganz unverständige und unordentliche Art halten, sich untereinander zanken, und sich Worte bedienen, die Anstand' und die Bruderliebe beleidigen und die allgemeine Ruhe stören. Der Synedrion ordnet also, daſs es des Bruders Kanzlers jenes Kapitels, welches über diesen oder jenen Gegenstand zu delibriren hat, Pflicht sei, den Gegenstand der Deliberation dem versammleten Kapitel gesetzmäſsig klar auseinander zu setzen und sobald dies geschehen, sein Votum informativum abzugeben, wenn er dies verständlich gegeben hat, so fängt der jüngste Bruder im Kapitel an, sein Votum abzugeben, unb so ein Bruder nach dem andern der Provinzial-Administration, der Provinzial-Groſsmeister u. s. w. giebt das lezte.

Alle diese Vota sollen gehörig protocollirt werden. Wenn dies geschehen, so soll der Kanzler die Vota reassumiren, einen Definitivschluſs formiren, ihn gehörig protocolliren und von allen Brüdern unterzeichnen lassen.

Bei allen diesen Geschäften aber soll man jedem Bruder sein Votum anhören und ohne ihn zu unterbrechen, sprechen lassen, sollte es aber seyn daſs er die Sache, über welche zu delibriren ist, gesetzmäſsig eingesehen habe, so ist es des Kanzlers Pflicht, ihn mit Bruderliebe noch mehr darüber aufzuklären und sie ihm ganz verständlich zu machen. Wer wider dies Gesetz fehlt, soll seine Stelle im Kapitel verlieren und zeitlebens unfähig seyn, eine Stelle im Orden zu bekleiden, sondern er soll bei seiner Obermeisterschaft bleiben, und auch da nie seine Meinung gehöret werden.

Art. 82. Sigl. $\frac{16}{12}$ △ 1744. Die Brüder Inquisitores haben angezeigt, daſs einige Brüder ungeachtet dies schon auf das nachdrücklichste in den Gesetzen verboten ist, bei ihren Versammlungen, wenn die Geschäfte geendiget, von Staats- und Kriegessachen und tausend andern Dingen sprechen, die den Orden gar nicht angehen, so erkläret der Synedrion wiederholt, daſs der erste Bruder, welcher gesezmäſsig dieses Vergehens überwiesen wird, auf ewige Zeiten vom Orden ausgeschlossen seyn solle, und nicht die geringste Einwendung oder brüderliche Fürbitte zu seinem Besten angenommen werden soll.

Es wäre im Gegentheil unendlich vortheilhafter für jeden Bruder, wenn er anstatt von Dingen zu reden, die gar seines Berufs nicht sind, oder wenn sie es sind, seine Pflichten, die er dem Staat und seinem Souverain schuldig ist, verletzen, und das Verbrechen also noch gröſser machen, weil er von Dingen schwätzt, die er nach seinem Stand und Beruf verschweigen sollte, es wäre besser, sagt der Synedrion, wenn so ein Bruder seine Zeit besser anwendete und etwas lernte, denn man hat bemerkt, daſs solche Brüder beinahe eben so wenig von ihrem personellen Beruf und Pflichten als von jenen des Ordens verstehen.

Die Inquisitores sollen also ein brüderliches

wachsames Auge auf solche Brüder haben, denn ein für allemal der Orden kann, will und darf sie nicht dulden.

Art. 83. Sigl. $\frac{26}{12}$ △ 1744. Die Brüder des Ordens, die schon zum Theil 30 und mehrere Jahre im Orden leben, und nach der alten Art einzelweise von vertrauten Brüdern in die lezte Hauptstuffe des Ordens angenommen werden, sollen nach der Norma vom $\frac{12}{16}$ 1789 als exempte Brüder im Orden angesehen werden, und sie sollen directe unter dem Synedrion stehen und ihr Geschäft mit ihm machen, welches ihnen vom Synedrion auf ihre eingereichte Vorstellung als eine Antwort zukommen soll.

Art. 84. Sigl. $\frac{26}{12}$ △ 1744. Es soll kein Bruder ein Medicament empfangen, ehe es von den Brüdern, deren Geschäft es ist, sie mit der ernsten Strenge zu untersuchen, und als ächt der menschlichen Gesellschaft, vorzüglich aber den Armen nützlich und vortheilhaft, erkannt worden. Bei Bearbeitung der Medicamente aber sollen allezeit Brüder Doctores der Medicin seyn, die sie verstehen und beurtheilen können. Sie sollen ihr Gutachten davon dem Synedrion vorlegen, alle chemische separate Sudeleien, weil sie nur Sophistereien sind, die die Brüder um Geld und Gesundheit bringen, werden verworfen. Die Natur ist einfach und so soll sie auch bearbeitet werden.

Unterschrift wie Seite 44.

Die Aufnahme zur ersten und zweiten Probestuffe betreffend.

Zweiter Theil.

Erster Abschnitt.

Von der Aufnahme eines Freimaurer Ritter und Meisters zur ersten Probestuff des Suchenden der Ritter und Brüder St. Johann des Evangelisten aus Asien in Europa.

§. 1. Der Ort, wo sich die Meisterschaft zur Aufnahme versammlet, soll geräumig seyn, und wenigstens zwey Kammern und eine Hauptstube haben.

§. 2. Die Stube wo sich die Meisterschaft versammlet, soll schwarz ausgeschlagen seyn; auch sollen alle Sessel und der Tisch solche Ueberzüge haben.

§. 3. In der Mitte der Stube stehet ein ovaler Tisch, um welchen die Brüder in der Ordnung sitzen, daſs der Obermeister seine Stelle oben hat und die Aufseher ihm gegenüber sitzen, wie Figur 1 zeigt.

§. 4. Wenn nun der Tag zur Aufnahme eines ächten Freimaurer-Meisters festgesetzt ist, so soll der Suchende um die fünfte Stunde zur Aufnahme bestellt werden.

§. 5. Wenn nun der Suchende gegenwärtig ist, so wird er durch den dienenden Bruder in

E

eine besondere Kammer gebracht und zu verweilen gebeten.

§. 6. Der dienende Bruder giebt durch einen Klang von aufsen, den die Glocke die durch die Thür gezogen ist, tönen läfst, die Ankunft des Suchenden zu erkennen.

§. 7. Die Meisterschaft nimmt dann ihre angewiesene Plätze. Der Obermeister klingelt. Der einführende Bruder aber antwortet mit zwey Klängen, und dann spricht er wie folget:

§. 8. Hochwürdigster Obermeister, das Kapitel der ersten Probestuffe der Ritter und Brüder St. Johann des Evangelisten aus Asien in Europa, ruhet in fixen Osten. Der Hochwürdigste antwortet: Gut.

§. 9. Nach diesem spricht der hochwürdigste Obermeister: Würdige Brüder! das Kapitel der ersten Probestuffe der Ritter und Brüder St. Johann des Evangelisten aus Asien in Europa flammet im fixen Osten.

Der Geist des Lichts sei über uns!

Alle antworten mit leiser Stimme:

Wir beten darum.

Der Obermeister. Im Namen der hochwürdigsten und weisen Väter und Brüder im versammleten kleinen fürwährenden Synedrion von Europa, öffnen wir die erste Probestuffe des Ordens der Ritter und Brüder St. Johann des Evangelisten aus Asien in Europa.

§. 10. Alle Brüder legen ihre rechte Hand flach auf die Augen und rufen Zarnim.

§. 11. Der einführende Bruder sagt dann: Hochwürdigster Obermeister! es ist geschehen.

§. 12. Nun fängt der Secretair an:

Hochwürdigster Obermeister! Würdige Meisterschaft! Der suchende Bruder Freimaurer Ritter und Meister N. N. bittet um die erste Probestuffe.

§. 13. Der Obermeister antwortet: Würdiger Bruder Einführer, bringen Sie den Suchenden in die Kammer der ersten zehn.

§. 14. Der einführende Bruder gehet ab, verfügt sich zu dem Suchenden, und sagt: Mein Bruder! ich habe Befehl Sie in die Kammer der ersten zehn, zur Aufnahme in die erste Probestuffe zu bringen; darf ich Sie bitten diesen so wichtigen Schritt, der einen unermeſslichen, ja ganz unumschränkten Einfluſs auf das Glück oder Unglück ihres ganzen Lebens hat, wohl zu überlegen und ihn nicht eher zu wagen, es sey denn, ihr innerstes Bewuſstseyn sagte ihnen, daſs sie genug Muth, Standhaftigkeit und Bescheidenheit, Verschwiegenheit, Redlichkeit und Tugend besitzen, um sich bis an das Ende Ihres Lebens unter uns erhalten zu können.

§. 15. Wenn nun der Suchende mit Ja! antwortet, so bittet ihn der einführende Bruder, ihm Wort und Zeichen der drey Graden der Freimaurer Ritter und Brüder zu geben. Wenn dies geschehen, so sagt er ihm ferner, sich als Freimaurer Ritter und Meister zu kleiden. Und wenn dies geschehen so spricht er weiter:

§. 16. Kommen sie mit mir in die Kammer der ersten zehn.

§. 17. Nun bringet der einführende Bruder den Suchenden an die Thüre der Kammer und klingelt zweimal. Der Obermeister antwortet mit einem Klange. Der jüngste Bruder öffnet die Thür, und der einführende Bruder läſst dem Suchenden, die in einem rothen Schilde mit goldenen Lettern bezeichnete Legende über dem Eingange beobachten.

Wie gut und köstlich ists, wenn Brüder einträchtig beisammen wohnen, wie der Thau der vom Hermon fällt auf die Berge Zion. Stellet den Suchenden unten an den Tisch gegenüber dem Groſsmeister.

§. 18. Der Obermeister spricht dann: Würdige Brüder Secretaire! lesen Sie die oberstbrüderliche Vollmacht. Zufolge eines von der würdigen Meisterschaft N. N. der ersten Probestuffe der Provinz N. N. des hochwürdigsten und weisen Ordens der Ritter und Brüder St. Johann des Evangelisten aus Asien in Europa, an das hochwürdigste Generalkapitel in Europa ergangenen Berichts die Aufnahme des Freimaurer Ritter, Meisters und Bruders N. N. betreffend, hat vermeldetes hochwürdigstes Generalkapitel die pflichmäſsig brüderliche Vorstellung an den hochwürdigsten und weisen kleinen fürwährenden Synedrion von Europa gemacht.

Da nun der hochwürdigste und weise kleine fürwährende Synedrion, in Rücksicht der so vortreflich guten Empfehlung und gesetzmäſsigen Bürgschaft, ernannten würdigen Meisterschaft und selbst des hochwürdigsten Generalkapitels, die Bitte des Suchenden Freimaurer, Ritters, Meisters und Bruders mit wahren natürlich und brüderlichen Gesinnungen genehmiget, so hat Selber die Erlaubniſs zur Aufnahme, des ermeldeten Bruders dem hochwürdigsten Generalkapitel ertheilet. Das hochwürdigste Generalkapitel ertheilet also Kraft der vom hochwürdigsten und weisen kleinen fürwährenden Synedrion von Europa erhaltenen Vollmacht der würdigen Meisterschaft N. N. die Erlaubniſs, den Bruder Freimaurer Ritter und Meister N. N. nach den uralthergebrachten Rechten und Gesetzen des Ordens, die erste Probestuffe des Ordens der Ritter und Brüder St. Johann des Evangelisten aus Asien in Europa, zufolge der oberst brüderlichen Erlaubniſs und Dispensation zuertheilen.

Gegeben etc.

Im versammleten Generalkapitel von Europa.

N. N. N. N.

§. 19. Nun spricht der Obermeister wie folget:

Würdiger Bruder Secrétair! protocolliren Sie die Vollmacht und dann fragen sie weiter.

§. 20. Nun frägt der Secretair, nach vorheriger Protocollirung wie folgt:

Ich bitte Sie lieber Bruder Freimaurer Ritter und Meister antworten Sie mir lieber Bruder Freimaurer Ritter und Meister, wie Ihr Taufname?

Ihres Vaters und Ihrer Mutter Taufnahme?

Wann ist der Tag Ihrer Geburt?

Wie alt sind Sie?

Welche Religion bekennen Sie?

Was bekleiden Sie für Würden oder Aemter unter den Unheiligen?

Haben Sie ein Weib?

Wie ist der Taufname ihres Weibes?

Und ihr Geschlechts-Name?

Und der Taufname ihres Weibes Mutter?

Und ihr Geschlechtsname?

Haben Sie Kinder?

Welchen Geschlechts?

Wie viel?

Was besitzen Sie für Wissenschaften, von denen die Unheiligen auf Ihren Schulen lehren? Wer war Ihr Pathe, als Freimaurer Ritter und Lehrjunge?

Wo sind Sie als Freimaurer, Ritter und Lehrjunge aufgenommen worden?

Wer war Ihr Meister?

Wo wurden Sie Freimaurer Ritter und Gesell?

Welcher Meister machte Sie dazu?

Wo wurden Sie Freimaurer Ritter und Meister?

Wer nahm Sie zum' Meister auf?

Wie lange sind Sie Freimaurer und Ritter?

Wie lange sind Sie Freimaurer Ritter und Meister?

§. 21. Wenn nun der Suchende alle diese Fragen beantwortet hat, so fährt der Obermeister, wie folget, fort:

Mein Bruder!

Der Ursprung des Ordens der Freimaurer Ritter und Brüder; von dem sie zu uns treten, verliert sich in ungemessene Zeiten. Die ersten Freimaurer suchten das Glück aller Menschen. Von einem Urheber entsprossen, und als Kinder Eines Vaters, waren sie überzeugt, dafs sie alle dazu beitragen mufsten, die Absicht des grofsen Baumeisters zu erfüllen, um an dem gemeinschaftlichen Glück der Menschen zu arbeiten.

Die Freimaurer, mein Bruder! waren alle Freunde, denn sie waren tugendhaft, und alle waren glücklich, weil das Glück eines Einzigen von allen mitempfunden ward.

Die Ausübung der Tugend, lehrten sie, sei niemals beschwerlich; und sie übten sie wirklich so unablässig, daſs der Glaube an ihre Lehren nicht schwer wurde.

Niemals mein Bruder, hat ein Unglücklicher, niemals der Tugendhafte, der Arme, die Wittwe und der Waise, der Verfolgte und der Unterdrückte, — kurz niemals hat der wahre Mensch die Schwelle des ächten Freimaurers verlassen, ohne nach seinen äuſsersten Kräften Trost, Erleichterung und Hülfe von ihm erhalten zu haben.

Jeder ächte Mensch ist ein wahrer Freimaurer, aber nicht alle Freimaurer sind ächte Menschen. Die Ursach davon ist, weil Mensch immer Mensch bleibt, sei er auch wo er wolle.

Der ächte Freimaurer hasset alle Laster, er fliehet sie, er schützet die Tudend wo er sie findet. — Er verfolget aber den Lasterhaften nicht. Er sucht ihn zu bessern, und wenn seine Mühe verlohren ist, so überläſst er ihn seinem Schicksal. — Denn welche Strafe ist schrecklicher, als das endliche Bewuſstseyn eines Menschen, daſs er lasterhaft gelebt habe.

Selbst viele Groſse die unter den Brüdern leben, sind davon überzeugt, sie bewundern, sie verehren den ächten Maurer. — Sie sprechen in ihrem Herzen mit Ehrfurcht von ihm.

Hier in den Versammlungen der Brüder lernen Sie, daſs sich Vernunft, Weisheit Tugend und Gerechtigkeit, nicht wie Adel, Würden und Reichthum erkaufen und erwerben lassen. Hier ist alles Mensch. Lernen, arbeiten und unterweisen sind die drey Perioden eines ächten Freimaurers. — Diese müssen Sie in ihrer ▭ in steter Uebung gesehen haben. Sie müssen da die Weisheit in vollem Glanze im Mittelpunkt der Schönheit und Stärke erkannt haben. Wie kömmt es nun, mein Bruder, daſs Sie Dinge, die Sie von jeher, selbst ehe Sie Freimaurer wurden, in sich verschlossen hatten, bei uns suchen? welcher Beweggrund führt Sie hieher? Es wird Ihnen schwer seyn, uns die Frage zu beantworten, wir wollen es also über uns nehmen, Sie Ihnen aufzuklären. Die beste unter allen Absichten, welche nur unsterbliche Geister sich vorsetzen, und zu erreichen sich bestreben können, ist die Verherrlichung des Unendlichen, thätige Uebung in allen möglichen Tugenden, Gewissens-Ruhe und dauerhafte Glückseeligkeit.

Alles dieses mein Bruder, findet sich im höchsten Grade in ihren □ vereint, zum wenigsten bringen es die Gesetze der Freimaurer mit sich.

Die Moralität des Ordens wird Ihnen alles, und also auch eine dauerhafte Glückseligkeit verschaffen. Würden aber die Menschen nur allein zur Moralität geschaffen seyn, so würden Sie weiter keine andere Vortheile, die ihnen die Gnade des groſsen Baumeisters, seine Allmacht, seine Barmherzigkeit und seine Weisheit, die er so väterlich in das geringste Wesen der Natur gelegt hat, so mannigfaltig darbieten, nicht untersuchen, nicht bewundern, nicht verehren und nicht erkennen können. Unsere Väter haben die richtigen Hülfsmittel, die geraden Wege zu allen diesen zu gelangen, in die Hieroglyphen des Ordens der Ritter gelegt; diesen Hieroglyphen geben sie moralische Auslegungen, weil sie ohnfehlbar überzeugt waren, dafs viele die heiligsten Geheimnisse ihrer einzigen wahren Lehre zwar berühren, sehr wenige aber dazu gelangen können. Denn mein Bruder, nur der wahre Mensch kann ihr Ende erreichen, damit sich seine Seele im Ewigen erfreuen könne.

Unsere weise Väter würdigten sich aber, unserm Orden die ganze vollständige, einzige und ächte Lehre, die Erkenntnifs des allmächtigen Baumeisters, jener aller erschaffenen Wesen, sie seyn gleich aufser oder inner der Zeit, und die Werke der ganzen heiligen Natur anzuvertrauen, damit wir sie sorgfältig bewahren, und sie nur dem Würdigsten mittheilen möchten. Als einer unter den Würdigsten, mein Bruder, haben unsere hochwürdigste Väter und Brüder Sie erkannt und wir sind auf ihren Befehl in den Stand gesetzt worden, Ihnen die thätigsten Proben ihrer väterlich und brüderlichen Gesinnungen, die sie gegen Sie tragen, aufrichtig zu geben.

Ehe Sie aber den wichtigsten Schritt Ihres Lebens unter meinen Augen machen, so will ich Ihnen den Auszug unserer Gesetze lesen lassen, damit Sie wissen, was Sie zu thun oder zu unterlassen haben.

§. 22. Würdiger Bruder Secretair, ich bitte Sie, lesen Sie den Auszug der Gesetze.

Der Bruder Secretair

Die allerhochwürdigsten Väter im versammleten grofsen Synedrion

An

Die hochwürdigsten Söhne und Brüder im versammleten kleinen fürwährenden Synedrion in Europa. Seeligkeit und Friede in dem Unendlichen durch unsere Väter, und 1. △ 3. △ 4. △ 1. Dies ist der Auszug der Gesetze, die mit dem Finger des selbstständigen Verstandes geschrieben sind.

1. Kein Freimaurer Ritter und Meister kann in den Orden der Ritter und Brüder St. Johann des Evangelisten aus Asien aufgenommen werden, er habe dann 27 Jahr erreicht, und sey drey Jahr Meister einer ächten und gesetzmäſsigen Melchizedeck- oder St. Johann-▭ gewesen und habe emsig und fleiſsig gearbeitet.
2. Doch kann der hochwürdigste versammlete kleine fürwährende Synedrion von Europa, so wie in allen Fällen, so auch in diesem dispensiren.
3. Die Religion ist das heiligste unter allen Menschen, so wie es das zuverläſsigste Kennzeichen der Unvernunft und Thorheit ist, wenn jemand für einen Gotteslästerer oder einen Religions-Spötter will gehalten werden.
4. Die Könige sind das Bild des Ewigen auf Erden, wer daher ihre heiligen Rechte nur im geringsten verletzt, kann nicht in den Orden aufgenommen werden, und wenn ein Bruder so unglücklich seyn sollte (welches in keinem Fall zu vermuthen ist) sie zu verletzen, so soll er vom Orden ausgeschlossen seyn.
5. Wer immer die Rechte der Menschheit einzuschränken sucht, kann niemals in den Orden aufgenommen werden.
6. Wer die heiligen Gesetze der Tugend ge-

wissenlos entweihet, die Gerechtigkeit frevelhaft mit Füßen tritt, kann niemals in den Orden aufgenommen werden.

7. Wer Wittwen und Waisen drückt und seinen unschuldigen Nebenmenschen verfolgt, kann niemals in den Orden aufgenommen werden.

8. Wer immer Religions-Streitigkeiten hat, sie liebt und unterhält, kann niemals in den Orden aufgenommen werden.

9. Alle Brüder der verschiedenen Systeme, sie mögen Namen haben wie sie immer wollen, können in den Orden aufgenommen werden, wenn sie sich den Gesetzen des Ordens frei und aufrichtig unterwerfen wollen.

10. Wenn ein Freimaurer Ritter und Meister, der dem Orden St. Johann des Evangelisten einverleibt worden, nach seinem Eintritt unbillige Absichten, Stolz und Ungehorsam zeiget, so soll er diesfalls zu dreimalen erinnert werden, und wenn er darinn verharret, so soll er

11. ganz seinem Schicksal überlassen und auf unbestimmte, oder auch nach dem Befinden der Sache auf ewige Zeiten vom Orden ausgeschlossen seyn, doch soll ihm unter der Hand alles Gute erwiesen, und er in keinem Fall nur im geringsten verfolgt werden, im Gegentheil aber soll derjenige

12. der einen Ausgeschlossenen verfolgt, auf ewige Zeiten vom Orden ausgeschlossen seyn.

13. Denn das Grundgesetz des Ordens ist: Liebet euch unter einander, — liebet eure Feinde und Freunde, — liebet alle Men-

schen und thut denen die euch beleidigen, alles Gute.

14. Der Orden soll keines seines Mitglieder der öffentlichen Schande oder verwerflichen Armuth und Dürftigkeit Preis geben, weil

15. ein armes Mitglied des Ordens nicht im Stande ist, die Vortheile die er wirklich für seine Person im Orden empfängt, als Armer zu nutzen, denn ein armer hat Mangel an Brod, und wer Mangel an Brod hat, hat weder Stätte noch Wohnung geräumig zu seinen Absichten.

16. So ein armes Mitglied soll vom Orden unterstützt, und ihm Brod und Unterhalt durch profane Gewerbe und Arbeiten verschafft werden.

17. Denn es soll Niemand in den Orden aufgenommen werden, der nicht in der Gesellschaft der ganzen Welt sein Brod als ein ehrlicher Mann auch ohne den Orden verdienen kann.

18. Der angehende Bruder der ersten Probestuffe der Ritter und Brüder St. Johann des Evangelisten aus Asien soll für sich die allerhochwürdigsten und weisesten sieben Väter, Vorsteher der sieben unbekannten Kirchen in Asien, im versammleten grofsen Synedrion, als das unsichtbare Oberhaupt des Ordens (bei welchem die ächte Erkenntnifs) das Buch des Menschen von zehn Blättern, und jenes mit den verschlossenen sieben Siegeln in allen vier Welttheilen erkennen und verehren.

19. Der allerhochwürdigste grofse Synedrion

hat aber (laut des den Händen des allerhochwürdigsten Vaters und Bruders Chacham Algibor Hemerimi, zugestellten und von ihm dem hochwürdigsten Bruder Obadja ausgehändigten Creditivs, und laut Befehl des allerhochwürdigsten grofsen Synedrions unter der Leitung des hochwürdigsten Bruders Obadja am 13ten Tage des 10ten Monats am 7ten Tage nach dem Tage Johann des Evangelisten im Jahr der Reforme 1743 abgeschlossenen 31 Hauptartikeln, den fünf Separat-Artikeln die ganze Ordnung des Systems in Europa betreffend) und also zufolge des zehnten Artikels, dem hochwürdigsten und weisen fürwährenden Synedrion in Europa, als das erste Oberhaupt des Ordens der Ritter und Brüder St. Johann des Evangelisten aus Asien in Europa, mit aller Macht, Würde, Ansehn, Gewalt und Ehre, gleich wie sie der allerhochwürdigste grofse Synedrion besitzt, für jetzt, und zu ewigen Zeiten aufs feierlichste eingesezt.

20. Der angehende Bruder der ersten Probestuffe erkennet unmittelbar nach dem hochwürdigsten und weisen kleinen fürwährenden Synedrion für sein rechtmäfsiges Oberhaupt, das Generalkapitel des Ordens, das Provinzialkapitel seiner Provinz, und seinen Obermeister, so wie es die Gesetze mit sich bringen.

21. Der Hauptinhalt der Gesetze aber ist Rechtschaffenheit, Menschenliebe, Brudertreue, Mitleiden und Erbarmen gegen Nothleidende, Verschwiegenheit, Selbstverläug-

nung, Demuth, Vorsichtigkeit und Wachsamkeit über Herz und Leben, Vergebung seiner Feinde; kurz! die höchste Vervollkommung seiner selbst in seinem Stande und seinem Beruf. Sei er gleich Regent — oder Unterthan, Herr oder Diener — Fremder oder Bürger im Staat, Hausvater oder Ehegatte, Bruder oder Sohn, Freund, Gesellschafter oder Nachbar, kurz jeder Bruder unsers Ordens soll ein Verehrer Gottes, ein Verehrer der Könige seyn, ein folgsamer guter Bürger, ein getreuer Freund seiner Brüder, ein Wohlthäter der Menschheit, mit eins ein rechtschaffener Mann.

22. Und endlich erklärt der angehende Bruder, der Ritter und Bruder St. Johann des Evangelisten aus Asien, daſs er allen Gesezzen, Ordnungen, Vorkehrungen, Arbeiten etc. die der allerhochwürdigste groſse Synedrion dem hochwürdigsten und weisen kleinen fürwährenden Synedrion der Ritter und Brüder St. Johann des Evangelisten aus Asien übergeben hat, und allen und jeden Gesetzen, Vorkehrungen und Ordnungen, die der hochwürdigste und weise Synedrion aus Nothwendigkeit und Pflicht zur brüderlichen Aufnahme, Wohlfahrt, Glückseligkeit und Frieden des hochwürdigsten Ordens der Ritter und Brüder St. Johann des Evangelisten aus Asien wirklich vorkehrt, die gehörige Folge leisten wird.

§. 23. Der Obermeister:

Mein Bruder! Wenn Sie sich also buchstäblich dem Inhalt unserer Gesetze, wovon man ihnen eben den Auszug gelesen hat, mit Leib, Seele und Geist unterwerfen; wenn Sie überzeugt sind, daſs Sie über den Zweck der Maurerei oft und viel nachgedacht haben; wenn Sie glauben, daſs ihr Zweck sublime Wissenschaften sind, welche unsere Stifter und Väter in Hieroglyphen und Zeremonien eingekleidet haben, um sie durch den strafbaren Anblick unwürdiger Augen nicht entweihen zu lassen, wenn Sie glauben, diese Hieroglyphen bei uns im Kleide der heiligsten Gottes-Wahrheit zu finden, so sprechen Sie den Eid, den man Ihnen vorlesen wird.

§. 24. Ich N. N. des sehr ehrwürdigen Ordens der Ritter und Brüder Freimaurer der Provinz N. der gesetzmäſsigen Melchizedeck- oder St. Johann ▭ zu N. Meister, verspreche und gelobe den Eid den ich als Freimaurer Ritter und Lehrling dem ganzen Orden in die Hände des hochwürdigsten Groſsmeisters N. feierlich geleistet habe, bis an das Ende meines Lebens getreu zu halten. Kraft dieses Eides, den ich hier mit Herz und Mund, zum Heil meiner Seele, wiederhole, trete ich die erste Probestuffe der Suchenden des hochwürdigsten und weisen Ordens der Ritter und Brüder St. Johann des Evangelisten aus Asien an.

Diesem hochwürdigsten Orden und seinen althergebrachten Rechten, Gesetzen, Ordnungen und Arbeiten unterwerfe ich mich ohne Ausnahme feierlich. So wahr mir Gott helfe, und Seeligkeit und Friede meine Seele vom Ewigen in 1. △ 3. △ 4. △ 1. erwartet.

§. 25. Wenn der angehende Bruder den Eid leistet, so soll er seine Hand auf das Schwerdt legen, und deckt die Zahl 56. Alle Brüder ziehen aber ihre Degen und alles bleibt bedeckt.

§. 26. Wenn dies geschehen, so führt der Einführende Bruder den neuen Bruder zum Obermeister, die Brüder stekcen ihre Degen ein.

§. 27. Der Obermeister spricht dann: Würdiger Bruder Einführer, entkleiden Sie den Suchenden der ersten Probestuffe des Ordens.

§. 28. Der einführende Bruder nimmt dann dem Suchenden seinen Meisterschmuck und seine Kleidung ab, und führt ihn so entkleidet zum hochwürdigen Obermeister.

§. 29. Der jüngste Bruder der Probestuffe bringet dann den schwarzen Ordensmantel, auf welchem gegenwärtiges Zeichen

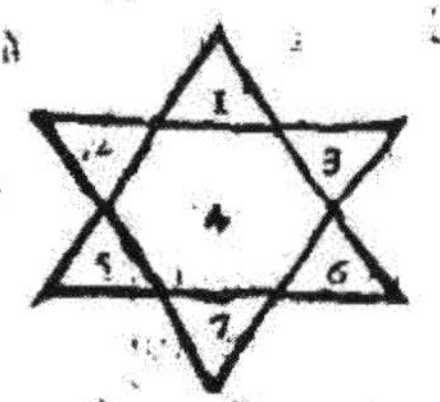

in Silber gestickt ist, nebst dem an einem schwarzen Bande hangenden silbernen Ordenszeichen in der Form genau so wie das vorstehende; dann den runden schwarzen Huth, mit schwarzen Federn bei: —
Der einführende Bruder kleidet ihn an.

§. 30. Der Obermeister. Wir geben Ihnen hier die Kleidung der ersten Probestuffe des hochwürdigsten Ordens; Sie müssen nun eifrig seyn, Ihren Willen zu ändern, ihn immer verbessern, damit Sie ebenfalls die Farbe verbessern können.

§. 31.

§. 31. Die Brüder der ersten Probestuffe unsers hochwürdigsten Ordens haben ein Zeichen, und es ist folgendes: Sie legen die rechte Hand flach auf die Augen. Ihr Wort heisst: Zaraim.

§. 32. Nun wird dem neuangehenden Bruder seine Stelle, die immer die lezte rechter Hand vom einführenden Bruder ist, angewiesen, und vom Secretair die Theorie der ersten Probestuffe gelesen, die der Obermeister durch die gehörigen Erläuterungen klärer zu machen hat.

§. 33. Und nach diesem das Kapitel auf folgende Art geschlossen.

§. 34. Klänge, wie bei der Oeffnung.

Der Obermeister. Würdiger Bruder! Sie können so, wie es beim ersten Anblick sehr billig scheinet, von uns die Erklärung aller Hieroglyphen des Tapis des Ordens der Freimaurer Ritter und Brüder verlangen.

Es ist auch unsere Pflicht sie Ihnen ächt aufzuschliessen — allein es ist nur auf eine Art möglich, dass Sie dazu gelangen können, wenn Sie mein Bruder, unseren Gesetzen treu und folgsam sind, wenn Sie so glücklich sind, die beiden Probestuffen mit männlichen Biederschritten, mit dem ächten reinen Herzen eines wahren Bruders durchzugehen, wenn Sie auf diese Art die Hauptstuffe des hochwürdigsten Ordens erhalten werden, so wird Ihnen nichts mehr als der Wunsch — der feurige Wunsch übrig bleiben — Sie werden denn zum grossen Baumeister rufen: Unendlicher! waren denn die Sünden unserer Väter so gross, dass sie dich in deiner Herrlichkeit nicht sehen konnten, und ich dein Knecht — eben so gefallen, wie sie — kann dich

F

so feierlich anbeten, kann alle Wesen, sind sie in oder aufser der Zeit — kann die ganze Natur — bewundern — und sie so wie Du mir geschenkt hast — unumschränkt nutzen. Dies wünscht Ihnen der Orden durch meinen Mund.

§. 35. Klänge wie bei der Oeffnung.

Der einführende Bruder. Hochwürdiger Obermeister, das Kapitel ruhet im fixen Osten.

Der Hochwürdige. Im Namen der hochwürdigsten weisen Väter und Brüder, im versammleten kleinen fürwährenden Synedrion von Europa, schliefsen wir die erste Probestuffe des Ordens der Ritter und Brüder St. Johann des Evangelisten aus Asien in Europa.

§. 36. Der einführende Bruder. Hochwürdige Brüder — das Kapitel der ersten Probestuffe der Ritter und Brüder St. Johann des Evangelisten aus Asien in Europa ist geschlossen.

§. 37. Alle mit leiserStimme: — Wir danken.

(L. S.)

Rosch. Hamdabrim.

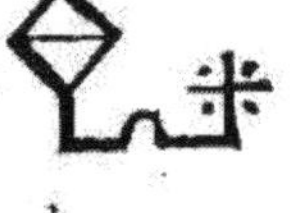

Pokeach Ibhrim.

Thumim Bemahloth.

Melibh Lackol.

Zweiter Abschnitt.

Zweite Probestuffe.

Von der Aufnahme eines Bruders der ersten Probestuffe zur zweiten Probestuffe der Leidenden, der Ritter und Brüder St. Johann des Evangelisten aus Asien.

§. 1. Der Ort, die Stube, wo sich die Meisterschaft zu versammlen hat; die Art des Tisches und seines Apparats ist alles in der ersten Probestuffe, §. 1. 2. 3. enthalten, nur wird der kleine Tapis mit beikommenden verändert.

§. 2. Sobald der Bruder der ersten Probestuffe gegenwärtig ist, so wird er laut §. 5. behandelt, und die Meisterschaft nimmt laut §. 7. ihre angewiesene Plätze ein.

§. 3. Nun verfügt sich der einführende Bruder zu dem angehenden Leidenden, und ersucht ihn mit ihm in die Kammer der zweiten zehn zu kommen.

§. 4. Der angehende Leidende wird laut §. 17. behandelt.

§. 5. Nun wird nach §. 8 und 9 das Kapitel eröffnet.

§. 6. Der Obermeister sagt dann:

Ehrwürdiger Bruder Secretair, lesen Sie die oberstbrüderliche Vollmacht.

§. 7. Nun wird die §. 18. angezeigte Vollmacht verlesen. Wenn dies geschehen, so spricht der Obermeister:

„Zur Zeit da unsere Väter in Persien einge- „führt wurden, nahmen die Priester das Feuer „vom Altar, und versteckten es in eine tiefe

F 2

„trockene Grube, um es zu erhalten, und da-
„mit es niemand erführe, sich dessen bemächti-
„gen und es entheiligen könnte, denn es war
„ein heiliges Opferfeuer. Nehemias wurde
„sodann nach etlichen Jahren vom Könige frei-
„gelassen, und er schickte die Nachfolger der
„Priester, die das Feuer verborgen hatten. —
„Sie beschwuren aber, daſs sie kein Feuer,
„sondern ein dickes Wasser gefunden hatten."

§. 8. Gleich darauf spricht der Obermeister:

Frage 1. Sind Sie ganz frei und ungezwungen nach dem wahren Inhalt ihres dem
hochwürdigsten und weisen Orden und uns
geleisteten Eides, in den hochwürdigsten
und weisen Orden der Ritter und Brüder
St. Johann des Evangelisten aus Asien eingetreten?

Antwort Ja!

Frage 2. Sind Sie mit der Lehre des Ordens
im Ganzen und ihren Theilen zufrieden?

Antwort Ja!

Frage 3. Finden Sie die geringste Verbindlich-
keit im Orden, die die Rechte der Menschheit nur im mindesten verletzen könnte?

Antwort Nein!

Frage 4. Fürchten und ehren Sie, nach dem
heiligen Inhalt unserer Gesetze, Gott und
die Regierung?

Antwort Ja!

§. 9. Der Obermeister. Wenn Sie würdiger Bruder, jedesmal einen ihrer Brüder mit
Vorsatz, aus welcher Absicht es nur immer wäre, Arges gethan, Unbild oder Uebels zuge-
fügt hätten, ohne es feierlich und mit dem
Anhang bereuet zu haben, daſs sie es nicht mehr

thun, und selbst das Gethane wieder zu verbessern und gut machen wollen, so muſs Sie in unendliche Zeiten der ungemessenen Ewigkeiten der Fluch der ganzen Natur treffen.

Und alles, was Sie gehöret, gesehen und gelernt haben, lernen und in Zukunft lernen werden, das muſs, wenn es Leben ist, unter ihren Händen todt werden, und nach dem Tode muſs ewiger Fluch in der Verwesung und Verwandlung über dasselbe kommen.

§. 10. Der Obermeister fährt weiter fort. Wann Sie aber einem Ihrer Brüder nur das mindeste Gute erwiesen, und ihm menschliche und brüderliche Liebesdienste erzeigt haben, so muſs Sie der vollkommenste Seegen des Unendlichen und der ganzen Natur treffen; und Ihre zeitliche Verwesung muſs in Ihrer Verwandlung ewige Verklärung werden. Ihrer Hände Werke aber seegenvolles Leben.

§. 11. Der Obermeister.

Frage a. Also geliebtester Bruder, erklären Sie mit dem selbstverständigen Innhalt des Seegens oder des Fluchs, als freier Mensch im Stande der Natur, daſs Sie unsern Orden, seine Gesetze und uns ganz nach dem natürlichen Recht über sich erkennen, und seiner Herrschaft unterworfen sind?

Antwort Ja!

§. 12. Der Obermeister Nun haben Sie zum erstenmal ihr natürliches Recht erkannt.

§. 13. Ehrwürdiger geliebtester Bruder! die hochwürdigsten und weisen Väter und Brüder im versammleten kleinen fürwährenden Synedrion in Europa, erkennen Sie nach dem Inhalt unserer Gesetze, als Bruder der zweiten Probestuffe. Treten Sie her.

§. 14. Unser Erkenntnifs-Wort heifst

Frage b. Die sieben Bäume!

Antwort. Die Richter.

Frage. Und ihr Zeichen?

Antwort. Sie legen die drey Finger der rechten Hand in die Linke.

§. 15. Nun wird dem neuen angehenden Bruder sein Mantel und Huth abgenommen, und mit einem runden mit schwarzen und weifsen Federn gezierten Huth und einem schwarzen Mantel auf welchem folgendes

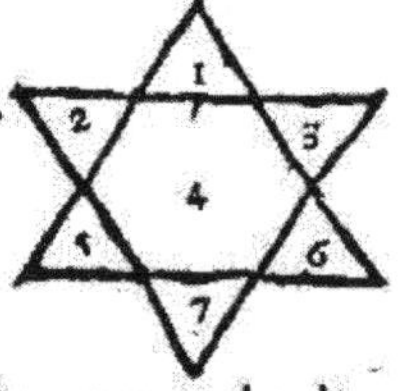

in Gold gestickt zu sehen ist, verwechselt — auch bekommt er das nemliche Zeichen, an einem weifsen Band von Gold um den Hals.

§. 16. Der Obermeister. Der hochwürdigste und weise Orden der Ritter und Brüder St. Johann des Evangelisten aus Asien wünscht Ihnen ehrwürdiger Bruder in dem Unendlichen durch unsere Väter Seeligkeit und Frieden durch 1. △ 3. △ 4. △ 1.

Er wünscht Ihnen, dafs Sie die Zeit Ihrer lezten Probestuffe, die nur der Prüfung Ihres Leibes, Ihrer Seele und Ihres Geistes gewidmet ist, zu Ihrem Heil und zur Erlangung der wahren Weisheit zurücklegen möchten.

§. 17. Nun wird der neue Bruder in allen laut §. 32 behandelt, und demnach §. 35 und 36 das Kapitel geschlossen.

Nota. Bei der ersten und zweiten Probestuffe hat der hochwürdige Obermeister folgendes zu beobachten.

Nach der Aufnahme des Bruders wird auf einem Tisch zwischen vier Lichter, Wein und Brod, zwischen beiden aber Salz in einer gläsernen Schaale mit einem dergleichen Löffel gestellt. Der hochwürdige Obermeister und alle Brüder waschen ihre Hände. Wenn dies geschehen, so stellt sich der Obermeister in die Mitte des Tisches, der einführende Bruder gegen ihm über, und herum alle Brüder.

Der hochwürdigste Obermeister spricht dann, da er alle Gläser mit Wein gefüllet, zu jedem Brod gegeben, auf das Brod aber Salz gelegt hat, indem er mit der rechten Hand das Glas, mit der Linken aber das Brod nimmt. So wie es der hochwürdige Obermeister macht, so folgen alle Brüder.

Nun spricht der Obermeister. Da Melchizedeck sich mit seinen Feinden versöhnte, so opferte er Brod und Wein — das Salz aber soll Sie an jenen heiligen Salzbund erinnern den Gott mit Abraham schlofs, den er mit Mosen erneuerte, da er befahl, dafs bei jedem Opfer Salz gebraucht werden sollte.

(Unterschrift wie Seite 82.)

Erläuterungen zur ersten Probestuffe.

In der nächstgehaltenen Vorlesung über die erste Probestuffe, fingen wir bei der Erklärung des Signatsterns an, nun wollen wir fortfahren und das übrige hievon (um dem sehnlichen Ansuchen einiger wifsbegierigen Brüder Genüge zu leisten) weit mehr als in der Probestuffe eines Suchenden gehöret, in Ordnung erläutern. Der Signatstern, mein Bruder soll sich in den höhern Graden durch 2 △ auszeichnen, deren einer mit der Spitze aufwärts die rothe Farbe haben, und das Feuer des Agens oder männliche anzeigen, der andere aber mit der Spitze abwärts mit der schwarzen Farbe bezeichnet, und das Wasser des Patiens oder weibliche anzeigend. In der Mitte ist der Punkt.

Dieser Punkt ist der Name Jehova, der Name des Unendlichen, der Name desjenigen der da war, der da ist, und der da seyn wird.

Diese göttliche Eigenschaft liegt auch schon in der Etymologie des Worts Jehova, welches die drey Zeiten Haja, Hava und Ziji oder Praeteriti, praesentis und futuri in einer Wesenheit in den dreien äufsern △ des schwarzen △ sagen will, und die, wenn man ihren Inhalt addirt in der kleinen Zahl 8 zählen, und eben das, was Jehova als ihr gemeinschaftlicher Mittelpunkt zählt.

Dieser Signatstern mein Bruder mufs Ihnen, wenn Sie sich die Mühe nehmen, mit einer vereinigten und von allem Egoismo entfernten Ruhe des Geistes nachzudenken in Zukunft den Stoff zur Schöpfungskunde geben.

Sie sehen daher mein Bruder, in diesem Bilde des Signatsterns einen schwarzen Triangel.

Das will ich ihnen kurz sagen: Im Anfange war das Licht, dieses wirkte in der Finsternifs mittelst des aus ihm ausgegangenen und gezeugten Lichtes. Das Bild dessen ist die Sonne und die aus ihr ausgehenden Sonnenstrahlen. (Meine hochwürdige Brüder! unsere Vorgesezten vermahnten mich bei der heutigen Gelegenheit zu erinnern: dafs die Erläuterungen der ersten und zweiten Probestuffe nur für Brüder der ersten Haupt- und Grundstuffe unsers Ordens gehören.

Wenn daher in Zukunft die bisher dispensirten Aufnahmen von Stuffe zu Stuffe andern Brüdern gegeben werden sollten, so mufs ihnen in allen Unterredungen die Vorsichtigkeit, das Verhältnifs zwischen ihnen und den Brüdern der ersten und zweiten Probestuffe an die Hand gegeben und ihre Klugheit geprüft werden.

Den Vater sehen Sie aber auch mit dem 🜍, den Sohn mit dem ☿ und den Geist mit dem ⊖ bezeichnet — die der hebräischen Sprache kundig sind, die werden auch gar bald in der Schöpfungskunde, die uns Moses gegeben hat den wesentlichen Unterschied zwischen Elochim Jehova, Elochim und Jehova wahrnehmen und den sehr bedeutenden Unterschied aus den verschiedenen Operationen der Schöpfung deriviren können. — So heifst es z. B: Im Anfang schuf Elochim Himmel und Erde etc.

a) Das will sagen, dafs die Bildung eines jeden Geschöpfes sowohl im physischen als moralischen Verstande von der Mischung und dem Praedominio eines Elements über das andere ihren Ursprung nimmt. So bestimmt dieser Elementenwechsel z. B. im Menschen, das, was wir Temperament, Naturell und Complexion nennen.

Daher sind die Actiones des Phlegmaticus anders, wie des Colericus und er denkt auch anders, weil in seinem Esse das Element des Wassers praedominirt und so sind die Actiones des Colericus anders, wie die des Melancholicus.

Diese wiederum anders, wie die des Phlegmaticus, je nachdem in der Massa und Organisation eines jeden Wasser, Feuer, Luft, und Erde das Uebergewicht erhalten.

b) Da die Elemente und ihre Mischung der sichtbare Stoff aller Geschöpfe sind, so fangen wir auch bei ihnen an diese Erklärung zu machen. Denn was in diesem Betrachte von den Elementen gesagt wird, das erstreckt sich auch auf ein jedes aus ihnen in der Natur der Dinge hervorgebrachtes Geschöpf, das gezeugt wird, Nahrung bekömmt, wächset und sich in seiner Art fortpflanzet.

c) D. h. den Universalgeist, wovon hier die Rede ist, treffen wir allenthalben an. Er hat aber nur hie und da eine andere Benennung, je nachdem er mehr oder weniger sichtbar wird oder einer sichtbaren Existenz sich nähert. So ist er z. B. hier die Seele, dort ist er Nephesch, an einem andern Orte Saamen.

Da wird er Sperma, dort die Gur und wiederum an einem andern Orte Chaja genannt etc. Er ist und bleibt in der ganzen Natur das Agens, das wirkende, und das männliche. Die Elemente und ihre mannigfaltige Mischung öffnen sich ihm. Er dringt in sie ein, schwängert sie, und so entstehen die eben so mannigfaltigen belebten und leibhaften Geschöpfe, die auf diese Art gezeugt, gebohren caracterisirt werden.

d) Dieser Geist ist bequem zu allen Dingen, hier zeugt er Menschen, dort zeugt er Mineralien und an einem andern Orte Metalle etc., weil er der Universalgeist ist, und sich, je nachdem er ein Patiens antrift, specificiren kann. — An einem andern Orte werden wir zu seiner Zeit erklären, wie und warum die Natur diesen Geist ausschickt, der niemals müfsig seyn kann. So bleibt auch noch übrig zu erläutern was die beiden Eigenschaften, erschaffen und zernichten sagen wollen. Erschaffen heifst: die Hervorbringung einer Sache zur Existenz aus Nichts. Zernichten will sagen: ein hervorgebrachtes und wirklich existirendes Geschöpf in nichts mutiren.

Dieses einsilbige Wörtchen Nichts aber, sowohl in der Hervorbringung eines Dinges, als auch in der Zernichtung desselben, ist eben, woran die Weisheit der profanen Philosophen strandet.

e) So wie das Element des Wassers allen Flüssigkeiten oder liquiden Körpern, sie mögen Namen haben wie sie wollen, ihren Anfang giebt, eben so giebt auch das Element der Erde allen und jeden soliden Körpern ihren Anfang. Das Element des Feuers ist die Quelle eines jeden leuchtenden und erwärmenden Körpers und so ist das Element der Luft die Quelle aller ausdehnender Kraft etc.

So ist z. B. die Flüssigkeit des Blutes in dem darin enthaltenen Wa...er, und sobald wir das ▽ herausziehen, so bleibt uns eine rothe Erde in fundo, und so hört jeder Liquor auf flüssig zu seyn, sobald man ihm sein ▽ hinwegziehet. So sind auch alle in ▽ befindliche Mineralien, Metalle, lauter Geburten, zu deren Solidität die Erde den Stoff hergiebt. Extrahirt man aber dieselbe, so hören Mineralien und Metalle auf zu seyn, was sie sind und gehen in das nächste Element über, das sie am ersten aufnimmt und in sie eindringt etc.

f) Seine Signatur aber ist, erstens die beiden Zeichen der Alten, die Agens und Patiens, wirkend und leidend, oder männlich und weiblich anzeigen. Sodann das alles belebende und erhaltende Jehova.

Hier wird uns der Mensch als das einzige Ebenbild der Schöpfung, in unserer Erläuterung wiederum zum Gleichniſs dienen. Merken Sie daher meine Brüder! Einigen unter Ihnen wird diese groſse Operation der Natur, welche im thierischen Köprer sonst Animalisation genennet wird, nicht unbekannt seyn. Animalisation ist diejenige Operation der Natur wodurch die verschiedene Nahrungsmittel, die wir zu uns nehmen, in unsere Substanz mutirt werden, d. h. die so künstliche Verwandlung fremder Substanzen in die Natur der menschlichen Säfte und eines jeden nach seiner Art.

Wie diese Operation im Ganzen und ihren Theilen geschiehet, werden wir in einer andern Abtheilung erläutern. Im thierischen

Körper überhaupt und im Menschen ins besondere nehmen wir sie indessen augenscheinlich wahr, und eben so geschiehet sie auch in jedem Planeten unsers und eines jeden Systems, in einem jeden Elemente, einem jeden Principio und im grossen All oder Universo, durch den Universalgeist Jehova.

g) Die Erde war wüste und leer. — Der Lebensgeist wirkte nicht in ihr. Eben dies waren auch △ und die übrigen Elemente △ und ▽, nemlich wüste und leer, bis dieser Lebensgeist in sie fuhr, sie belebte und Bewegung, Ausdehnung und Farbe in ihnen hervorbrachte.

h) Und sind noch weit weniger wie die aus der Mechanik bekannte Vis inertiae, indem sie nichts widerstehen können. Jehova ist also der Lebensgeist, die wirkende Kraft, der männliche Saamen und das Agens. Jehova operirt allenthalben und bringt in jedem Geschöpfe das hervor, was das Geschöpf in seiner Art ihm entgegenstellt, worauf er wirkt. Dieser Lebensgeist ist schicklich mit einem Spiegel zu vergleichen, der das Object treulich repräsentirt, welches ihm und wie es ihm vorgehalten wird.

Nach Augustins Bemerkung in seiner vortreflichen Abhandlung de Civitate Dei 4 Buch 19 Kap., nannten die Alten diesen Jupiter.

Die Philosophen der Alten nannten ihn die Seele der Welt, die nun verschiedene Namen annimmt, nach den verschiedenen Gegenständen, worauf sie wirkt, und nach eben so verschiedenen Wirkungen die sie hervorbringt. So nennt man ihn in den Feldern des Athets Jupiter, in der Luft Juno, im Wasser Neptun, in der Erde Pluto, im Feuer Vulcan, im unterirdischen Reiche Proserpina, in der Sonne Phoebus, in den Weissagungen Apollo, in den reifen Garben Ceres, in den Wäldern Diana und in den Wissenschaften Minerva.

Dieses ganze Heer von Göttern und Göttinnen sind ein und derselbe Jupiter, dessen verschiedene Kräfte man nur durch verschiedene Namen ausdrückt. Arnubius, Lactantius, Eusebius und andere werden sie meine Brüder noch weiter aufklären.

i) Dieses Mittel ist die Copula zwischen dem Lebensgeist und den Substanzen der Elemente, deutlicher zu sagen, so ist dieser Lebensgeist, wie wir gehöret haben, das Agens; die Substanzen der Elemente das Patiens und dies Mittel ist das Band dieser beiden Gegenstände, wodurch das erstere in das zweite nach Maas, Ziel, Gewicht und Ordnung operiren kann.

k) Nun wissen Sie auch meine Brüder wie dieses Mittel, diese Copula oder Band zwischen dem beständig wirkenden Lebensgeist und den todten Substanzen der Elemente heisst. Dies Mittel heisst Magia, oder das unbegreifliche Band, selbstständig ohne Farbe, wie Elochim selbst, aus dem es zur Vereinigung ausgegangen ist.

Diese Copula begleitet den Lebensgeist allenthalben, dringet mit ihm in die Minutissima der Substanzen ein, vereinigt ihn mit ihnen und belebt sie.

Ueberhaupt verstehen wir unter Magie keineswegs dasjenige, wovon sich der gemeine Mann einen absurden Begriff zu machen pflegt, sondern wir definiren unter dieser Wissenschaft nichts anders, als einen Blick, und nachher einen besondern Schwung in den Theil der höhern Naturkunde, den die Alten Magie nannten. Hier übersehen wir mit einem richtigeren Auge und zuverläſsiger, daſs und wie die ganze Natur eine unendliche Ausdehnung von Ursachen und Wirkungen ist; so, daſs wir mit Grund wahrnehmen, daſs dasjenige, was gestern Wirkung einer ehegestrigen Ursache war, heute wiederum die Ursache unzähliger künftiger Wirkungen wird. In der gemeinen Naturkunde können wir alle Gegenstände als Ursachen ansehen.

Jede Ursach aber ist der Grund einer unendlichen Reihe von Wirkungen, wovon uns aber auch kaum soviel entdeckt sind, als uns der Zufall und eine nicht selten betrügerische Erfahrung hinwirft. Und wie viele Wirkungen sehen wir nicht täglich vor Augen, deren gründliche Ursachen wir nicht einmal zu vermuthen im Stande sind. In der gemeinen Naturkunde sind wir vor lauter unwissendem Erstaunen kaum Beobachter der Natur, oder besser zu sagen, die Natur beobachtet uns; sie ströhmt so behende vor unsern Augen vorüber, daſs sie uns blendet und anlächelt, indem wir sie müssig angaffen. In der höhern Naturkunde übersehen wir nicht nur ascendendo und descendendo die Kette von Ursachen und

Wirkungen, sondern wir lernen auch ihre wechselsweisen Kräfte und Verhältnisse gegen einander kennen. Und so glauben wir in dieser Erklärung wenigstens einen universellen Begriff von einer höhern Naturkunde gegeben zu haben. Der Patrialbegriff aber von der Magie ist in Kürze dieser: Das System der Natur ist eine unendliche Reihe von Ursachen und Wirkungen, wovon die erste Endursache, wenn wir zurückschreiten, der Punkt, und die zweite Endursache, wenn wir vorwärts schreiten, ein unendlicher Zirkel, oder das ▭ seyn muſs. Vom Punkt aber bis zum ▭ muſs nothwendigerweise die Kette eine Reihe von Gliedern einschlieſsen, wo die Natur das genaueste Verhältniſs von Maaſs, Zahl, Gewicht und Ordnung beobachtet hat. Eine unübersehliche Reihe von Dingen in dieser Kette existiren, die schon in unsere äuſsere Sinne fallen.

Fangen wir daher mit unserm Planeten, den wir bewohnen an, so nehmen wir leichtlich die in der strengsten Ordnung gebundene Scansion der Geschöpfe wahr, die z. B. bei den Mineralien anfangen, und stuffenweise bis an die Grenzen der Pflanzen fortfahren und jemehr sie sich diesen Grenzen nähern, je vollkommener sie auch im Verhältnisse mit dem Ganzen werden.

Hier fangen die Pflanzen in eben dieser Ordnung von Vollkommenheit an hinaufzusteigen, bis an die Grenzen der Thiere, und diese scandiren in der nemlichen Ordnung von zunehmender Vollkommenheit, und grenzen

zen an das vollkommenste sichtbare Geschöpf unter den Thieren, den Menschen.

Aber auch hier sehen wir sehr deutlich eine Scala von mehr und wenigerer Vollkommenheit. Wir schreiten daher fort, bis zum Vollkommensten unter den Menschen, und nun hört die sichtbare Reihe der Geschöpfe, die wir penetriren, auf; daſs wir aber mit dieser sichtbaren Kette die ganze Kette vom Punkt bis zum □ erschöpft haben sollten, ist unmöglich. Denn in diesem Fall wäre die Kette endlich, weil wir so geschwind Anfang und Ende angeben können.

Wir haben daher zuverläſsig beim Punkt angefangen und beim □ aufgehört. Es bleiben uns daher noch unzählige Geschöpfe übrig, die von der untersten Stuffe der Mineralien bis zum Punkte gehen, und von der vollkommensten Stuffe des Menschen bis zum □ fortschreiten, die mehr oder weniger, und am Ende gar nicht mehr in unsere äuſsern Sinne fallen.

Wie weit nun das beflissenste Studium und der vollkommenste menschliche Verstand in die Sphäre auch dieser Geschöpfe dringen kann, und wie wir durch wichtige Aequationen auch richtig dahin zu calculiren im Stande sind, und dies z. B. eben so, als wenn wir in der Arithmetik aus drey gegebenen Gliedern einer Proportion das vierte unbekannte finden, dieses meine Brüder soll uns die Magie im ausgedehnten Verstande lehren etc.

In der systematischen Erläuterung über die

G

Natursprache werden Sie, meine Brüder, auch das Weitere darüber hören.

l) Ob auch dieser als penetrirend und belebende Geist aus dreien Substanzen bestehe, oder ob dieses nur von der Materie, in die er wirkt, zu verstehen sey, dafs aber der Geist die Qualität habe, sich zu specificiren, wird an einem andern Orte erläutert werden.

m) Dieser Lebensgeist qua agens soll, wie sein patiens, auf das er wirkt, und so wie alles sichtbare und unsichtbare in der Schöpfung und folglich in der Zeit aus dreien wesentlichen und nie trennbaren Eigenschaften, die die Existenz aller geschaffenen Dinge ausmachen, bestehen. Und da das Leben, Bewegung aus Farbe aller Dinge das △ ist, dieses △ aber nothwendigerweise genährt und unterhalten werden mufs, so geschiehet solches durch eine radicale Feuchtigkeit. Da aber die Vereinigung und das Band dieser Feuchtigkeit mit dem △ ein drittes Ding seyn mufs, so haben die alten und neuern Philosophen das Radical △ Schwefel, die radjcale Feuchtigkeit als die Nahrung dieses △es ☿, und das Mittel, das Band und Vereinigung dieser beiden Escensialien nicht ohne Grund als das dritte Escensiale ⊖ genannt.

n) Bei einer andern Gelegenheit wird Ihnen erläutert werden, wie diese Operationen der Schöpfung und die Stellen in der heiligen Schrift zu nehmen und zu verstehen sind, — Dieses so wichtige Buch, das sich bei denen eben so wichtigen und tiefen Wahrheiten die es enthält, schon Jahrtausende und unter wahren Weltweisen noch in eben und demselben Werth erhält, wurde nur von denjenigen angegriffen, herabgesezt und lächerlich gemacht, die ihm aus Mangel an höhern Kenntnissen und aus Anhänglichkeit an gemeine seichte und Schulgrundsätze, Widersprüche und Absurditäten aufbürden wollten, ohne auf das Zeitalter und die Menschengattung Rücksicht zu nehmen, wann und auch für welche Menschenkinder es damals niedergeschrieben wurde.

So scheint es uns freilich ein Widerspruch zu seyn, wenn das Ens radicale oder Licht erst damals gebohren und zu existiren anfing, nachdem Gott das Jehi, oder, es werde, aussprechen mufste. Denn nach diesem Sensu literali mufste ein Wille in Gott seyn. Er mufste Veränderungen unterworfen und daher vergänglich seyn. Eben so ungereimt werden uns auch die Tagewerke der Schöpfung scheinen, wo alles nach einer so eingeschränkten Methode herging. Allein ein richtiger Forschgeist, der in der Weltweisheit nicht bei der Oberfläche stehen bleibt, wird nicht combiniren können, dafs die Schöpfungskunde, die uns durch die heilige Schrift aufbehalten und tradiret worden ist, die wahre Basis einer reinen und abgezogenen Philosophie seyn, und dafs nicht eine Silbe verrückt werden kann, ohne in ein Labyrinth von Irrthümern zu gerathen.

o) Die wesentlichen Bestandtheile eines jeden Geschöpfes, die es zur Existenz fähig machen, sind wie wir schon erinnert haben, die drey Principia, nemlich das △ oder 🜍

und das Aliment, dessen der ☿, und das, was diese nährende Feuchtigkeit mit dem Feuer verbindet, nemlich das 🜔.

Da aber hier der Hauptgegenstand das △ und die beständige Erhaltung desselben ist, so werden wir bei einer andern Abtheilung den Grund angeben, warum die Natur dieses △ nicht gleich so erschaffen hat, daſs es keiner Nahrung und daher auch keines Mittels vonnöthen gehabt hätte. —

Nun kömmt auch noch zu erinnern, daſs Sie die Principia und Elemente in Zukunft deutlich unterscheiden mögen, damit Sie nicht, wie es nicht selten geschiehet, eines für das andere substituiren. — Elementa sind Geburten der Principien. — Das Elementar, △ Feuer ▽ und Erde, wenn wir auch bis auf ihre Essentiam simplicissimam zurückgehen, bleiben noch immer Composita der Principien des 🜍 🜔 und ☿rii.

Wir müssen daher wohl distinguiren, was z. B. das Principium des △ und das Element des △es sagen will. Auch kann sich kein Alchymist rühmen, die Principien so wenig von einander als die Elemente von ihren Principien jemals geschieden zu haben.

Weil z. B. das Principium des 🜍 auf der Stelle zu existiren aufhören wird, wann ihm die beständige Nahrung benommen werden sollte, so wird das zweite Principium der ☿ cessiren, wenn ihm das △ oder der 🜍 mit dem Mittelband benommen werden sollte, und eben so würde das Mittelband des 🜔 nicht existiren können, wenn ihm △

oder der 🜍 und die beständige Nahrung desselben, der ☿ entzogen würde. Eben so verhält es sich mit den Elementen.

So können wir z. B. kein Element bekommen, wo nicht die übrigen mehr oder weniger noch drinnen enthalten wären.

p) Hier meine Brüder haben Sie in Kürze die Theorie über die Entstehung oder Scheidung der Elemente aus den Prinzipien.

Denn sobald das Prinzipium des 🜁ers oder 🜍 zu existiren, Nahrung zu bekommen und in seinem Esse zu agiren anfing, so war die erste Geburt das Elementar △, die nächst darauffolgende △ und 🜁, ▽ und 🜃, und so machte 1 - 2. das will sagen: Jehova brachte das Esch majim; machte die drei Principien: 1 und 3 macht 4, d. h. Jehova und die drey Prinzipien producirten die vier Elemente.

1 2 3 und 4 macht 10, und dieses ist der Numerus unsers Planeten, oder im ausgedehnten Verstande der Numerus der sichtbaren Natur. — In höhern Wissenschaften, meine Brüder, ist es die gröſste Wohlthat für unsern Geist, wenn wir uns an Formeln gewöhnen.

Den Nutzen hievon sehen wir in der höhern Mathematik und besonders in der Algebra, wo Gedächtniſs und Scharfsinn ins Feld ziehen sollen. Gedächtniſs und Scharfsinn aber sind zwey Geistes-Eigenschaften, die sich, so wie wir aus der höhern Naturkunde, und aus ihrem Ursprunge wissen, nicht wohl zusammen vertragen können, und dennoch mit vereinten Kräften an einem gemeinschaftlichen Endzweck arbeiten; ferner heiſst es: Wer also weiſs und verstehet unsere

🜃 in 🜄; dies 🜄 in 🜁, diese 🜁 in 🜂 und 🜂, dieses wiederum in Erde zu verwandeln, der wird alle Körper umkehren und tingiren können etc.

Wer auf die wahre Genesin der Principien und hieraus entstandenen und noch täglich entstehenden Elementen ein forschend und wachsames Auge wirft, der wird die nachahmende Möglichkeit wenigstens der Elementen und ihrer Prädicaten leicht einsehen und begreifen, insonderheit wenn ihm in der Natur der Dinge die geschicktesten und bequemsten Materien bekannt sind, aus denen er am leichtesten seinen 🜍, seinen ☿ und 🜔 ziehen kann, so muſs ihn nothwendigerweise das Praedominium eines Princips für das andere auf das nächste Element hervorbringen, und auf diese Art wird das Element, Feuer, Luft, Wasser und Erde entstehen.

Macht sich nun der Naturkundiger mit dem Quantitativo dieser Principal-Ingredienzien genauer bekannt, so wird ihm auch Quantitas Praedominii principiis Sulphuris zum Elementar 🜂 und Quantitas Praedominii ☿ii zum Element des 🜄, der Luft, und endlich Quantitas Praedominii Principii 🜔lis zum Element der Erden bekannt und aufgeschlossen seyn.

Er wird daher auch durch Zuthun und Abziehen Plus et Minus alle Körper umkehren, tingiren können, und wie richtig erinnert, des Vaters Hermes Magisterium vollkommen besitzen.

(Unterschrift wie Seite 82.)

Erläuterungen der zweiten Probestuffe.

Das Bild des Unendlichen setzen die alten Philosophen, sowohl Mathematiker als Physiker. in die Progression der Zahlen aufwärts, und so zurück in ihre Brüche.

Das eine Ende führt uns aufs Quadrat, das zweite auf den eingeschlossenen Punkt, welchen die Philosophi hermetici auch das Purum Homogenium und unitalem nannten.

Sodann in die Idee einer unendlichen Ausdehnung oder Gröſse. Der weise Moses nahm den Menschen zum Ebenbild der Gottheit. Genesis Kap. 1 v. 26 et 27. Und eben so machte Spinoza auch nach seinem System den Menschen zum Ebenbild der ganzen Schöpfung. Vorzüglich haben die Gelehrten unter den Juden wahrgenommen, daſs die ganzen Zahlen mit einem Zero anfangen und bis auf neun fortschreiten müssen. Allein der Uebergang von diesem Zero auf 1. war es immer, woran die Weisheit der profanen Philosophen scheiterte.

Dem wahren Maurer aber kann dieser Uebergang kein Räthsel mehr seyn. — Machen Sie sich, meine Geliebten, mit dem alten sublimen philosophischen System des Idealismus etwas bekannt. Bei uns hören Sie von einer unsichtbar- und sichtbaren Menschenlehre, und nun combiniren Sie ihr Zero und den Uebergang auf die sichtbare Zahl 1. so wird Ihnen, wenn Sie sich ohne Eigenliebe zu diesem groſsen Geheimnisse würdig fühlen, ein groſses Licht in der Finsterniſs aufgehen.

Eins ist selbstständig. Nun ist ein ähnlicher Uebergang von 1 auf 2 wie von Zero auf 1. Merken Sie aber wohl, ich sage ein ähnlicher Uebergang. Die nächstangrenzende Zahl und der Ausfluſs von 1 ist 2, nur durch 1 gezeugt und mit 1 selbstständig. Und hier fing der freie Wille des Guten und Bösen an.

2 aber zeugt die Zahlen 4 und 8.

3 wird nur durch 1 gezeugt, und in dieser Rücksicht eben auch mit 1 selbstständig, 3 zeugt aber die Zahlen 6 und 9.

4 ist das erste Quadrat, □ wird gezeugt durch 2, und zeugt wiederum 8.

5 nur durch 1 gezeugt, zeugt uns aber die Verbindung des Zero mit 1. d. i. 10 in der gemeinen Zahlenkunde.

6 durch die Zahl 3 gezeugt.

8 durch 2 und 4.

9 durch 3.

7 bleibt uns allein übrig, welche weder durch andere gezeugt wird, noch eine andere Zahl zeugt, und so weit erlaubt mir hier diese Stuffe zu erläutern.

So ist ferner in der Genesi der Dinge eines aus dem andern eben so entstanden, wie es die Natur und das Wesen eines jeden existirenden Dinges in seiner Art mit sich brachte.

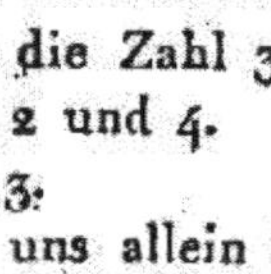

Denn 1 ist, wie wir gehöret haben, selbstständig unmittelbar aus dem Urwesen ausgegangen, und ist, wie wir weiter hören werden, der Archaeus universi. 2. ging aus 1. Hier fing der freie Wille des Guten und des Bösen an, und also entstand das erste Streittreffen zwischen dem Guten und Bösen, es entstand das Esch maym, und daher das Chaos und die Zahl 3, welches die drey Principien sind.

Dieser wechselsweise Streit continuirte deshalb auch in 5 und so geschah die Scheidung der Elemente und entstand die Zahl 4.

In diesen Elementen continuirte ferner eine abgemessene verhältnifsmäfsige und proportionirte Wirkung des ersten Elements in das andere, und so schied sich die Quint-Essenz und die Mittelzahl, das Medium zwischen 1 und 9, oder 5 6 sind die periodische Tagewerke der Schöpfung, die sechs gleiche Dreiecke im Zirkel, die den Radium zur Basis haben, und ferner die sechs gleichen Dreiecke im Signatstern.

7 war der ruhige Tag. — Die Vollkommenheit, die im Wesen dieser Zahl liegt, ist Ihnen auch schon zum Theil bekannt. Sie ist zusammengenommen, in allem Betracht, die einzige Signatur des Erhabenen, des Schönen und im Ganzen der Harmonie, so wie wir deutlicher aus der Theorie der sieben verschiedenen Töne in der Musik hören werden.

7 zeugt aber auch, wie erinnert, die sieben Metalle, die sieben Engel und das Gestirn an, und so entsteht aus ihrer wissenschaftlichen Mischung die Oct-Essenz, woher, wie wir weiter hören werden, die alten magisch künstlichen Spiegel-Glocken etc. ihren Ursprung nahmen.

9 ist das Ende der Einheiten, das zweite Quadrat aus 3, und das complette Bild der drey göttlichen Eigenschaften der drey Principien und der drey Elemente des ▽ des Feuers und der Erde.

Aus diesem zusammengenommen ist 1 oder

der sichtbare Anfang das ∗ und 9 als das sichtbare Ende ∗ etc.

Ueber die sieben Farben.

So ist der Uebergang der Farben von einer in die andere eine wahre Unendlichkeit für den wahren philosophischen Maler.

Die Schattirungen zeigen ihm blos das Mittel zwischen beiden Farben. Die Fibrationen aber zwischen ihnen sind uns unbegreiflich. Was übrigens die Theorie der Farben betrift, kann weder mehr gesagt, noch von einem endlichen Geist etwas Vollkommenes gefordert werden, als der grofse Newton in seiner Optic, wo er die Lehre vom Licht und Farben auseinandergesetzt hat. Allein ohne sich mit der Structur und Organisation sowohl desjenigen Werkzeuges, mittelst dem wir Objecta, die aufser uns sind, empfinden, hauptsächlich aber mit dem Gang und der Qualität der Nerven genau bekannt zu machen, können wir von diesen Phänomenen in der Natur der Dinge schwerlich etwas mehr wie Vermuthungen haben. Wir schwimmen in einem Meere von seichten Hypothesen herum und können nirgends sicher landen.

Ueber die sieben Tage.

So springen wir auch nicht von einem Tage auf den andern, ehe dafs wir Stunden, Minuten Sekunden und eine unzähliche Reihe von Punkten, die wir passiren müssen, eingeschaltet fühlen.

Ueber die sieben Planeten.

In unserm Sonnensystem nehmen wir auch nach dem Zeugnisse aller Astronomen, sieben grofse und besondere Sydera wahr, die man Planeten nennt, und deren verschiedene Eigenschaften von der Art und so determinirt sind, daſs sie das System, in dem sie eingeschlossen sind, in beständigem Gleichgewicht erhalten.

Diese Planeten haben auch ein jeder seinen Beherrscher, so wie wir in der Grundstuffe hören werden.

Perser und Araber nannten sie: Keran, Ormuzd, Behram, Sched, Nuhid, Tir und Mah.

Sie haben hiervon nur soviel Notiz zu nehmen, als es sich in der Folge ereignen könnte, daſs Sie Schriften in die Hand bekämen, wo Sie diese Namen aufgezeichnet finden könnten.

Ohne wichtige Kommunikation und Proportion dieser Planeten, die theils in ihrer Gröſse, theils in ihren Eigenschaften, theils in ihrer Entfernung und wechselsweisen Position liegt, wird nichts in, auf und zwischen ihnen existiren können. Was wir aber im eigentlichen Verstande ihre Beherrscher nennen, das ist der ausgegangene Geist oder die Seele eines jeden Planeten, die ihm in allen seinen Verrichtungen die gehörigen Schranken setzt, ihm seinen Kreislauf disponirt und begrenzt, ohne den ein Planet wie der andere nichts als eine todte Kraft seyn würde.

Die allgemeine Namen dieser Beherrscher oder Geister werden wir in einem besondern Abschnitt der ersten Grund- und Hauptstuffe hören; in der zweiten werden aber ihre Kommunikation und ihre wechselseitigen Verhältnisse gegen einander auseinander gesetzt werden.

Auch bestimmt die Theorie der verschiedenen Eigenschaften der Planeten ihren Uebergang und ihre verschiedenen Wirkungen schon auf die ihnen untergeordneten Metalle.

Ueber die sieben Töne.

Welches Gefühl verfolgt uns durch alle Fibrationen der unzähligen Zwischentöne, zwischen zwey aufeinanderfolgende ganze Töne?

Der so mannigfaltige Uebergang der Accorde läfst uns schon diese Schwierigkeit fühlen. Ueberhaupt können wir in der Theorie der Tonkunst beinahe das Grundgesetz der Zahl 7 mit Händen greifen, denn sobald wir einen Ton, welcher es auch sey, anschlagen, so folgen ihm noch 6 andere von ihm verschiedene Töne, die mit dem angeschlagenen Ton 7, volle Töne ausmachen. Sobald wir nun den 8ten Ton entweder auf- oder abwärts anschlagen, fallen wir wieder in den 1ten herab, oder in den 7ten hinauf. Die Höhe oder die Tiefe verändert blos die Tonstimme, niemals aber den Ton.

Und blos in diesen sieben Tönen liegt das so mannigfaltige Grofse und Erhabene dieser göttlichen Wissenschaft.

Wer sich mit diesem Theil der Aesthetik besser bekannt gemacht, und eine höhere und reine Philosophie zum Grunde gelegt hat, der wird hieraus in der Folge leicht schliefsen, warum die gesetzmäfsige Versetzung dieser sieben Töne so verschiedene Wirkungen in unserm Gemüthe hervorbringen.

Wie dieses geschiehet, dafs durch gedachte künstliche und regelmäfsige Versetzung dieser sieben Töne eine jede Leidenschaft exprimirt, und in uns in Bewegung gesetzt und determinirt werden kann, wird in einer andern Abtheilung gehörig demonstrirt werden.

Zur gehörigen Präparation aber, müssen wir die sämmtlichen hochwürdigen und hochwürdigsten Brüder bitten und brüderlichst erinnern, dafs Sie sich mit der Structur und Organisation derselben edlen Theile des thierischen, vorzüglich aber des menschlichen Körpers genauer bekannt machen, die sowohl die äufsere als innere Sinne der Thiere constituiren, und ihnen ihre Grenze setzen, denn bei uns können sie weder Anatomie noch Physiologie, weder Mathematik, gemeine Physik, Chemie, Naturgeschichte, Metaphysik hören. Wir glauben, dafs Sie, bevor Sie zu uns treten, schon den Grund hierin gelegt haben, oder wenigstens sich in Zukunft in diesen Grundwissenschaften gehörig qualificiren werden, sonst werden Sie das Sublime unmöglich verdauen können.

Schritten wir z. B. fort zu erläutern, was die wissenschaftliche Versetzung der sieben Töne für verschiedene Empfindungen in uns erregen; nehmen wir z. B. in der Tonkunst das heraus, was uns die allgemeine Aesthetic für einen Begriff vom Erhabenen und Schönen giebt; so sind uns Oratorien, die Chöre, der Choral im Gesang, der Tod Jesu von Graun, das Stabat Mater von Pergolesi, das Miserere von Allegri sattsame Beispiele von der allgemeinen hinreifsenden und schmachtenden Bewegung die in dem Innern vieler tausend Zuhörer zugleich effectuirt wird. Warum nun diese Versetzung der sieben Töne, diesen allgemeinen Effekt, und eine andere Versetzung auch einen allgemeinen andern Effekt verursacht, müssen wir nothwendigerweise wissen:

Wie, woher und wo die Empfindungen überhaupt entstehen? Wir müssen wissen, welches die Structura sensorii auditus, warum sie so, und nicht anders ist oder seyn kann? Wir müssen wissen, was für Empfindungen im thierischen Körper entstehen, wenn die Nerven gespannt, wenn sie relaxirt, wenn sie ausgedehnt und wenn sie überspannt werden.

Kurz wir müssen und wir können auch in allen diesen Operationen die gehörige Schwingungen im Verhältnisse mit der Elasticität der Nerven und ihrer Qualität gehörig berechnen. Wann wir alles dieses in Ordnung penetrirt haben, so werden wir auch besser wissen, was der perfekte Accord, nemlich 3. 5. 8. sagen will und so wohlklingend in uns wirket.

Wir werden besser wissen, wie sich terz major von der terz minor unterscheidet. Warum unser Gehör beleidigt wird, wann wir aus einem Perfectaccord in den andern übergehen, und die Scala verfehlen? Wir werden ferner wissen, warum wir im perfecten Accord beim Herablaufen der terz major die nehmlichen Töne nehmen müssen, auf die wir hinaufgelaufen sind, und warum wir im Herablaufen der terz minor andere Töne einschalten und für diejenigen zum Theil substituiren müssen, die wir hinaufgelaufen sind? wir werden besser wissen, wie die Dissonanzen entstehen, wie sie in uns wirken und was der Kompositeur für Absicht dabei haben kann?

Kurz wir werden zuverläſsiger wissen, wie der in der Tonkunst effectuelle Takt auch in allen Operationen der Natur gegründet ist, wie der Grund aller Vollkommenheit in der Näherung zur Harmonie liegt, und warum die höchste Vollkommenheit nur in sieben Tönen enthalten ist.

Ueber die sieben Metalle.

So wie in der Natur der Dinge in jedem in seiner Art eine gewisse harmonische Verbindung liegt, die sich theils mehr theils minder äußert, und so wie die Kette aller Dinge eine allgemeine Harmonie der obern Theile mit den untern ist, dieß können wir am füglichsten in dem mineralischen Reiche beobachten, weil alle weiteren Beobachtungen der Natur nicht in diese Probestuffe gehören.

Wir wissen z. B. wie das dicke Wasser die Universal-Smirna, oder die Gur der Natur in dem Eingeweide der Erde, die verschiedenen Produkte hervorbringt.

Wir wissen, daß dieses allgemeine Agens auf die unzählige Patiens auf die es trift, unter dem Zeichen der Sonne Gold, unter jenem des Mondes Silber, unter der Venus Kupfer u. s. w. hervorbringt, das will sagen, daß die Lage der Empfängniß geradezu mit den leidenden Eigenschaften dieses oder jenes Planeten, kraft seiner innern Bildung in einer Harmonie stehen, daß diese Harmonie durch die Kraft des allgemeinen Salzgeistes entstehe, daß dieser Salzgeist aber selbst nach der bestimmten Harmonie wirke, und nicht anders wirken könne, weil seine Verbindung, die zwar allgemein ist, sich doch nach den verschiedenen leidenden Kräften specificirt, und so werden die Metalle bald fein und glänzend, bald grob, bald schönleibig, bald hitzig, bald trocken, bald leicht, bald schwer, bald feuerbeständig, bald flüchtig seyn; je nachdem das Zeichen ihres Planeten hitzig, trocken, feucht, oder kalt ist. Gleiche Bewandniß hat es mit eben den so verschiedenen Halbmetallen, Markasiten u. s. w. und endlich mit den verschiedenen Stemaiten, welches Sie alles in der ersten Hauptstuffe vollkommen erläutert und auseinandergesetzt finden und dann praktisch lernen werden.

Ueber das Foetus.

Hier und im folgenden sehen wir wiederum deutlicher, daß die Zahl 7 eine begrenzte Periode in der Natur sey. Weiter hinauf fängt eine andere Periode an, so geht es fort, bis auf 7 mal 7, welches ein kleiner Zirkel genannt wird. Daher wissen wir auch, warum eine Geburt von 7 Monaten, oder ein Sieben-Monat-Kind leben, und eine andere von 8 Monaten, die doch älter ist, nicht leben kann. Wir wissen daher, warum der Puch, von dem in der heiligen Schrift Meldung geschiehet, und in seiner kleinen Zahl 7 hat, so eine geschickte Materie, und so biegsam zu allen alchymistischen Arbeiten ist. Hieraus erläutern wir auch den Siebenbrunnen, den Abraham grub, die sieben Schaafe, wodurch er mit Abimelech den Bund errichtete, und den Baum, der in seiner kleinen Zahl eben auch sieben andeutet, den er pflanzte etc.

Haben wir ferner einen deutlicheren Begriff von den vier verschiedenen Arten von Entstehung der Dinge in der Schöpfungskunde, welche Beria, Aziloth, Zezira und Asia sind, so werden wir leichter combiniren können, wie auch der erste, zweite, dritte und vierte Zeitpunkt, immer den siebenten bestimmen.

So ist in Krankheiten der vierte Tag das wich-

wichtige Prognosticon auf den siebenten zählen wir jetzt wieder vier Tage hinzu, so ist, wie auch die Erfahrung richtig lehrt, und durchaus übereinstimmt, der 11te Tag der Index des 14ten, und der 18te der des 21sten. Diese Perioden sind plus et minus kleiner oder grösser, je nachdem sie in der Natur der Dinge in einen gröfsern oder kleinern Zirkel und Kreislauf eingeschaltet sind.

(L. S.)

Rosch. Hamdabrim. 

Pokeach Ibhrim. 

Thumim Bemahloth. 

Melibh Lackol.

Allgemeine Theorie der Natur, und vollkommene Auslegung des Signatsterns

Die Elemente sind die grofsen Körper der Natur, und die Gebährmutter, welche die ihnen vom Universalgeist oder von unserm sich bewegenden Punkt gegebenen Tugenden, Saamen, Zeichen und Bilder in sich enthalten.

Die Elemente haben zwey Naturen, eine geistige und eine leibliche, und ist die Tugend der ersten im Schofse der andern verborgen.

Ihre wahre Wirkung ist, dem Universalgeist durch die unterschiedliche Fermente, welche in ihren besondern Werkstätten schon existiren, eine Bildung zu geben, ihn nach und nach leibhaft zu machen, und ihm die Charactere und Eigenschaften mitzutheilen, so darin gleichsam eingeschlossen liegen.

Denn dieser Geist ist nequem zu allen Dingen, und kann alles in allen Dingen wirken, und dieses geschieht, weil die Natur, die diesen Geist zum Wirken bestimmt und ausschickt, niemals müssig seyn kann, sondern stets arbeiten mufs; weil aber dieselbe eines endlichen oder zerstöhrenden Wesens ist, so kann sie für sich weder erschaffen noch zernichten, indem diese zwey Eigenschaften eine unendliche Kraft erfordern.

Element ist nicht das, was wir in den Elementen sehen, denn das, was wir mit unsern Augen sehen, und vom gemeinen Mann ein Element genannt wird, ist kein Element, sondern ein vermischter und elementirter Körper, und die Frucht desselben, was eigentlich ein Element genannt werden muſs. 🜂, 🜁, 🜄, 🜃, welche wir sehen, sind unmöglich im Stande, das allergeringste oder kleinste Ding in der Natur der Dinge zusammen zu setzen, oder zu machen; denn obgleich alle Dinge in den Elementen gemacht, hervorgebracht und erhalten werden, so sind sie doch nicht der eigentliche Grund der Entstehung eines solchen hervorgebrachten Wesens, sondern dieser Grund ist ein ganz anderes Ding, welches in ihnen gefunden wird, und dieses Ding ist und heiſst Universal- oder saamlicher Geist, seine Signatur aber ist

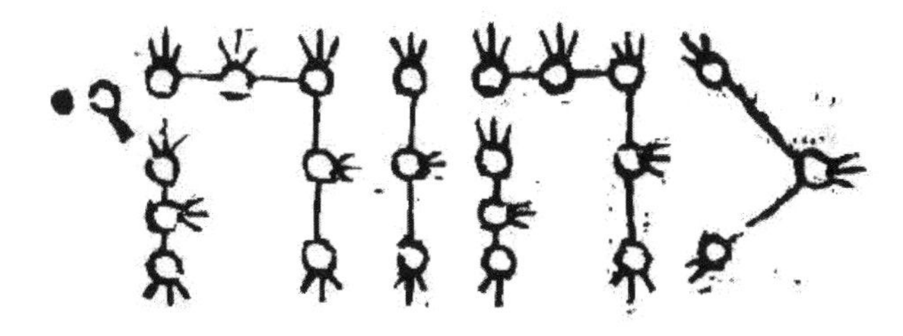

Die heilige Schrift bezeuget dieses mit den Worten: die 🜃 war wüste und leer, solches, das die Schrift von der 🜃 bezeugt, muſs also auch von den übrigen sogenannten Elementen des 🜂ers, 🜁 und des 🜄 mitverstanden werden, welche ebenfalls unnütz und der Ausdehnung unfähig waren, ehe der Schöpfer diesen Lebensgeist in sie legte, und dadurch Bewegung und

Farbe in ihnen hervorbrachte; denn die ohne diesen Lebensgeist abgesonderte Elemente sind nur Substanzen ohne Kräfte, weiblicher Saame ohne männlichen, patiens, ohne ein mitwirkendes agens zu haben.

Dieser Lebensgeist ist ferner an die Substanzen der Elemente festgebunden durch ein Mittel.

Dieses Mittel ist Magia oder das unbegreifliche Band, selbstständig ohne Farbe, so, daſs es unmöglich von denenselben getrennt werden kann, auch ist unmöglich einen einzigen elementarischen Theil, er sey so klein er immer wolle, zu finden, der nicht mit diesem Lebensgeist, geistiger Substanz oder erster Saamen aller Dinge geschwängert sey. Dieser Lebensgeist, das agens oder das männliche und erster Saamen aller Dinge bestehet, wie das weibliche oder das patiens auf das er wirkt, aus dreien ihm wesentlichen und nur nach unsern gemeinen Begriffen unter sich verschiedenen Substanzen, welche aber aus der Theorie ihrer Existenz niemals verschieden seyn, auch nicht einmal verschieden idealisirt werden können.

In diesen berührten Substanzen befindet sich auch eine gewisse wechselsweise Wärme, Feuchtigkeit und Trockenheit, welche drey Eigenschaften ebenso wenig wie ihre Substanzen differiren können, daher sind diese drey Substanzen mit ihren dem Namen nach eben so verschiedenen Eigenschaften ein einziges Wesen und nur eine radikale Substanz.

Diese Substanz wird wegen ihrer Wärme oder des △ers 🜍, wegen des feuchten Aliments und die Nahrung des △ers, ☿ und wegen der radikalen Trockenheit, die das Band dieser Feuchtigkeit mit diesem △ ist, 🜔 genannt, welches bei der Abhandlung jedes einzelnen Elements klärer ins Licht gesetzt werden wird.

Die zwey aus dem Unendlichen unmittelbar ausgegangene Substanzen oder Säulen der Schöpfung aber sind ▽ und Himmel (denn zwischen Himmel und Feuer ist nicht der geringste Unterschied) Wasser und Himmel, oder ▽ und △ waren der Grund der beiden andern ihnen untergeordneten Substanzen der 🜁 und der 🜃.

Nachdem das △ ins ▽ gewirket hat, so ist vom subtilen Theile des ▽ und dem groben des △ers die 🜁 entstanden.

Aus dem gröbsten Theil des ▽ aber und einem noch gröbern Theil des △ers die 🜃 hervorgekommen.

Diese Wahrheit bestätigen täglich die chymischen Operationen, weil allen **Liquidis** durch Einwirkung des △ers, Luft und Erde hervorgebracht und sichtbar gemacht werden, denn das Subtile, welches ausdampfet, ist 🜁, das grobe und dicke aber, welches **in fundo** bleibt, wird mit Recht 🜃 genannt; folglich müssen ▽ und △ oder Himmel, weiblich und männlich, **patiens** und **agens** dem **Universo** den Anfang gegeben haben.

Das Wort: יהי **Ihi** oder **es werde**, gebahr in diesem Augenblick des Ausspruchs das **Ens radicale**, das war Licht, folglich Farbe, das △ dieses Geistes gebahr den Himmel, das **Humidum** desselben die 🜁 und das ▽, und das **Radical** 🜔 gebahr die 🜃.

Da dieses schnelle Wirkungen des göttlichen Willens waren, und in dem Augenblick dieser Geist diesen Körpern mit einer so starken und festen Verbindung einverleibt war, so ist die Folge, daſs diese Elemente durch keine menschliche Kunst sichtbar von einander geschieden werden, und kein Alchymist sich rühmen könne, die selbstständigen Principia so wenig von einander, als die Elemente von ihren Principiis zu scheiden, so, daſs man sagen könnte, daſs ein 🜍 ohne ☿, oder ein 🜔 ohne 🜍 und ☿, oder ein ☿ ohne 🜔 und 🜍 bestehen könne.

Man kann zwar eine Substanz bekommen, worin 🜍 und △ die Oberhand haben, auch sichtbar erscheinen, aber dennoch sind alle übrigen verborgenerweise damit vereinigt und verbunden.

Da nach allen menschlichen Begriffen von dem allersubtilesten Theile der drey Principien der Himmel ist abgesondert worden, von dem andern weniger subtilern Theil aber die 🜁, von einem noch weniger subtilern das ▽, und von dem dickern und soliden Theile die 🜃, so machte 1 — 2, 1 und 2 machte 3, 1 und 3 machte 4, worin alle Vervollkommung unserer Kugel besteht, denn 1 2 3 und 4 macht 10, und dieses ist der Numerus unsers Planeten.

Wer also weiſs und versteht unsere 🜃 in ▽, dies ▽ in 🜁, die 🜁 in △, und dieses △ in 🜃 zu verwandeln, oder umgekehrt, wovon hier noch nicht der Ort zu reden ist, der wird alle Körper umkehren und tingiren können, also des Vaters Hermes Magisterium vollkommen besitzen.

Vom Himmel oder Feuer, als dem ersten natürlichen Element.

Wenn die Philosophen vom natürlichen △ reden, welches alle Dinge gebährt, verstehen sie dadurch keineswegs das natürliche △, welches wir in unsern Oefen brennen sehen, sondern sie zeigen durch diesen Namen das selbstständige und unsichtbare △ an, welches der Anfang aller Bewegung ist, und auf keine Weise von denen sowohl generalen als partikularen himmlischen Influenzen differirt, sondern denselben in allem gleich ist.

Durch die generale Influenz verstehen wir, die Influenz der ersten Bewegung als die Quelle und das Principium des △, durch die partikulare aber, die partikulare Einflüsse auf alle Planeten, unter welchen die Sonne, als das Centrum der himmlischen Kugel, von selbiger Partikular-Influenz einen Ueberfluſs hat, weil der höchste Baumeister in derselben dieses natürliche △ überflüſsiger gelegt hat, als in alle andere Theile dieser groſsen himmlischen Körper, damit sie alle Theile lebendig und wirkend erhalten möge.

Dieses △ ist also astralisch oder himmlisch, weil es mehr von der Natur der Gestirne als von andern Dingen participirt, die Wahrheit ohne Hülle zu sagen, und nach den Gesetzen der wahren Philosophen. ist dieses △ weder astral noch himmlisch, weil es etwas noch reineres als der Himmel selbst ist, denn vor Erschaffung dieses Geistes oder △ waren alle Dinge leer, unnütz und finster, auch nach Erschaffung des Lichts, welches nichts anders, als diegen Lebensgeist, das natürliche △ und lebhafte △ ist, wurde die ganze Welt in einem Augenblick mit Leben erfüllt, so, daſs nichts unnüzzes oder leeres blieb, und nach dem höchsten Ausspruch alle Dinge gut waren. Dieses natürliche △, welches wir 🜍 nennen, ist eben derselbe Lebensgeist mit seinem unscheidbaren Licht, welches aus dem Unendlichen ausgegangen, und durch die ganze Schöpfung zur Lebendigmachung der ganzen wirkenden Natur ausgestreuet worden, hauptsächlich aber in den Himmel, als dem ersten und vornehmsten Element, worin dies natürliche Licht dergestalt durchdringend und wirksam ist, daſs es von da aus allen und jeden Theilen der ganzen Schöpfung mitgetheilt wird, und also die Grundquelle der Generation aller elementarischen Dinge wird, welche sich in dieser untern Welt befinden.

Damit aber die Kräfte dieses 🜍 und natürlichen △, in allen untern Dingen zu wirken, recht klar begriffen werden möge, so ist wohl nöthig zu erwägen, daſs das erste Mobile des Lebens und dieses natürlichen △ers, welches unsere Sonne ist, gedachtes Feuer ausgieſse, und dasselbe dem Firmament mittheile.

Dieses △, da es die so verschiedenen Eigenschaften und Tugenden aller Sterne, durch eine in ihm verborgene Kraft anziehet, nachdem es die Eigenschaften des Saturns einmal attrahirt hat, senkt sich in die Sphäre Jovis, wird auch hier bald saturirt, und senkt sich auf diese Art immer von einem Planeten in den andern, bis in den Globum des Monds.

Hier trift es das vollkommenste Patiens an; weswegen die in den übrigen Planeten gesammelten und aufgenommenen verschiedenen Eigenschaften hier einen ⊖ Geist annehmen, welchen etliche Chymisten, Dämogorgen, quasi Dämogen et Spiritum Terrae genannt haben.

Dieser Salzgeist ist so durchdringend, daſs er, nachdem er sich am Ende auf unsern Globum herabsenkt, in die kleinsten Partikeln der Erde, des Wassers und der Luft einschieſst, und in diesen Elementen unendlich viele und verschiedene Mixta hervorbringt.

Nachdem nun gedachtermaſsen dieses △, aus dem primo Mobile saturirt durch die verschiedenen Eigenschaften der Planeten, die es durchläuft, bis in das Centrum der ▽ herabgestiegen, und im Archäo der Erde so viel abgeworfen hat, als zur Belebung, Erhaltung, Wachsthum und Fortpflanzung der sublunarischen Körper hinreichend ist, so steigt es wieder aus diesem Centro der Erde durch die nemlichen Stuffen, auf die es herabgestiegen, zu seiner Quelle, und durch diese Circulation belebt es die ganze Natur.

Der Himmel oder das Naturfeuer ist derohalben nichts anders, als der subtileste und klareste Theil aus dem 🜍 des Lebens, aus welchem der Unendliche im Anfang der Schöpfung den unsichtbaren Himmel gebildet, in welchen er überflüssig diesen subtilesten Theil des natürlichen △ gelegt hat, damit er solches △ den übrigen Elementen mittheilen und durch sein beständiges Ausströmen einflöſsen möge. So oft man also bei der Solution der natürlichen Mixtorum einer subtilen, klaren und hellen Substanz, welche einen rothen und gelben hellglänzenden Schein und Glanz hat, ansichtig wird, kann man versichert seyn, dafs dieses der Himmel oder das lebende △ das Mixtum sey, welches man resolvirt hat, so, dafs die spargirischen Philosophi allemal, wenn sie dergleichen reinen und aller Hefen-Substanz entschlagenen rothen oder gelben hellglänzenden Schein und Glanz antreffen, worin dieser Theil des lebhaften 🜍 prädominirt, selbigen mit Recht das **Astrum Coeli** nennen.

Man wird sich wundern, warum wir das △ aus der Zahl der Elementen herausgenommen haben, ob es gleich eben so sichtbar in der Masse der Schöpfung ist, als die 🜁, das ▽ und die 🜃, allein hier ist zu erwägen, dafs der Himmel oder das Natur△, von welchem wir gehandelt haben, dasjenige △ sey, welches das Centrum eines jeden Dinges ist, und Form und Natur desselben ausbildet und erhält. Das in der Masse der Welt befindliche sicht- und fühlbare △, welches wir auf unsern Heerden und Oefen, bei Lampen und Fackeln, Lichtern und brennenden Geistern sehen, ist ein verzehrendes und fressendes △, welches mehr zerstöhrt als erhält, weswegen es auf keinerleiweise ein Element seyn kann, denn was ein Principium des Todes ist, kann unmöglich ein Principium des Lebens seyn, weil es den Principien des Lebens schnurstracks zuwider ist, und aus einer gänzlich differirten Quelle herkommt.

Denn dieses sichtbare Küchen△ ist nichts anders, als ein **Meteor** oder ein unvolkommen vermischter Körper, in welchem das △ oder 🜍 die Oberhand hat, weil die Flamme desselben nichts anders als ein öligter, schweflichter und also angezündeter Rauch ist.

Am Ende ist auch noch zu merken, daſs die Bewegung des sichtbaren △ers stets aufwärts geht. Eine Direction, die ihm die Atmosphäre eines jeden Planeten geben muſs, welche die Flamme des △ers mit sich aufwärts führt.

Alle Systeme der Naturlehre kommen auch hierin überein, wie weit ein jeder Planet nach Proportion seiner Gröſse, die Partikula seiner Atmosphäre von sich stöſst.

Es kommt auch noch zu erinnern, daſs die Sonnenstrahlen, welche von ihrem Ausgang vollkommen conisch bis in das Centrum eines jeden Planeten, und also auch in das Centrum unserer Erde eindringen würden, wenn sie nicht in der Atmosphäre gebrochen würden und einen neuen Conum formirten, der aber, ob er schon eine andere Direction angenommen, dennoch in das Centrum der Erde einschieſst.

Dieser beständige Strohm des natürlichen und in unserm Sonnensystem alles belebenden Feuers ist ungeachtet der in der Atmosphäre erlittenen Alteration dennoch so stark und wirksam, daſs er durch Brenngläser zum Anzünden aufgefangen werden kann, und wie aus der Naturkunde bekannt ist, die so verschiedene Phänomene auch schon zum Theil in der Oberfläche hervorbringt.

Wir glauben also hiemit den Unterschied des natürlichen und wohlthätigen △ers, von dem unnatürlichen und zerstörenden △ genugsam und deutlich gezeigt zu haben, und dies war auch nur in diesem Abschnitt unsere Absicht.

Exod. Cap. 2, v. 2. Genes. Cap. 19, v. 24.

Von dem Wasser als dem zweiten Element.

Das Wasser ist das Universal-Menstruum, aus welchem alle Dinge geworden sind und annoch werden.

Die Siderischen Körper sind aus den leichtesten und subtilesten und feurigen oder öligten Theilen des ▽ von dem Schöpfer in die obere Sphäre gesetzt worden, denn die 🜃 ist aus der Trübigkeit des ▽ geordnet, die 🜁 ist ein ausgespanntes ▽, trockener und hitziger Art und Eigenschaft, und ein Mittelelement und Band zwischen den obern und untern siderischen Körpern, und daher ein Vehiculum.

Alles was die Natur macht, das macht sie durch eine wunderbare Verwandlung der Elemente, worauf die Weisen ihr Augenmerk richten, sie macht zwar ganz künstlich aus ▽ △ und aus 🜁 🜃, aber nicht durch einen Sprung, sondern immer durch ein Mittelelement, weil kein Uebergang von einem Extremo zum andern statt findet, daher macht sie erstlich das ▽ durch eine siderische Destillation im grofsen Alembico zu 🜁, alsdann machet sie die 🜁, welche mit dem in ihr ausgestreueten ⊖geist durchdrungen und mit den ♀ischen Geistern oder öligten Theil geschwängert ist, zu △. Dieses △ schicket sie der 🜃, als dem finstern Magneten zur Belebung und Vegetirung herab.

Durch dieses von der Natur so zubereitete Wasserfeuer, das sich in die Partikulchen der Erde herabsenkt, wachsen und grünen alle Gewächse, als Gras, Blumen, Kräuter, Bäume u. s. w. so wie wir durch die Auflösung dieser Gewächse durch die Fäulniſs in der Naturkunde mit Grund zurückschlieſsen lernen.

Ferner verschafft uns die Natur einen Vorrath von Fettigkeiten und allerlei brennbaren Materien aus allen Regnis, die von den sulphurischen Theilen des ▽ ihr Herkommen haben, als Wachs, Oel, Schmalz, Unschlitt und dgl., welche aus dem ▽ durch gedachte Operation und Zurichtung der Natur geworden und zur △ verwandelt worden sind.

Eben so vermag auch die Natur nach ihrer Intention das △ wiederum in ▽ zu verwandeln. Das ▽ bleibt aber immer das Universal-Menstruum oder primum Mobile und das △ das primum movens oder motor.

Hier ist wiederum wohl zu merken, daſs obschon unser Menstruum universale, wie gedacht, ein ▽ ist, dasselbe als ein himmlisches oder Natur▽ angesehen werden muſs, ein trockenes, luftiges und fliegendes Ding, ein ▽, welches die Hände nicht netzet, die Sonne ist sein Vater, der Mond seine Mutter und der Wind trägt es in seinem Bauch, aber kurz ohne Umwege und deutlich zu sagen, es ist das Licht und der Glanz des philosophischen △, dieses Licht oder himmlische △ ist unser wahres Element, ein lauteres Licht, und ein ▽ des Lebens, es ist ein Geist des Herrn, der die ganze Schöpfung durchdringt, und alle Dinge in ihren Lagen erhält; es giebt der Sonne ihren Glanz und dem Mond und Sternen ihren Schimmer; es giebt allen Dingen ihre Farben, Geschmack und Geruch etc.

Nun haben wir unsere zwey Principia als Licht und △ und ein himmlisches ▽, welche nach ihrer Vereinigung und Wirkung in einander eine wässerige und öligte Substanz und Eigenschaft ausmachen. Sie werden auch der wässerige und feurige ☿ genannt, und sind beide ein Wesen, beide liegen in einer ganz geistigen und himmlischen Amönität, welche das 🜔 Naturae heifst, und das 🜔 der Weisen genannt wird.

Dieses 🜔 ist einer geistigen Substanz und Wesenheit, wie △ und Licht, darum wird es auch das Licht der Natur genannt und ist die Kraft derselben, in welcher alles Leben und Wachsen besteht.

Es ist demnach das philosophische ▽ und △ eine allerreinste himmlische Masse. Ein △ und Lichtkörper. Ein geistig in einander brennendes ▽ und Oel oder ☿ duplicatus. Dieser feurige und wässerige ☿ macht in allen Geschöpfen der Natur nach doppelter Art und Eigenschaft den bewegenden Geist aus, und sind beide, das △ und ▽ männliche und weibliche Tincturen, ein Wesen, doch aus zwey harmonirenden und in einander wirkenden Principiis, worin alle Planeten, Eigenschaften und Kräfte liegen und wirken.

Dies himmlische ▽ oder Humidum ist das philosophische patiens, darin sein 🜍 oder △ als agens wirket.

Dies philosophische ▽ und △, das erste und letzte in der Natur der Dinge ist, der Saame, aus dem die Weisen alles in allem zu machen im Stande sind.

In dem Siebengestirn aufser unserer Sphäre ist überhaupt ein 🜍ischer Ausgang himmlischer Wesenheit, liegt aber nicht vereinigt, wie unser ▽ und △, weil in dem Siebengestirn erst die Scheidung der Tincturen des ▽ und der △ nach ihrer verschiedenen Lage und Eigenschaften geschehen, Saturnus, Jupiter et Luna sind ▽ und Licht.

Die Sonne, Mars, Venus sind △, der ☿ ist aussen ▽ und innen △, er ist ein Ebenbild des philosophischen ☿ii. Ferner entstehet, wo der 🜍 Martis et Veneris die Oberhand erhält, ein Corpus Solis, und wo ♄ und Jupiter die Oberhand erhalten, ein Corpus Lunae.

Daher wird der ☿ der Weisen, so lange er in seiner wässerigen und flüchtigen Gestalt erscheinet, und die Luna prädominiret, ein Weib genannt, welche aber so lange in diesem ☿al▽ die Herrschaft behält, bis es sich durch die Koagulation, da das Wasser durch Wirkung des philosophischen △ zur Erde wird, in ein vollkommenes concentrirtes Agens verwandelt.

Hier beruhet endlich die ganze Kunst des zweiten Grades, nemlich dafs das ▽ 🜃, und die 🜁 △ oder 🜍 werde, welches unser wahres ☉ und R ist.

Eine Rose und Blume der Sonne.

Ein heiliges △, dergleichen die Juden verborgen haben, als sie nach Babylon geführt wurden, und endlich ein Brunn, den die Fürsten gruben.

Von der philosophischen Erde und Luft.

Zu mehrerer Erläuterung müssen wir hier mit den Weisen und Alchymisten voranssetzen, dafs alle Geschöpfe in der Natur aus zweien Wesenheiten der Seele und des Leibes bestehen, welche durch ein Band vereinigt werden, das der Geist ist. Seele, Leib und Geist sind in der Natur der Dinge nichts anders, als ⌒, 🜍 und das Natur🜔.

Dieser Leib, das 🜔 der Natur, ist eine himmlische, paradiesische und philosophische 🜃, und jedes Partikulchen desselben kann als eine kleine Welt oder Mycrocosmus angesehen werden.

Dieses Natur🜔, in wieferne Kräfte der Natur in ihm in Eins vereinigt sind, in wiefern das Siebengestirn und die vier Elemente in einer gehörigen Proportion in ihm wirken, kann uns wiederum ein fünftes Wesen oder Quintessenz determiniren, in welcher keine Ursache des Verderbens mehr anzutreffen ist, weil es so rein ist, dafs es niemals vergehen kann, dann ein solcher paradiesischer Leib ist in diesem Falle bereits schon eine Partikular- und himmlische 🜃, welche einst nach dem grofsen 🜂 Gerichte wird offenbar werden.

Wenn demnach ein Künstler zu Werke gehet, so kommt erstlich seinem Auge nur das Universal-Menstruum vor, nemlich das himmlische 🜄. In diesem 🜄 liegt die 🜃, denn diese zwey gehören zusammen.

Die 🜁 aber, in welcher das 🜂 steckt, ist unsichtbar, sowohl im 🜄 als in der 🜃, doch ist sie in beiden. Dann wann die 🜁 nicht in ihnen

ihnen wirklich wirkte, so wird das ▽ zu Chrystall und Perlen, die ▽ aber zu einem harten Stein zusammenfallen.

Es könnte auch ohne Luft keine lebendige Kreatur in ihnen leben, und ohne △ wäre keine Empfindung des Lebens, daher sind in jedem Element die übrigen verborgen, ein wahrer Philosoph bedarf deswegen nichts anders, als sein Universal-Menstruum oder astralischen Liquor, daraus alle Dinge herzuleiten und übernatürlich scheinende Effecten zu begreifen und selbst hervorzubringen sind.

Dieses war auch der Athenienser und der Römer Augurium, Natursprache, Magia, Simpathie und Cabala, daher hielten sie dies himmlische △ für das heiligste Ding in der Natur, und gaben es im Tempel Vastae reinen und keuschen Jungfrauen sorgfältig zu bewahren.

Der König Darius, als er aus Babylon gegen Alexander Magn. auszog, liefs es mit grofser Pracht und Herrlichkeit auf einem besondern und köstlichen Wagen führen, weil dieses himmlische △ aller Welt Schätze und Herrlichkeit weit übersteiget. Es ist das wahre Ebenbild der Ewigkeit, welches der Ewige in die Zeit ausgeführet und aufgeschlossen hat. So wie er auch die Zeit in die Ewigkeit wiederum zurückführen und zuschliefsen kann.

Dies Geheimnifs beschreibt Johannes unter der Figur eines Buchs mit sieben Siegeln versiegelt. Apocal. 4. welches die sieben Geister Gottes bedeuten soll, und dieses geheime Buch kann niemand aufschliefsen, als welcher den Schlüfsel Davids hat. Apoc. Cap. 3. v. 7.

(Unterschrift wie Seite 113.)

Instruction zur zweiten Probestuffe gehörig.

Das Leben aller Dinge, unter all ihren so verschiedenen Verwandlungen durch alle Zeiten der Ewigkeit, wirkt und leidet durch 7 in einander gehende Eigenschaften; daher kommt die Zahl 7 so vielfältig in der heiligen Schrift vor; Eine Zahl die den alten und neuen Philosophen, sonderheitlich den Medicinern sehr auffallend ist.

Was wird nicht alles gesprochen und geurtheilt über die 7 Farben, über die 7 Tage der Woche, über die 7 Töne in der Musik, über die Lage und Veränderungen des Foetus in Mutterleibe nach 7 Tagen, nach 7 Wochen und 7 Monaten.

Ueber die Veränderungen des angehenden Menschen nach den ersten 7 Jahren seiner Existenz. Sodann nach den zweiten 7 Jahren, nach den 3ten, 4ten, 5ten 6ten und endlich 7 mal 7 Jahren.

Veränderungen, die wir täglich richtig wahrnehmen, ohne im geringsten einen zuverläſsigen Grund aller dieser natürlichen Veränderungen angeben zu können, wenn wir nicht ein richtiges System der wirkenden Natur im Ganzen und in ihren dem Ganzen durchaus ähnlichen Theilen haben.

Johannes redet von 7 Geistern Gottes und von 7 Augen, welche eben diese Geister sind, wie er sagt, und die in alle Lande gehen.

Es sind aber die 7 Geister nicht abtheilig oder sonderheitlich, sondern nur 7 Eigenschaften in einem Geiste; daher werden diese Geister Gottes von dem Propheten Jesaia ein siebenfacher Geist genannt, welcher Gott oder der Geist Gottes ist, in welchem der Vater und Sohn lebet.

Bei dem Propheten Zacharias spricht der himmlische Vater: Er werde in Sion einen Stein legen, und auf demselben werden 7 Augen stehen.

Dieser Stein ist der Sohn Gottes, die 7 Augen sind die 7 Geister Gottes, und der Prophet deutet die ganze Gottheit selbsten auf den Stein der Weisen, welcher ein Heiland der kranken Menschen und Metalle, und ein Gold Gottes ist, Apoc. 18. und die 7 Geister der Planeten in sich hat.

Ferner redet Johannes von 7 Sternen im ersten Kapitel, und von 7 goldenen Leuchtern und 7 Engeln. — Auch hat Gott selbsten 7 goldene Leuchter in die Arche durch Mosen verordnet, und Salomo 7 in den Tempel.

Eben so verhält es sich auch in unserm Stein, welcher das Licht der 7 Gestirn und Planeten, so die Leuchter der ganzen Welt sind, in sich hat; doch sind die Leuchter des Steins nicht aus irdischem Gold, denn unser Gold ist astralisch und himmlisch, dergleichen Moses auf dem Berge Sinai gesehen hat, da ihm Gott die ganze Stiftshütte gezeiget, welche aus dem Naturlicht, vermöge der göttlichen Magie aufgeführet und dargestellet war; denn aus dem Naturgeist oder Merkur bilden Gott und die himmlischen Einwohner nach unserer Sprache willkührlich ihre Vehicula, darin sie in unaussprechlicher Herrschaft daher schweben, welches kein Palingenesist widersprechen wird.

I 2

Ein solches Gebäude war jene Stadt, welche der Erzengel Uriel dem Hohenpriester Estra auf das Feld hingestellet hat.

Hieraus bestand die Leiter Jakobs, der Wagen Elia, die feurigen Pferde und Wagen, so Elisa um den ganzen Berg gesehen, und in dem nemlichen Sinn ist es durchgehends, als von den himmlischen Pferden u. dgl. Dingen zu verstehen, welche die Auserwählten, vermöge ihrer heiligen und reinen Weisheit und Magia aus dem Naturgeist hervorbringen und darstellen.

Dieser himmlische Naturgeist ist eine Kraft Gottes, und das Leben in der ganzen Conferenz dieser Welt. Er gehet von Gott abwärts durch alle himmlische Heere, bis in die astralischen Lichter und 7 Gestirn von da in diese Welt, und belebt alles in allen dreien Regnis, daher spricht der Psalmist: Du bläsest aus deinem Odem oder Geist, so werden sie (die Geschöpfe) erschaffen, und du erneuerst die Geburt. Nähmest du aber deinen Oden weg, so werden sie zu Staub.

Daher lebt alles in Gott, und alles lebet und wächst in dem Naturgeist durch die mannigfaltige Verwandlung der Elementen und Wirkung der Natur.

Die Sonne, die das Herz der ganzen äußern Natur unsers Weltsystems ist, strömet den ihr vom weltschaffenden Geist zufließenden Schwefel des Lebens ununterbrochen aus, von welchem alle Geschöpfe die Fühlung des Lebens her haben.

Diese Feuerströme fließen durch das Siebengestirn beständig auf und abwärts. Aufwärts durch die Strenge der Region Martis, Jovis

-et Saturni; Abwärts durch das Sanfte der Region Veneris, Mercurii und Lunae.

Mars und Venus, die am nächsten an der Sonne stehen, sind beide feurige Körper, und haben beide mehr und weniger einen und den nemlichen Sonnenschwefel, und sind nur in der Eigenschaft ihrer selbst unterschieden, welches ein Alchymist zuförderst wissen muſs; denn diese drei Astra, nemlich Mars, Venus und Mercur geben uns den feurigen ☿, unsern Schwefel und △.

Die übrigen Astra, als Saturnus, Jupiter und Luna geben uns unser Menstruum, den wässerigen Mercur, unser Wasser und Licht, in welchem unser △ unsichtbar verborgen liegt. Weil aber dieses ein himmlisches △ ist, in der reinsten und bloſsen Natur verschlossen, welche Salomo seinen versiegelten Brunn nennet, doch aber in der Operation ut supra zu Tage gebracht, und mit dem ▽ Eins wird; so hat Plato und die übrigen alten Weltweisen im Licht der Natur schon erkannt und geweissagt: Es werde Gottes Sohn Mensch werden, und geboren aus einer Jungfrauen.

Desgleichen haben sie auch alle andern Geheimnisse an unserm dreieinigen ☿io und 7fachen Geist oder 7 Geister wahrgenommen, welche die sieben Metalle, die 7 Sterne und die 7 goldene Leuchter der Weisen sind, wie diese Figur zeigt.

Was oben ist, ist dem gleich was unten ist. Sieben Lichter der Planeten sind oben, und sieben sind unten in der Erde, und in allen Kreaturen, welche dergestalt vom Schöpfer geschieden und geordnet sind, daſs sich eins nach dem andern sehnet, und daſs eine wechselsweise magnetische Liebe, ein stetes Ineinanderwirken und Umfangen beständig in ihnen fortdauert.

Hierin liegt die Eigenschaft der Magie und der Sympathie; denn weil die ganze Natur ein Zusammenhang und eine goldene Kette ist, so können auch durch wissenschaftliche Zusammensetzungen unterirdischer Dinge mit genauer Beobachtung ihrer Constellation uns übernatürlich scheinende Effekten hervorgebracht werden.

Daher hatten die alten Weisen gewisse Spiegel, z. B. aus ♂ und mehrern Metallen zu gewissen Zeiten zusammengesetzt, darinnen man alle Dinge sahe. Ebenfalls machten sie dergleichen Glocken, wozu sie kabalistische und magische Charaktere gebrauchten und eine Domination über Geister hatten.

Wenn man die Wissenschaft hat, so ist alles natürlich, denn der Mensch ist zum Regenten über die ganze Schöpfung gesetzt worden, deswegen ist die Weisheit über alle Dinge und wird aus heimlichen Dingen gezogen, sagt der heilige Hiob; diese Dinge sind vor aller Menschen Augen denen Weisen offenbar, aber den Unweisen verborgen.

Diese Geister, die 7 Sterne und goldene Leuchter, davon oben gehandelt wurde, sind daher der siebenfache ☿ Geist, der in den Metallen als ganz niedrigen Dingen verborgen liegt.

Das obere, als das männliche, schicket den Geist des Lebens herunter, und das untere schikket seine 7 Geister dem Obern entgegen.

Sie empfangen und uniren sich mit einander in der △ und im ▽, darin sie den Samen bestimmen und ausbilden, und die Imprägnation vollbringen.

Von diesen Geistern entstehen auch die verschiedene Witterungen, Wetter, Blitz und Donner, auch der Knall und Blitz im Pulver, und die überaus grofse Gewalt desselben. Es liegen zweierlei Geister im Salpeter, Saturnus aussen und Mars innen, ein jeder liegt in seinem eignen Centro verschlossen, wenn aber ihr Haus durch eine immer heftige Friction in Brand gestecket und zerstöret wird, so werden diese Geister einander gewahr und ansichtig, und fahren wie ein Blitz mit grofsem Getöse davon.

Die zwei Hauptbewegungen, welche wir im Menschen als dem Microcosmo wahrnehmen, sind der Motus intestinus und der Motus peristalticus.

Die nemlichen Motus gelten auch durch die ganze Schöpfung, und die Aerzte müssen die schädlichen Wirkungen eines vehementen Motus intestini aus der Erfahrung sehr gut kennen, welche Motus nicht selten im Eingang Inflammationen, hitzige Fieber und mehrere Gebrechen im menschlichen Körper hervorbringen.

Desgleichen geschiehet im Gewitter, wenn die widrigen Eigenschaften des ♄ und ♂ in der Luft an einander stofsen, so gehet in gleicher Conjungation der Blitz auf.

Wenn nun der Blitz heftig ist, so drängt der Feuergeist Martis dem Wasser, das in seinen Strahl kömmt, die Luft aus, und verwandelt es augenblicklich in einen ovalen Stein.

Wenn daher der finstre Magnet, nemlich die Erde, durch das Vehiculum Luft und Wasser diese verschiedene astralischen Geister in sich bekömmt, und in ihren Erd-Sud einziehet, so ergreifen plus et minus die 7 Erdgeister, die eindringenden 7 astralischen, ein jeder seinen Msgnet oder seinen ihm am meisten homogenen Antheil, davon diese Erdgeister belebet und zu vegetiren nnd sich fortzupflanzen fähig werden. Da fängt auch die Erde an zu grünen und Früchte von mancherlei Farben, Geruch und Eigenschaften zu tragen.

All dieses geschiehet durch die 7 herabsteigende syderische Geister, die in dem Universal-Menstruo Microcosmi eindringen und wirken.

Denn so wie einer oder der andere von ihnen im Aufsteigen einen ihm mehr oder weniger homogenen und sympathisirenden leidenden Theil antrift, eben so bildet er den Körper mit seiner Farbe und Eigenschaften, und daher kömmt die Verschiedenheit aller Geschöpfe.

♄ hat schwarze Farbe, ist sehr kalt, melancholisch, den Willen des Menschen neigt er zum Geitz; er hat den Engel Oriphiel zur Signatur, im menschlichen Körper wirkt er auf das Milz, in der Erde auf das Bley und auf den Granatstein etc. Sein himmlisches Zeichen und Haus sind der Steinbock und Wassermann, und ihm wird der erste Ruhetag zugeeignet.

♃ hat blaue, graulichte und lichte Farbe, den Willen des Menschen neigt er zur Güte und zum Liebreichen. Er hat den Engel Zachariel zur Signatur, im menschlichen Körper wirkt er auf die Leber, in der Erde auf das Zinn und auf den Stein Topasin; sein Zeichen ist Schütz und Fisch, und ihm wird der Donnerstag zugeeignet.

♂ hat rothe Feuerfarbe, den Willen des Menschen neiget er zur Hitze, zur Rauhigkeit, zum Grimm und zu abstracten Wissenschaften; hat den Engel Samuel zur Signatur; im menschlichen Körper wirkt er auf die Galle, in der Erde auf das Eisen und auf den Rubin; sein Zeichen ist der Widder und Scorpion, ihm wird der Dienstag zugeeignet.

☉ hat gelbe Farbe, ist ein Universal, hat den Erzengel Michael zur Signatut, im menschlichen Körper wirkt sie auf das Herz, in der Erde auf das Gold, und auf den Carfunkelstein, der erste Ruhetag wird ihr zugeeignet.

♀ ist grün und weiſs. Den Willen des Menschen neigt sie zur Zärtlichkeit; hat den Engel Anaël zur Signatur, im menschlichen Körper wirkt sie auf die Nieren, in der Erde auf das Kupfer und auf den Smaragd, ihr Himmelszeichen ist Waage und Stier, ihr wird der Freitag zugeeignet.

☿ ist auſsen weiſs und kalt, innen roth und warm; hat den Engel Raphael zur Signatur, im menschlichen Körper wirkt er auf die Lunge, in der Erde auf das Quecksilber und auf die Kristalle. Sein Zeichen ist Jungfrau und Zwilling, und ihm wird der Mittwoch zugeeignet.

☽ ist auſsen weiſs, innen blau, und hie und da grün, neigt den Willen des Menschen zur Unbeständigkeit und zu abstracten Paradoxen; hat den Erzengel Gabriel zur Signatur; im menschlichen Körper wirkt sie auf das Hirn, in der Erde auf Silber und au den Saphirstein; Ihr Zeichen ist Krebs und Löwe, und ihr wird der Montag zugeeignet.

Wenn in der Geburt oder Entstehung eines Geschöpfes Saturnus und Venus sich so vereinigen, daſs Saturnus das agens und Venus das patiens ist, so ist er freudig, und wird in Süſs und Liebe versetzet, und das unter ihm gebohrne Geschöpf nimmt auch die nemlichen Eigenschaften an sich.

Ist Jupiter im Saturno das agens und Venus das agens im Mars, so ist das Geschöpf herrlich, blau und weiſs, demüthig und sehr vollkommen, und die unter ihnen gebohrnen Geschöpfe nehmen auch die nemlichen Eigenschaften an sich.

Ist in der Constellation ferner die ♄ oben und ☿ zwischen ♀ und Jove und Mars unten, so ist die Kreatur in einen noch höhern Grad von Vollkommenheit versetzet, und qua Mensch voller Tugend und Verstand; Eignet sich allenfalls, daſs die ☉ in diese Constellation eintritt, und ♂ dennoch unten stehen bleibet; so ist es eine Univesal-Kreatur; wäre es daher ein Kraut, so liegt Magie darin, und wird nur von Menschen, die eben in solcher Constellation gebohren sind, gesehen.

Stehet ♄ oben, hernach ♂ ☿ und ♀ unten, so wird es eine geistige Kreatur. — Rückt aber der Mond in diese Constellation, so ist in solchen Dingen, die unter dieser Constellation gezeugt werden, Unvollkommenheit und eine böse Magie.

In solcher Conjunction der Planeten ereignen sich auch Pestilenzen, denen aber mit den metallischen Tincturen aus eben diesem Planeten-Mixtore mit Zusetzung Jovis, und daſs auch Veaus den Martem in der Qualität übertrift, leicht abzuhelfen ist. Dann hiedurch wird ♄ und ♂ durch ♀ und ♃ in Friede und Wohlstand versetzet. Also ist es auch von allen Krankheiten zu verstehen, weil der Mensch eben die 7 Planeten in sich hat Und daher soll auf die Hitze die Kälte nicht gegeben werden, sondern ♂ und ♄ müssen beisammen seyn, und mit ♀ und Jove vermischt werden, so erschrickt ♂ vor Saturno, so, wie sich das Leben vor dem Tode alterirt.

Auch würde ☿ in dieser kalten Eigenschaft erweckt werden. In solcher Opposition liegt nun der natürliche Grund zur Sympathie und Antipathie. Wenn man eine wahre und wirksame Medicin auf Menschenund Metalle machen will, so muſs ein Lehrling der Philosophie und Alchymie, welchem die Metalle der Weisen noch nicht gänzlich bekannt sind, in den mineralischen und irdischen Metallen seine Pröben versuchen.

Denn in eben dem Centro dieser Metalle und Mineralien liegt der astralische Geist verborgen, welcher muſs aufgeschlossen und ganz entblöſst dargestellt werden; so ein enthundener Geist wird Wunder über alle menschliche Vernunft wirken.

Wenn dem ♄ sein weniges 🜍 ausgezogen und der astralische Geist hierin aufgelöset wird, so wird er seine Kraft dadurch beweisen, daſs er im Menschen die Melankolie vertreibt. Denn ein stärkerer melankolischer Geist ziehet den schwächern an sich, und führt ihn mit aus dem Körper.

Eben so, wie ♄ eine Medicin für die Milzkrankheiten ist, so ist Jupiter ein Arzt für alle Gebrechen die von der Leber entspringen, wenn sein Schwefelgeist, dessen eben auch nicht viel ist, gehörig aufgeschlossen wird, alsdann zu einem Oel gemacht, so alle Süfsigkeit übertrift.

Dieses Oel kann man auch den übrigen metallischen Partikularen beisetzen, und zu den andern 🜁 Metallorum addiren.

Der Geist Martis, wenn er gehörig aufgeschlossen, und ein Gran von seiner Essenz eingenommen wird, roborirt er den völligen thierischen Mechanismum, und treibet jede tödliche Krankheit aus dem Körper desselben. Dieser Geist Martis mit der ♀re vereinigt, gradirt die ☽, entzündet ihren Leib und trocknet das Phlegma aus.

Ferner wird ♂ für sich, mit Zusetzung metallischer Geister partikulariter zur Transmutation der Metalle gebraucht.

Der Spiritus Veneris treibt die hinfallende Krankheit aus dem Körper, curirt das Aufsteigen der Mutter, trocknet die Wassersucht aus, conservirt das Geblüt vor Faulnifs, und wird auch partikulariter mit Vermischung anderer Metallen, Geister und Essenzen zur Transmutation gebraucht.

Das Astrum Solis ist das Universal selbst, das Gold in seiner Masse kann in Aurum potabile für alle Gebrechen des Herzens mutirt werden.

Wenn man diesem ☉ potabili, die 🜁ura Metallorum zusetzt, so giebt es eine Tinctur und ein hohes Partikulare.

Der Spiritus aus dem 🜍re ☽nae nimmt allein die Wassersucht sammt allen cacochimatischen Krankheiten hinweg. Man bereitet auch ein Argentum potabile für alle Gebrechen gegen die Indigestion aus ihm.

Der Spiritus des gemeinen ☿ii nimmt die Schwindsucht und alle gallische Krankheiten hinweg, und widersteht dem Gift.

Dies Mercurialöl ist ein Band aller Metalle, und wird particulariter zur Transmutation der Metalle zu gebrauchen, ihren Sulphuribus zugesetzt; Denn der ☿ mit zerbrochener ☽na giebt ein metallisch Corpus.

Die 🜍ura aber als die gefärbte Feuergeister sind die Tinctur und geben dem weifsen Körper die Form.

Wer demnach was nützlich in der Alchymie verrichten will, darf keine Tinctur in den Salzen suchen. Denn die Tincturen liegen im △ oder 🜍, welcher das Leben der Metalle ist, deswegen auch eine wahre Tinctur ein lauterer 🜍 oder △ seyn mufs; welches wir zum Besten des Lehrlings haben erinnern wollen, denn nur auf diesem Wege kann er endlich zu seinem Ziel gelangen, und den grofsen Stein bekommen, wie wir ihn wünschen.

(Unterschrift wie Seite 113.)

Theorie über die Natursprache, soviel in die zweite Probestuffe gehört.

Meine Brüder! Sie haben in diesem Abschnitte von der Natursprache des Lebens, von der Natursprache der Schöpfung oder von der Sprache des fixen Osten, und die einzige Sprache, die Sie lernen sollen, gehört.

Es ist sehr schwer Ihnen einen vollständigen Begriff von dieser Sprache beizubringen, ohne daſs wir sie vollkommen zubereitet finden, und wir die Grenzen nicht überschreiten sollten, welche diese Stuffe einmal limitirt hat.

Um Ihnen aber doch wenigstens einen generellen Begriff von diesem so wichtigen Vorwurf einzubilden, so merken Sie einstweilen nur auf das Profil dieser so wichtigen Wahrheit; und dies wird Sie wenigstens präpariren, diese groſse Wahrheit in Zukunft in ihrem vollen Glanze anschauen zu können, ohne ihre Sehnerven dadurch zu lätiren. Machen Sie sich daher einen deutlichen Begriff von dem, was wir Sprache überhaupt, was wir eine vollkommene Sprache im Verhältniſs mit einer andern weniger vollkommenen Sprache nennen, und welche folglich die vollkommenste Sprache seyn muſs? — Man spricht zwar auch von einer Geberdensprache, (die zwar nicht hieher gehört,) welche blos in Articulatione oder besser Gesticulatione et Affectatione bestehet; die erstere soll ein Abdruck der Natur seyn, der durch die relativen Bewegungen des ganzen Körpers, vorzüglich aber Extremitate geschiehet; die 2te aber ist eine weit feinere Expression der Leidenschaft, und hat blos in den Muskelfibern des Gesichts, insonderheit aber im Auge ihren Sitz.

Hier spricht die Seele durch weit feinere und erhabenere Schattirungen.

Sowohl das eine als das andere ist das Requisitum essentiale, das den philosophischen Maler und den Schauspieler beschäftigen soll. Bei einer Abtheilung werden wir auch das grammaticale dieser Sprache auseinandersetzen. Eben so ist die Tonkunst, von der wir kürzlich in der Erläuterung der zweiten Probestuffe gesprochen haben, eine reelle Sprache der Leidenschaft.

Sie werden sich durch die angeführten Beispiele erinnern, wie leicht es dem philosophischen Tonkünstler ist, einen jeden Affect des Zorns, der Liebe, der Rache, der Verzweiflung etc. durch die künstliche Versetzung der 7 Töne richtig zu exprimiren.

So werden Sie öfters beobachtet haben, wie viel blos eine einzige pathetische Bewegung des Arms, ein geringer aber richtiger Zug des Auges, und auch nur ein halber Ton nicht selten mehr spricht, als man in Folianten niederzuschreiben im Stande ist.

Unter Sprache überhaupt, sowohl im Reden als im Schreiben verstehen wir diejenige Fertigkeit, unsere Begriffe und unsern Willen einem andern zu communiciren.

Diese Eigenschaft ist das Wesentliche einer jeden Sprache — in welcher Sprache wir aber zu einem und dem nemlichen Begriffe weniger Worte gebrauchen, als in allen übrigen, oder wo wir auch unsere Begriffe mit den wenigsten Worten ausdrücken können, diese wird die vollkommenste unter allen übrigen Sprachen seyn, die diese Qualität nicht haben.

Eine jede Sprache besteht aus Worten oder Zeichen, die eines Theils ein Subject, ein Prädicat, eine Copula, ein Thun und Leiden etc. in der Natur der Dinge anzeigen, oder besser aus Worten, die entweder Handlungen oder Benennungen der Dinge und ihre wahrhafte Qualität bestimmen sollen.

So sind z. B. schreiben, gehen, arbeiten etc. handelnde Worte; Papier, Tische, Dinte, Fenster etc. Benennungen und Vollkommenheit; Gut, böse, Zorn, Liebe, Qualitäten.

Hier ist aber die Rede nicht von Benennungen und handelnden Worten, sondern blos von den Qualitäten der Begriffe der Terminorum, der Bilder und ihrer Combinationen, die sich einen nähern Weg zu unserm Herzen und Verstande öffnen.

Ziehen wir daher eine Parallele mit den Vortheilen der Abkürzung, die wir in der Mathematik wahrnehmen; so werden wir deutlich sehen und unterscheiden können, wie weit die Combination in dieser Wissenschaft vor denjenigen einer jeden Sprache voraus sind.

Die Combination der Mathematik beschäftigt sich mit Quantitäten, und die Combination der Sprache soll sich mit Qualitäten beschäftigen. —

Die erste Nothwendigkeit in der Mathematik heischte absolut die Approximation oder Verkürzung der bestimmten Einheiten. Denn dem natürlichen Wege zufolge; sollten wir, wenn wir eine Billion schreiben wollten, 10 mal 100000 Millionen Punkte niederschreiben.

Wer

Wer sollte es aber glauben, daſs zu so einer Punktation ein Zeitalter von mehr wie 20000 Jahren erfordert werden würde? — Diese erste Schwierigkeit wurde daher gehoben, daſs man eine Billion beinahe in einer Secunde schreibt.

Unmittelbar hierauf folgte die zweite Verkürzung der Vermehrung und der Theilung.

Nun fing man an auf die Verhältnisse der Gröſsen Achtung zu geben, und so entstanden die Proportionen. Eine jede Proportion aber schloſs zwey Verhältnisse oder 4 Zahlenglieder ein; man wollte aber mehrere Glieder in Verband mit einander bringen, und daher entstand die Progression.

Der Vortheil der Proportion ist, wenn uns aus zwey Verhältnissen ein Glied verlohren gegangen ist, dasselbe wieder zu finden.

Die Vortheile der Progression aber bestehen darin, daſs wenn ein Glied aus mehrern Verhältnissen oder auch ein ganzes Verhältniſs verlohren gegangen oder unbekannt seyn sollte, dasselbe nach den Gesetzen dieser Regel wieder zu finden.

In der höhern Mathematik ist man endlich durch Combination soweit gekommen, daſs man so, wie man hier einzelne Glieder und Verhältnisse mit einander verbindet, dorten Proportionen bis ins Infinitum mit einander in Verband stehen, und durch richtige Combination finden wir ganze ausgeschlossene und uns unbekannte Proportionen.

Nun kommen wir wieder auf unsere Theorie der Sprachen zurück. Eine jede Sprache, wie Sie gehört haben, beschäftiget sich mit Qualitäten.

K

Eine jede Sprache besteht aus Zeichen oder Worten, und endlich aus Begriffen, Terminis, Bildern, und Hieroglyphen. Das genetische einer jeden Sprache sind Worte. Nun brachte man mehrere Worte unter eine Rubrik, und so entstanden Begriffe. Man verband aber auch mehrere Begriffe mit einander, und so entstanden Termini; combinirte man unter den Terminis, so entstanden Bilder, und endlich stellte man Combinationen unter den Bildern an, und so entstanden Hieroglyphen.

Beispiele lassen sich hierüber genug angeben.

Alle Definitionen bestehen aus Worten:

Das Definitum aber ist der Begriff, dem diese Worte zusammen untergeordnet sind. Z. B.

Die Uebereinstimmung verschiedener in einem und dem nemlichen, sind Worte, die in Verbindung mit einander stehen, und einen Begriff abstrahiren. Diesen Begriff, der ihnen an der Spitze steht, und mit einem Wort das nemliche sagt, was diese Worte zusammen, nennt man Vollkommenheit; Vollkommenheit ist also die Uebereinstimmung verschiedener in einem und dem nemlichen.

Und so sehen wir, wie die Natur um dieser Kürze willen den summarischen Inhalt mehrerer Worte in ein einziges Wort gelegt hat.

Mehrere solche Begriffe bilden einen Terminum. Das Resultat mehrerer solcher Termini, ist ein Bild, und das Resultat mehrerer solcher Bilder ist eine Hieroglyphe.

Was aber das Resultat mehrerer solcher Hieroglyphen ist, werden wir in einer andern Abtheilung erläutern, wozu wir Sie hier nur vorbereiten und Ihnen den Weg bahnen wolten. Und auf diese

Weise haben wir eine Scala, die augenscheinlich in Rerum Natura gegründet ist, wo wir in definiendo bis insUnendliche auf und abwärts gehen können.

Je weiter wir abwärts gehen, je mehr lösen sich die Begriffe auf, und je weiter wir aufwärts gehen, jemehr concentriren und binden sich die Begriffe. Daher folgern Sie auch sicher, daſs je weiter wir aufwärts scandiren, je mehr nähern wir uns der Natursprache.

Alle höhere Wissenschaften, die vorzüglich unsern Scharfsinn beschäftigen, haben beinahe diese Nothwendigkeit zum Gesetz gemacht.

Zu dem Ende hat man in der höhern Mathematik die Formeln eingesetzt. Zu dem Ende bezeichnen wir in dieser Wissenschaft alle bekannte und unbekannte Gröſsen, sie seien noch so ausgedehnt, mannigfaltig und gebrochen, mit einem einzigen Buchstaben; und endlich merken Sie meine Brüder! daſs auch die Entstehung der Hieroglyphen der Morgenländer nichts anders zum Grunde hatten, als die Näherung zur Natursprache.

Wie weit es die Maurer hierin brachten, wird einen jeden das Lehrlings-Tapis der Maurer schon hinreichend unterrichten.

Lernen Sie daher meine Brüder! Ihre Hieroglyphen zusammensetzen, lernen Sie ferner richtige Aequationen unter denselben ansetzen; so haben Sie die Bahne zur Natursprache, die nur ein Wort ist, das im Anfang war, und das das Resultat aller Hieroglyphen, Bilder, Termini, Begriffe, Worte und Zeichen ist.

Eben so meine Brüder, und nicht anders, muſs in allen höhern Wissenschaften verfahren werden, wenn man mit der Zeit lieber mit Nu-

K 2

tzen Schritte machen als mit Schaden kriechen will.

So meine Brüder, wie wir Ihnen eben in diesem lezten Blatt, die Natursprache, soviel hieher gehört, auseinander gesetzt haben, so wollen wir weiter fortfahren, Ihnen den Inhalt des lezten Blatts des Buchs von zehn Blättern, welches, wie Sie wissen, der Inbegriff aller neun übrigen ist, nach Ihrer Stuffe zu erklären.

Sie werden sich, meine Geliebten, erinnern, daſs wir Ihnen in der leztabgehaltenen Instruktion, das Wort Natur auseinandersezten, und daſs wir Ihnen den zweifachen Verstand dieses Worts, nemlich der ewig geistig und göttlichen Natur, und jenen der menschlichen klar lehrten.

Nun wollen wir sehen, welchen Weg wir nach unserer Lehre gehen müssen, um uns nach dem Inhalt der Schrift: der Natur Gottes theilhaftig zu machen. So, wie die ewige Natur Gottes das Urprincip aller Dinge und Wesen, seien sie gleich in oder auſser der Zeit, und also ein Urprincip ist, welches aus dem ewig selbstständigen himmlischen Schwefel, Merkur und Salz, und den vier himmlisch ewig geistigen Elementen bestehet, eben so besteht die Natur dieser Welt, und diese Bestandtheile sind das unzertrennliche Band des groſsen elementirten körperlichen Ganzen, und sie machen zusammen eine feurig lebende und sich allzeit bewegende Natur aus, welche das Leben der Welt genannt wird.

Dieses Leben ist nichts anders, als die vereinte Kraft des weltschaffenden Geistes, welcher hier gleich in einen dicken undurchdringlichen Körper eingehüllt ist. Diese Kraft ist das Princip dieser Welt, und besteht ebenfalls aus Schwefel, Merkur und Salz und aus vier Elementen.

Wir sprechen hier von einem Princip, von drey Substanzen und vier Elementen, welche nur Geist und Leben sind, nicht aber von jenen, die wir täglich körperlich, d. i. elementirt sehen und fühlen.

Wir haben in der schon abgehaltenen Instruktion über das Buch von 10 Blättern, dies Princip und seine drey Substanzen klar auseinander gesezt, und wir glauben, daſs Sie sich dessen wohl erinnern werden; dies vorausgesezt, bleiben uns noch die 4 Elementen der groſsen und die ganze kleine Welt übrig, die im Buche der Natur geschrieben sind.

Das Element, welches wir die Erde nennen, hat eine dicke, harte, zusammenziehende, leibmachende Eigenschaft, und sie schlieſst alle Elementen ein. Dies Element ist der Grund aller Salze, und in Rücksicht des Salzes, Grund der ganzen Natur, und daher ist das Wort der Natur, Salz.

Das Element, welches wir Luft nennen, ist jenem der Erde ganz entgegen gesezt.

Die Eigenschaft der Luft ist eine durchdringende, ausdehnende und subtilmachende Eigenschaft, die jener der Erde, welche dick, zusammenziehend und hartmachend ist, ganz entgegen gesezt ist.

Die Luft ist also ein immer gleich lebendes und bewegendes Wesen. Es erhellet daher, daſs die Luft und die Erde zusammen, einen Leib und ein Leben darstellen, denn das Salz ist der Leib der Natur, und die Luft sein Leben.

Das Element, welches wir Feuer nennen,

ist in seiner Eigenschaft warm und trocken, es leuchtet, wärmet, nähret und verzehrt. Dies Element ist genau mit der Luft verbunden, und diese beiden Elementen nähren und stärken sich wechselweise, und ist eines des andern Leben und Erhaltung.

Das Element endlich, das wir Wasser nennen, ist dem Element Feuer ganz entgegen gesezt. Dieses Element hat die Eigenschaft, daſs es alles in der Natur befruchtet, daſs es allen wohl thut, und in eine sanfte homogene Richtung bringt.

Das Wasser und die Erde sind in einer ganz graden Verbindung zusammen, und sie machen den entgegen gesezten Theil des Feuers und der Luft aus; denn so wie das Salz das Haupt-Subject des schaffenden Princips ist, und so, wie die Luft aus Luft und Salz besteht, so ist die Luft im Wasser das Feuer der Natur, und es darf kein fressend zerstörendes Feuer, sey es gleich solarisch oder irdisch (denn beide sind nur, zwar ein jedes in seiner Art, Elementarfeuer) zum Naturfeuer gebraucht werden.

So wie der Unendliche in allem und allem, sey sie sichtbar oder unsichtbar, geistig oder körperlich, und da also unter allen diesen Allen die ewig himmlisch geistige Natur mit verstanden ist, der allgemeine Herrscher ist, so ist das Ebenbild Gottes, der Gottmensch, d. i. der Sohn Gottes, in Rücksicht des sichtbaren der Herrscher.

Und diese Macht liegt auch sichtbar in ihm, weil in ihm die Natur Gottes verborgen liegt, und er des Unendlichen Ebenbild ist.

Die Geschichte, da sie die Macht und Herrlichkeit schildert, die verschiedene Menschen über die ganze Natur hatten, als wie sie z. B. die Patriarchen, den Moses, Josua, Gideon, Alexander, die obersten Priester der Römer, die Hierophanten und so mehrere hatten, so sagt sie von ihnen, oder dafs sie der göttlichen Natur theilhaftig waren, oder, dafs sie mit den Göttern vertraut umgingen, am sichersten aber spricht sie, wenn sie sagt: dafs sie die Natur Gottes im Menschen gefunden, und die Geheimnisse der Natur des Menschen erkannt hatten.

Das Geheimnifs der Natur des Menschen ist ein Wort, der Schlüssel zu den Geheimnissen aller Dinge, und dies Wort heifst Salz.

Dies Geheimnifs ist zusammengesetzt aus zwey Worten, nemlich aus Salz und Luft; denn so wie das Salz der Hauptgrund und die Basis der ganzen Natur ist, weil in ihm alle Schöpfungskräfte vereint liegen, so ist die Luft das Feuer der ganzen Natur, und es darf und kann kein ander Feuer in ihr seyn.

Diese Natur liegt im Menschen. Das neunte Blatt in dem Buch der Natur selbst giebt ihnen, so wie sein Gebot den klarsten Beweis davon, da es spricht: untersuche die Bildung der Körper im Leibe des Weibes, und erkenne den allgemeinen und besondern Triangel. — Das neunte Gebot aber spricht: untersuche die mannigfaltigen und unzähligen Stände, Lagen und Geburten, ihr Leben, ihren Tod und ihre Wiedergeburt, dies Gebot ist neunfach und seine Zahl ist 9.

Die Bildung der Körper im Leibe des Weibes will hier den Mann, die allgemeine Triangel, d. i. die Bezeichnung der Natur oder das Asch. Majm die besondern Triangel der Natur aber wollen Feuer und Wasser bedeuten.

Nun glauben wir, dafs wir Ihnen das Buch der Natur, soviel hieher gehört, zur Genüge erörtert haben.

Es bleibt dem Orden nun nichts mehr übrig, als den Unendlichen mit vereinten Kräften, im Geist und in der Wahrheit, mit Demuth zu bitten, dafs er jene Brüder, die mit ächtem Vertrauen und warmen Herzen darin zu lesen wünschen, (da wir Ihnen in seinem Namen das wahre moralisch-physisch-theosophisch-mago-cabalistische Wort gesagt haben) mit uns segnen, und Sie bei uns im Stande erhalten möge, dafs wir Sie in der Folge, nach unserm sehnlichsten Wunsch, mit wahrem Vertrauen mit seiner Gnade in seiner Barmherzigkeit immer weiter, und endlich bis zum verlohrnen Mittelpunkt führen können.

(L. S.)

Rosch. Hamdabrim. 

Pokeach Ibhrim. 

Thumim Bemahloth. 

Metibh Lackol.

Allgemeine Erklärung für die zweite Probestuffe, über das geöffnete Buch der sieben Siegel von zehn Blättern.

Das erste und lezte Blatt dieses so heiligen Buchs, ist der Anfang und das Ende des wahren und ganz verständlichen Inhalts des Buchs selbst, und im lezten Blatt ist der Inbegriff aller neun andern im klarsten Verstande enthalten. Dies Buch wird Ihnen in der Schrift, durch die Leiter Jakobs vorgestellt, die nichts anders, als die unendliche Kette des grofsen unsichtbaren und sichtbaren Ganzen sagen will.

Wir wollen Ihnen heut diese grofse Kette unter einem einzigen und immer gleichen Gesichtspunkt vorlegen, und soviel davon sagen, als die Gesetze den Unterricht unserer Brüder der zweiten Probestuffe erlauben.

Der erste Uranfang, und so das Urende aller Dinge ist der Unendliche, selbständig, für sich ohne Anfang und Ende, untheilbar, so wie nach den Gesetzen der Meſskunst, die Mathematiker den Punkt annehmen, der den Anfang und das Ende aller Linien, aller Flächen und aller Körper ist, weil in ihm alle Qualitäten und die Quantitäten aller Dinge eingeschlossen und verborgen liegen.

Der Unendliche also (d. i. der, den wir im allgemeinen Verstande, Gott nennen) ist der Uranfang aller Dinge und aller Wesen, sind sie in oder auſser der Zeit, d. i. seyn sie gleich in der verklärten oder in der sichtbaren, und also in der körperlichen Schöpfung, seyn sie wiederholt in oder auſser der Zeit. Die Schrift giebt hier Zeugniſs, da sie spricht: aus Ihm (d. i. aus Gott) und durch Ihn sind alle Dinge. Hier sagt Ihnen, meine Geliebten, das erste Blatt des Buchs, daſs jene geheime Meister, deren Lehren die Aufschlüsse der ganzen verklärten und sichtbaren Schöpfung geben sollen, das Buch der Natur nicht kennen, daſs daher ihre Lehre ganz irrig, ganz unächt sey, daſs es unmöglich sey, daſs sie diese Kenntniſs erlangen können, weil schon ihr erster Grundsatz die äuſsersten Grenzen der Unmöglichkeit, sie zu erlangen, vollkommen überschritten hat.

Dieser Grundsatz ist vollkommen falsch, und er ist selbst für das ganze Geschlecht der Menschen so unglücklich, daſs aus ihm in allem möglichen Verstande auf unserer finstern Erde so viel Irrungen, so viel Misverstand, so viel falsche Aufschlüsse der heiligsten Hieroglyphen, und endlich so viel unglückliche Versuche in der Bearbeitung der Natur, entstanden sind, und noch täglich entstehen, daſs man ihn mit Recht Satans-Grundsatz, ein Greuel der Verwüstung nennen kann, weil er die gerade Lehre zu dem in gleichem Verstande, eben so blödsinnigen als verwerflichen Atheismus ist.

Dieser Grundsatz heiſst: aus nichts wird nichts. Wäre dies wahr, so wäre die Existenz des theosophischen und physischen groſsen Naturbuchs die Erfindung eines Kopfes, der so schrecklich schwarz dachte, daſs er sogar mit dem Häufchen elender Menschen, die wir denn wären, mitten in dem Unglück ihrer körperlichen Existenz auf dieser Erde noch Spott treiben wollte, weil es ihm vieleicht lächerlich schien, daſs ein Mensch nicht soviel Geistes-

Kräfte besitzen sollte, um sich über sein natürliches Unglück hinauszusetzen.

Es ist kein Wesen, sey es auch, welches es immer wolle, sey es in oder außer der Zeit, welches aus Nichts entstanden wäre. Sie werden sich erinnern, meine Geliebten, daß wir Ihnen in der Erklärung über die ersten zwey Kapitel, eine verständliche Idee der verklärten und sichtbaren Schöpfung machten.

Dies vorausgesetzt, wollen wir weiter fortfahren, und Sie soviel lesen lassen, als uns erlaubt ist, weil Sie doch, ohne vielleicht es algemein zu wissen, schon einige Buchstaben geschrieben haben.

Die Idee der Schöpfung, sagten wir in unserer ersten Erläuterung der erstern zwey Kapitel, war von Ewigkeit her im Unendlichen, eins mit ihm und durch ihn; und so war also die ganze Schöpfungskraft in ihm, wie in einem Punkt eingeschlossen. Es war also mit und in ihm, die ganze verklärte Schöpfung, oder die himmlisch geistige Natur; er selbst aber war das höchste Licht, von welchem die himmlisch geistige Natur geformet, belebet, und erhalten wurde.

Er war der Urpunkt, der Uranfang der himmlischen geistigen Natur selbst, d. i. sie ging von ihm aus; denn durch ihn, wie wir sagten, entstand die ganze verklärte Natur, die der Sohn der Morgenröthe beherrschte. Der Sohn der Morgenröthe war sein erster Ausfluß, der Mittelpunkt der himmlisch geistigen Natur, und aller verklärten Geister, als soviel Mittelpunkte flossen, von dem Unendlichen durch ihn, und er war also in Rücksicht des Unendlichen, in Betracht dieser Mittelpunkte das patiens, so, wie der Unendliche das agens war. Die Zeit dieser Schöpfung ist aufser der Rechnung der sichtbaren Zeit; und sie läfst sich nur durch die Macht des Ewigen durch die Bewegung eines Punkts denken.

Es war also im Unendlichen die ganze verklärte Schöpfung und Natur eingeschlossen. Das ist: jene verklärte Geister, die der Ewige erschaffen hatte.

Denn diese Geister waren eines verklärten Anfangs und alles was Anfang hat, sey er sichtbar oder unsichtbar, ist Natur, weil es unmöglich ist, aus Nichts etwas zu schaffen, zu bilden und zu formiren; um aber etwas, sey es gleich geistig oder körperlich, zu schaffen, zu bilden und zu formiren, mufs wieder etwas seyn, welches die Grundursach dieser Schöpfung, Bildung und Form ist. So wissen wir z. B. dafs wir vor fünfhundert Jahren nicht existirten; und doch waren wir schon in der geistigen Natur dieser Welt. Da aber unsere Aeltern existirten, so existirten wir ebenfalls schon in der geistigen Natur der kleinen Welt, und so ist die Existenz aller Dinge und Wesen, und jedes ins besondere in seinen natürlichen Verhältnissen.

Da keine Natur, ohne drey Anfänge und vier Elementen bestehen kann, so bestand auch der Unendliche, in welchem die verklärte Schöpfung und Natur von Ewigkeit her, eingeschlossen lag, aus Vater, Sohn und Geist; d. i. aus dem Unbildlichen, Selbstständigen ewigen Schwefel, Merkur und Salz, und aus den vier himmlisch geistigen, selbstständigen Elementen, die sich in die Allmacht, die Weisheit, die Gerechtigkeit und die Barmherzigkeit theilen. Die aber zu der modificirten Natursprache $\triangle$ und ∇, d. i: des Unendlichen genannt werden. Dies ist der Aufschluſs der vier Linien des Vierecks, der vier Hauptfarben, der vier Thiere in der Offenbarung Johannes, und der vier Räder an dem Thron Gottes, die uns Ezechiel sehr verständlich darstellt.

Und dies sind also die Zeichen der verklärten ewigen Natur, die von jeher im Unendlichen durch Ihn und mit Ihm eins, und alles in einem Punkt waren. In dieser verklärten Schöpfung und Natur herrschte, wie Sie wissen, das erste unsichtbare Ebenbild des Unendlichen, der Sohn der Morgenröthe.

Die Macht, Kraft und Herrlichkeit des Unendlichen war aber allenthalben zwischen den vier Linien des Vierecks vertheilt. Das ist: die himmlischen geistigen Elementen waren allenthalben gleich verbreitet, und das ist: was wir Maaſs, Zahl, Gewicht und Ordnung nennen.

Maaſs will hier Feuer oder Strenge sagen, Zahl aber will Wasser oder Gnade, Gewicht, Luft, und endlich Ordnung, Erde bedeuten.

So oft Sie also in unsrer geheimen Lehre die vorhergehende Benennungen angezeigt finden; so werden Sie nach dem Maaſs ihrer Verhältnisse ihre wahre Bedeutung und den ächten Sinn der Sache abnehmen können.

So war die verklärte Schöpfung oder die Schöpfung der ewig himmlisch, geistig oder verklärten Natur beschaffen, aus welcher das erste Ebenbild des Unendlichen, der Sohn der Morgenröthe fiel, und durch seinen Fall das Chaos schuf.

So, meine Geliebten, wie ohne Natur, sey sie nun verklärt oder körperlich, nichts kann geschaffen werden, und diese nirgendswo, als in dem Uranfang zu finden ist, in allem alles, in allem gleich in einem Mittelpunkt eingeschlossen liegt; eben so kann in diesem Uranfang kein Chaos, wohl aber die Universalsperma, oder der alles hervorbringende Geist in einem Mittelpunkt vereinigt seyn. Denn das Chaos, von welchem soviel Männer und soviel Lehrer und Lehren sprechen, wäre nach ihrem eigentlichen Verstande nichts; da aber alles, zwar ein jedes in seiner Art, in dem Unendlichen von jeher, gleich in einem Mittelpunkt eingeschlossen war, der Unendliche aber kein Nichts ist, und folglich in Ihm alle Quantitäten und Qualitäten aller Wesen und Dinge, seyn sie gleich geistig oder körperlich, verklärt oder finster, d. i. ewig oder der Zerstörung unterworfen, aufser der Zeit oder in derselben in einem Punkt vereiniget sind; so erhellet, dafs dies Chaos ganz in einem andern aber sehr einfachen und verständlichen Begriff müsse genommen werden.

Es gieng also die erste verklärte Schöpfung und himmlisch geistige Natur von dem Unendlichen aus, und dies ist die erste Schöpfung, die der Sohn der Morgenröthe unter dem Punkt, wo sich die Linie des fixen Osten ins Unendliche verlohr, beherscht. Und dies war die erste Schöpfung, die erste Seite des Vierecks — die Allmacht.

Nach dem Fall des Sohns der Morgenröthe begann die zweite Schöpfung und Ordnung; d. i. die Eintheilung und Ordnung aller verklärten Geister, eines jeden nach seiner Art. Und dies war die zweite Schöpfung; die zweite Seite des Vierecks — die Weisheit.

Unmittelbar nach dieser folgte die dritte Schöpfung, und dies ist jene, die das menschliche Geschlecht am vorzüglichsten interessiren muſs.

Der Zweck dieser Schöpfung war der herrlichste unter allen. Der Unendliche hatte alles, was wir sehen, und auch nicht sehen, bis in die erste Region der himmlischen geistigen Natur geschaffen und geordnet.

Hier formirte er nach sich selbst ein Menschenbild und Gestalt, und dazu wirkte die, in dem ganzen Universo ausgebreitete Natur Gottes, so wie noch itzt, eine ganze Natur zur Formirung eines jeden Menschen mitwirken muſs. Dies war noch immer Schöpfung in der ewigen Natur, die der Gottmensch, d. i. das Ebenbild Gottes, Adam beherrschte. Aber nur dieser Gottmensch — dieser Adam in der Verklärung war der einzige, der existirte und der existiren konnte; weil Gottes Ebenbild nicht zur Vervielfältigung geschaffen war.

Da dieser Gottmensch den Entwurf machte, sich zu vervielfältigen, und in der ganzen noch verklärten Natur kein patiens fand, das diesen Willen zur That konnte übergehen lassen; so begann er das, was wir Ehebruch des freien Willens nennen, welches man Ihnen schon in der Erläuterung der zwey ersten Kapitel erörtert hat.

Nach dem Schlaf, den Jehova Elohim auf ihn warf, fand er die Männin, mit ihrer Beihülfe erkannte er die Frucht des Guten und des Bösen: d. i. die Art nach welcher er sich vervielfältigen konnte; und hier gieng dieses Ebenbild Gottes, d. i. dieser Gottmensch von der ewigen verklärten Natur, in die zeitliche und verderbliche Natur über.

Das Mittel, welches den so schrecklichen Schritt von dem verklärten und ewigen Extremo zum finstern verderblichen und dem Tode und der Zerstörung unterworfenen Extremo beförderte, war das Chaos.

Dieses Chaos war aber nicht eine Ausgeburt des Unendlichen, sondern eine Ausgeburt des Ebenbildes Gottes, des Gottmenschen, des Erstgebohrnen unter den Söhnen Gottes, eine Ausgeburt Adams nach dem Erkenntnifs des Guten und des Bösen.

Das Gute und das Böse und der Tod hatten in sich die Feuer-Natur, oder die satanische Natur eingeschlossen. Und da vom Mittelpunkt aus, das satanische Feuer eingeschlossen war, das Gute und das Böse und der Tod aber untereinander vermischt lagen, so war die natürliche Folge, dafs eine Finsternifs entstehen mufste, an deren äufsersten Rand das Ebenbild Gottes verworfen lag. Hier war nun erfüllt, was die Schrift im Dunkeln berührt, da sie spricht: die Erde war wüste und leer, und es war finster auf der Tiefe, und der Geist Gottes schwebte auf dem Wasser.

Moses spricht hier nur von der untern Welt, und weiter nicht. Hier war es, wo sich der Bau der sichtbaren und körperlichen Schöpfung, nach der Ordnung der Natur, wie man Ihnen schon lehrte, schied. Und also war das Ebenbild Gottes — der Gottmensch auf die körperliche Erde gesezt, und dies geschah; da der

Unend

Unendliche das Aeufserste seines Ebenbildes in das Innerste verschlofs, d. i. die Macht, Kraft und Herrlichkeit des Gottmenschen, des Sohn Gottes, die ewige geistige Natur wurde im körperlichen und sichtbaren Menschen in sein Innerstes gelegt, dergestalt, dafs die ewige Natur Gottes im Menschen verborgen liegt, die er ihm nicht mehr nehmen konnte, eben weil sie die ewige Natur Gottes war, und keiner Endlichkeit kann unterworfen seyn, diese aber umhüllte er mit einer irdischen Decke, und so wie das Innerste nie ins Verderben kam, so gehet im Gegentheil das Aeufserste den Weg des Verderbens — und dies ist, was man die satanische Natur nennt, die erst gebunden, dann abgelegt und ausgestofsen werden mufs.

Hier haben Sie nun, meine Geliebten, den Aufschlufs des unendlichen Vierecks von dem ersten in den zweiten; und so wieder zurück verbunden, und hier haben Sie die Erkenntnifs von vier geschehenen Dingen, das fünfte ist der Salzbund, den Gott mit Abraham schlofs, das sechste, da er ihn mit Mosen erneuerte, da er befahl, dafs bei jedem Opfer Salz gebraucht werden sollte, das siebende endlich ist das Geheimnifs des einzigen Mittlers, der zwey Namen und vier Zahlen hat. Der Aufschlufs dieses so wichtigen und heiligen Geheimnisses gehört in keine Probestuffe.

Nun haben wir Ihnen, meine Geliebten, die himmlischgeistige und ewige Natur, und die irdische und vergängliche Natur erörtert. Die erstere führt den Namen Gott, und die andere den Namen Mensch; beide sind im Menschen vereiniget. Und hier schliefst sich der Text der

L

Schrift auf; denn es stehet geschrieben, dafs wir göttlicher Natur sollen theilhaftig werden.

Und weiter wird der Satan: der Gott dieser Welt genannt.

Für heut haben wir im ersten Blatt gelesen; wir haben gelesen, wie vom Unendlichen an bis auf uns, die himmlisch geistige uud ewige, und die körperliche oder menschliche Natur-Verbindung gehe, und wir haben hier den ganzen theosophisch physischen Verband gesehen, der ganz untrennbar von uns ist, wir haben die so mannigfaltige Gradationen gelesen, durch welchewir bis auf diese finstere Erde gewandert haben.

Künftige Instruction werden wir mit Inbegriff der übrigen acht Blätter, das lezte lesen, und da werden wir die theosophisch und physische Mittel geschrieben finden, welche uns aus unserm mühseligen und verwerflichen Zustande auf dieser Erde in unsere erste Verklärung zurückführen können.

(L. S.)

Rosch. Hamdabrim.

Pokeach Ibhrim.

Thumim Bemahloth.

Metibh Lackol.

Allgemeine Signaturen der asiatischen Weisen über das Buch von 10 Blättern und über die Zahl 56.

1. I.
2. Z.
3.
4. oder
5.
6.
7.
8.
9.
10.

1.
1.
2.
3.
4.
5.
6.
7.
8.
9.
10.

56.

das Gesetz der Srenge.

Die sieben Kapitel betreffend.

Die Gnade des Unendlichen über Uns!
Seeligkeit und Friede
durch

1 △ 3 △ 4 △ 1.

I. Kapitel.

1. Geliebte! der Tag des Lichts ist nahe, und seine Schönheit übertrift den Glanz der Sonne und das Licht des Monds, und die sichtbaren Zirkel sind Finsterniſs gegen ihn.
2. Seine Schönheit aber bildet sich in der Urquelle der Weisheit, und seine Stärke ist die Stütze der vier Welten, die im Ruhepunkt des Gleichgewichts liegen.
3. Dies ist der Tag des Siegs und des Ruhms, denn ihr werdet unter einander sagen: Bruder! weise mir einen Punkt aus dem elementarischen Zirkel, und ich will eine neue Erde mit Pracht und Herrlichkeit schaffen.
4. Denn diese Erde war die Frucht des ersten Ehebruchs, sie ist die Frucht von Qual und Weh.
5. Qual und Weh aber sind Geburten des Bösen; Seeligkeit und Friede aber sind Geburten des Guten.
6. Licht und Gut sind selbstständig und ewig, Finsterniſs und Böse aber sind im Gegentheil der Zerstörung unterworfen.
7. Die Erde war im Anfang Finsterniſs und der

Geist des Lichts schwebte über den Linien der Qual und der Strafe.

8. Ehe aber alles war, war ein Punkt, der Punkt aber ist selbstständig, ohne Anfang und Ende.

9. In diesem Punkt lagen alle Punkte gleich in ihrem Mittelpunkte, aus welchem alle Mittelpunkte ausfliessen.

10. Und in ihm lagen alle Kräfte und alles Leben der Dinge und Wesen, die wir sehen und nicht sehen.

11. Dieser Punkt aber hatte eine unermeſsliche Ausdehnung, und doch war in ihm und in seiner Ausdehnung, Maaſs, Zahl, Gewicht und Ordnung.

12. In diesem Punkte waren alle Kräfte der ersten Schöpfung eingeschlossen. Die erste Schöpfung aber war Licht ohne Grenzen.

13. Licht umgab den Mittelpunkt, und der Mittelpunkt selbst war selbstständiges Licht.

14. Urlicht, Mittelpunkt und Zirkel sind Eins.

15. Feuer und Himmel, oder Himmel und Feuer sind aber, wie wir schon an seinem Orte erklärt haben, auch Eins.

16. Es war also im Anfang die unsichtbare und intellectualische Welt, und die unsichtbaren und die intellectualischen Wesen die nicht denken.

17. Es war ferner allenthalben Licht von dem Urlicht eingeschlossen, und die Lichter des Urlichts waren unzählig.

18. Von dem Urlicht aber gieng ein anderes Licht aus, dieses Licht war eines der Principien des Urlichts, und zwischen diesen beiden

Lichtern bewegten sich die unzähligen Lichter in ihren Zirkeln.

19. Der Mittelpunkt dieses ausgegangenen Lichts war nichts, weil sich die Strahlen dieses Lichts in seinem Mittelpunkt verlohren hatten.

20. Allein die Lichter zwischen dem Urlicht und dem ausgegangenen Principio des Lichts wollten mit Gewalt im Mittelpunkt des Urlichts eingehen, hatten aber weder Macht noch Zahl, weder Maafs noch Ordnung in sich.

21. So entstand die Verwirrung unter den Lichtern; jede Verwirrung aber ist ohne Maafs und Zahl, ohne Gewicht und Ordnung, denn bei der richtigen Proportion des Letztern ist keine Verwirrung.

22. Die Lichter schritten aber durch die Gewalt der Verwirrung aus ihren Zirkeln und der Ausgang des Urlichts zog sich wieder zurück.

23. Diese Lichter aber waren die unsichtbaren und intellectuellen Wesen, die nicht denken.

Sie waren Lichter, die bestimmt waren, sich in ihren Zirkeln zu bewegen.

24. Allein unter dem intellectualischen Wesen der intellectualischen Welt, war ein Wesen, dessen Erkenntnisse aus dem Urlicht ausgegangen waren.

25. Dieses Wesen hatte die Erkenntnifs der Zahlen 1 und 4, und die Erkenntnifs der Dinge, die der Wahrheit und dem Gehorsam gewidmet waren.

26. So nahm sich dieses Wesen mit Gewalt des Ungehorsams an, es mangelt ihm die Erkenntnifs der Ausdehnung und des umkreisenden

Lichts, die wollte es erringen, und die sollte es nicht erringen können.

27. Diesem Wesen waren alle andere Wesen und die Lichter untergeordnet, die es durch die Macht seiner Erkenntnisse und durch die Kräfte seines freien Willens beherrschen konnte.

28. Die Erkenntnifs der unermefslichen Ausdehnung des Urlichts aber war durch die sieben Siegel verschlossen, die die Geheimnisse der damals 7 geschehenen Dinge verwahrten.

29. Der Versuch dieser Eröffnung war todt, und durch die weitern gewaltthätigen Versuche entstand noch gröfsere und wiederum neue Verwirrung.

30. In dieser allgemeinen Verwirrung versammleten sich die Lichter in Mitternacht, und sie zogen sich wechselweise dahin.

31. Plötzlich zog sich aber das umgekreifste Licht an die Grenzen des Urlichts, über die Grenzen aber konnte es nicht schreiten.

32. Denn es hatten sich in den Abgründen des Punkts die Finsternisse versammelt, weil das Licht von ihnen gewichen war.

33. Doch war im Mittelpunkte dieser Finsternisse auch Licht, wodurch die Finsternisse in Bewegung erhalten wurden.

34. Diese Finsternifs war aber Anfangs ohne Leben, was aber ohne Leben ist, gehet den Weg der Faulung, das Leben der Faulung aber ist in ihm, weil Faulung und Zerstörung zweierlei ist.

35. Das Leben der Faulung aber war Licht, ein Licht, das sich in die Finsternisse gesenkt hatte, und die Finsternisse hatten es von ihrem Mittelpunkt aus, eingeschlossen.

36. Das Urlicht, der Vater, der selbstständige Verstand schuf aber durch das Wort einen andern weltschaffenden Geist, dieser Geist schwebte ober den Finsternissen.
37. Die Finsternisse aber bewegten sich immer, und aus dieser Bewegung der Finsternisse entstand ein Nebel, der Nebel aber war schwarzer Dunst, der vom Mittelpunkt aus in einen gemessenen Zirkel eingeschlossen war.
38. Durch die Bewegung der Finsternisse, ihrer Reibung und Erhitzung entstand eine Art von heftigem Streit Treffen unter den Finsternissen.
39. Dieses Streittreffen war das Bild des ersten Streittreffens der Lichter, der ersten unsichtbaren Welt.
40. Bald darauf entstand eine allgemeine Erhitzung und der Geist zog das Feuer vom Mittelpunkt des Streits an sich.
41. Dem Feuer folgten die Gewässer; die mit Gewalt zu strömen anfingen, allein die Stärke des Feuers sezte den Gewässern gemessene Grenzen.
42. So fing die Theilung der Gewässer an, und es entstand durch den Geist und Feuer, Luft, Erde und Wasser.
43. Und jedem dieser Dinge waren Maafs und Zahl, Gewicht und Ordnung festgebunden.
44. Dieses Band ist unbegreiflich, weil es das Band des Feuers und der Materie durch den Geist ist.
45. Unbegreiflich dem Verstand der Unheiligen, weil ihr Verstand Thorheit ist.
46. So wurde von dem Urlicht, dem Vater, dem selbstständigen Verstand, durch das Wort der weltschaffende Geist, durch diesen ein Princi-

pium und drey Substanzen in einer Wesenheit, aus diesen 4. aber, die vier und drey, in sich selbst aber nur 1. sind, die Welt erschaffen.

47. Und der Vater sah durch das Wort, daſs die Werke des weltschaffenden Geistes gut gemacht waren.

II. Kapitel.

1. Geliebte! der weltschaffende Geist hatte also das Licht und das Feuer und ihre Wesen. Sodann die Luft, das Wasser und die Erde, und ihre Wesen erschaffen.
2. Und so erhielten die Wesen jeden Dings ihre Eigenschaften.
3. Es entstand aber auf Erden ein Wesen, das dem Bild des ersten unsichtbaren Wesens gleichen sollte, und es entstand der körperliche Mensch durch den Geist als seinen Vater, und die Erde als seiner Mutter, und er hatte den Geist von seinem Vater, und den Körper von seiner Mutter empfangen.
4. Dies war das zweifache Wesen in der Natur, es war aus zwey Actionen zusammengesezt.
5. Aus diesen zwey Actionen entstand eine dritte durch die Erde, und diese war die sichtbare Mutter des Menschen, nach dem Bild der Mutter des ersten unsichtbaren Menschen.
6. Der erste unsichtbare Mensch aber hatte keine Mutter, denn das Licht von dem er ausgegangen war, war sein Vater und seine Mutter.
7. Die Mutter des ersten unsichtbaren Menschen war also Seeligkeit und Friede, die Mutter des sichtbaren Menschen aber war Quaal und Wehe.

8. Geliebte! Seeligkeit und Friede, Quaal und Wehe ist aber wahrlich ein größeres Geheimniß, als das Geheimniß der Sandkörner aller Meere. Und dieß müßt Ihr fassen, Ihr Männer von Osten.

III. Kapitel.

1. Geliebte! Der Vater sah durch das Wort, daß der weltschaffende Geist große Dinge gemacht hatte, die alle gut waren.
2. Der Geist aber hatte durch das Wort und den Vater ein Principium aller Dinge in Eins gelegt.
3. Dieses Eine aber ist untheilbar und ein Punkt.
4. Dieser Punkt ist sein Bild, denn der Saamen aller Dinge, aller Kräfte, aller Erkenntnisse und aller Wissenschaften ist in ihm.
5. Dieser Punkt ist die Gebährmutter der Natur. In ihm werden alle Körper und alle Geschlechts-Arten erzeugt.
6. Dieser Punkt schließt das Geheimniß der Schöpfung in sich, und er heißt bei den Weisen allgemein Magnesia.
7. Durch diesen Punkt scheinen die Kräfte den Bau der Schöpfung nachzuahmen, und durch die wahre Erkenntniß dessen, wird der Mensch das Ebenbild des Vaters durch den Geist und durch das Wort.
8. Diese Erkenntniß aber ist in das Verborgenste des Menschen gelegt, und der Mensch hat es in sich eingeschlossen.
9. Der weltschaffende Geist konnte ihm dieses Verborgene nicht nehmen.

   Er wollte es auch nicht nehmen, weil er durch den Vater und das Wort den Menschen liebte.

10. Die Erkenntnifs aber dieses Punkts ist mit sieben Siegeln verwahrt, die ein einziger Schlüssel öffnet, und der Punkt hat zehn Abtheilungen, die man Blätter und auch Gebote nennt.

11. Der Schlüssel aber ist die Erkenntnifs seiner selbst, (ich sage) die Erkenntnifs des Innersten des Menschen.

12. Das eröffnete erste Siegel, meine Geliebten, aber ist die Erde, das 2te das Wasser, das 3te die Luft, das 4te das Feuer, das 5te der Himmel, das 6te das Buch der Natur des Menschen, das 7te endlich das intellectualische Siegel.

13. Diese eröffnete Siegel öffnen auch mit einer einzigen Kraft die Geheimnisse der sieben geschehenen und der sieben ungeschehenen Dinge.

14. Diese eröffneten Siegel führen auch weiter durch den Geist und das Wort zum Vater. Ueber den Vater ist nichts, und der Geist ist in Euch.

15. Und Ihr werdet durch diese eröffneten Siegel die Abgesandten des Vaters, den beständigen Streit, die Macht der Helden, und der Augen Gottes, der 7 Fackeln und der Sterne, Ihr werdet den Mittelpunkt, aus dem alle Mittelpunkte ausfliefsen, und Ihr werdet die Einheit erkennen, denn alles ist eins.

16. Und wenn Ihr mit dem Schlüssel die 7 Siegel eröffnet habt, so werdet Ihr das Buch der Natur, und die zehn Gebote kennen, die der Finger des selbstständigen Verstandes geschrieben hat.

17. Lernet buchstabiren, meine Geliebten! damit Ihr lesen und schreiben lernt.

18. Lasset Euch die Buchstaben Eures Alphabeths lehren, denn man lies't nicht, ehe man geschrieben hat.
19. Ich habe Euch viel gesagt, meine Geliebten! aber Ihr selbst, Ihr müfst Euch noch mehr sagen.

IV. Kapitel.

1. Geliebte! Der, der die Sonne erschaffen, den Mond gefärbt und die Sterne gemessen hat, der sagt, ich bin der erste und der lezte, der Anfang und das Ende.
2. Ihr habt alle eine einzige Sprache, diese ist die Sprache des Lebens, und die Sprache des fixen Osten.
3. Dies ist die Sprache, die der erste Mensch geredet und geschrieben hat, und die bei seiner zweiten Entstehung in sein Innerstes verborgen worden.
4. Seelig ist der Suchende und Leidende, der diese Sprache in sich selbst suchet und findet, denn er wird im Buch der Natur lesen.
5. Er wird seyn, wie der Saamen des Goldes in seiner Einheit.
6. Denn das Gold an sich in dem Eingeweide der Mutter ist eitle Erde und Nichts.
7. Dies ist die Sprache und das Zeichen des ersten Principii. Die Sprache des Lichts von dem der erste Mensch ausgegangen ist.
8. Und was noch mehr von dieser Sprache zu sagen wäre, werde ich Euch in dem 2ten Buch der 2ten Stuffe sagen.
9. Denn der Schlüssel zur Sprache ist Tugend, Rechtschaffenheit, Bruderliebe, Selbstverläugnung, Bescheidenheit, Weisheit, Gehorsam

und Ausübung der Pflichten des wahren Menschen.

10. Ihr müſst aber den Schlüssel durch diese Dinge in der That suchen, und wahrlich der gute Mensch wird ihn finden.

11. Alle Dinge in der Natur müssen zwar sterben und faulen, und wieder zum Leben geboren werden, aber das Leben des Blinden und des Unheiligen ist der Tod seines Innersten.

12. Doch werden alle das Licht sehen, der Unheilige aber wird es nicht erreichen können.

13. Sein Geschäft wird seyn, wie jenes des Monds, in der Finsterniſs, und er wird nichts im Lichte seyn.

14. Noch darf ich Euch nicht mehr sagen, meine Geliebten! denn Ihr müſst zuvor den ersten Buchstaben lernen, ehe Ihr den zweiten betrachtet.

15. Seid tugendhaft in Eurem Innersten, und Ihr werdet glücklich seyn.

V. Kapitel.

1. Meine Brüder! Ihr Männer von Osten erinnert Euch an Euren ersten Eid der Freimaurer, Ritter und Brüder, sein Geheimniſs ist wichtig und groſs, und es soll Euch heilig seyn.

2. Eben so heilig sollen Euch Eure Brüder seyn, Ihr Wohl soll Euch Salz seyn.

3. Und das Wohl Eures Geschlechts soll Euch auch heilig seyn.

4. Der Eingeweihten Eid soll Euch aber Seeligkeit und Friede seyn.

5. Wahrlich der fromme Mensch ist ächt und tugendhaft, sein ganzes Leben ist Tugend.

6. Fliehet den Geist des Hasses und der Verfolgung, der Zwietracht und der Lästerungen unter den Brüdern, Bruderliebe und Duldung ist der Grund der maurerischen Gesetze.
7. Lasset Euch von der Stimme des Todes nicht blenden, denn nicht aller Tod führt zum ersten Leben.
8. Glaubt mir, meine Geliebten! Wahrlich, wahrlich ich sage Euch, die Brüder unter Euch, die ihre Brüder verfolgen und verläumden, die Ihnen Böses thun, und mit frommen Sprüchen reden, um die Einfältigen zu bethören, die gleich Tigern die Menschheit zerfleischen, werden niemals im Buch des Lebens lesen.
9. Auch die eingebildeten Weisen und die Stolzen werden nicht darin lesen, denn ihr Verstand ist Dummheit.
10. Auch die Eidbrüchigen werden nicht darin lesen, denn sie werden ihren Eid brechen, ehe sie den ersten Buchstaben sehen werden.
11. Höret, meine Geliebten! was Johann der Geliebte durch mich zu Euch spricht: Liebet Euch unter einander.

Die Meinung unsers Bruders sey Euch heilig, selbst wenn er irret, ist er Euer Bruder, duldet was den Weg der Brüder gehet, er sey welcher er wolle.

Verfolget ihn nicht, denn der Verfolger siehet das Licht des Lebens in Ewigkeit nicht.

VI. Kapitel.

1. Ich muſs Euch, meine Geliebten! noch von dem Buch von zehn Blättern und von seinen Geboten sprechen; denn wahrlich seine Erkenntniſs ist die Erkenntniſs des Lebens.

2. Erinnert Euch Ihr Männer von Osten, an den ersten unsichtbaren und an den ersten sichtbaren Menschen; an das Weib, an den Menschen aus rother Erde, an Adam, an Tubalkain, an Henochs beiden Säulen, und an die Zeiten der 40 Tage .

An den Thurm Babels und an die Sprachen, an die Leiter Jakobs oder an die Kette und an alles, was ich Euch gesagt habe, und von dem Ihr gehört habt, dafs sie Bilder wären, die ganz andere Dinge anzeigen wollen als jene sind, die Sie anzeigen, und von denen man sagt.

3. Diese 10 Blätter sind der Inbegriff des Gesezzes der zehn Gebote, die Moses vom Sinai brachte, denn diese 10 Gebote wollen mehr sagen, als dies, das von Ihnen geschrieben stehet.

4. Die 10 Gebote aber sind der Inbegriff des natürlichen Gesetzes, des Gesctzes so im Menschen verborgen liegt.

5. Das Buch des Menschen ist ebenfalls ein Buch von 10 Blättern geschrieben mit einem feurigen Finger, in die zwey innersten Tafeln des Menschen.

6. Johann der Geliebte, meine Brüder! sagt durch Abdallach, den Weisen, was ich Euch davon schreiben will:

7. Das erste Blatt spricht von dem allgemeinen Uranfang oder vom dem ersten Mittelpunkt, aus welchem alle Mittelpunkte ausgehen.

8. Das erste Gebot aber spricht: erkenne durch Dich und dein Innerstes das Urlicht, das allumkreisende Licht, den Vater, den selbstständigen Verstand und das Wort.

Durch den Geist erkenne die geistigen intellectualischen Wesen, die nicht denken, erkenne mehr die Kräfte der Punkte und des Punkts, und die Essenz der Kräfte, des Feuers, den Geist der Elementen, und seine Substanz und Wesenheit und weiter die Seele der Elementen mit ihrer leiblichen Substanz, dies Gesetz ist Einheit und seine Zahl ist ʎ.

9. Das zweite Blatt spricht: Du sollst die Ursach des allgemeinen Ganzen, und das zweifache körperliche Gesetz, woraus es bestehet, lernen, du sollst das zweifache verständliche Gesetz, das in der Zeit wirket, und die zweifache Natur des Menschen suchen, und dich um die Erkenntniſs aller Dinge bemühen, die aus zweien wirkenden Bewegungen entstehen.

10. Das zweite Gebot aber spricht, untersuche die Grundursach des natürlichen Mittelpunkts, der ersten natürlichen Substanz und seiner dreifachen Wesenheit.

Die Geburt der Dinge durch die Bewegung der wirkenden und leidenden Dinge.

Den Geist der Elemente, und die elementirten Körper, und also Erde, Wasser, Luft und Feuer, dies Gebot ist zweifach und seine Zahl ist Z.

11. Das dritte Blatt spricht, untersuche den ersten Grund aller Körper, und ihrer ersten Festigkeit; und die endlichen Schlüsse aller Arten und aller Wesen, die da hervorgebracht werden, und die immateriellen Wesen, die nicht denken, und der Zahl die sie führen.

12. Das dritte Gebot spricht, untersuche die einfachen und vermischten Elemente, ihre Qualitäten

litäten ihren Saamen, ihre Faulung und Auflösung; ihre Entstehung, Geburt und Leben, ihren Tod und Wiedergeburt, dann ihre Ernährung und Beständigkeit, und ihre Zerstöhrung durchs Feuer, untersuche ihre Bilder und Namen, dies Gebot ist dreifach, und seine Zahl ist ≦.

13. Das vierte Blatt aber spricht: erkenne alles was thätig ist, und den Uranfang aller Sprachen, seyen sie wirklich in der Zeit oder ausser derselben, erkenne die ächten Opfer, die du im Lichte dem Urlicht bringen sollst; suche die Zahl der immateriellen Wesen, die denken.

14. Das vierte Gebot aber spricht: untersuche den allgemeinen Verband der sichtbaren Welt auf die unsichtbare, und der sichtbaren Wesen auf die unsichtbaren, dies Gebot ist vierfach. und seine Zahl ist ⊠ oder ▷.

15. Das fünfte Blatt spricht: untersuche die Abgötterei und die Faulung, das Scheinbare und das Reelle.

16. Das fünfte Gebot aber spricht: untersuche alle Thaten, Handlungen und Wirkungen der Natur, diese Handlungen gehen aber die Geister und nicht die Körper an, und Du wirst das lezte Glied der Kette von oben sanft berühren, denn der Anfang, das Mittel und das Ende der Kette ist Einheit, dies Gebot ist fünffach und seine Zahl ist Z.

17. Das sechste Blatt spricht: siehe hier die Gesetze der Bildung, der zeitlichen Welt und ihre Theilung nach dem ordentlichen Maafs des Zirkels.

M

18. Das sechste Gebot aber spricht: erkenne das Leiden der Körper in der Natur, und ihre Eintheilung nach ihren Gesetzen, dies Gebot ist sechsfach und seine Zahl ist ∠.

19. Das siebente Blatt spricht: Lese hier die Ursachen der sanften Bewegungen der dünnen Gewässer, und des saamlichen Geistes, die Bewegungen der Meere, Ebbe und Fluth, betrachte den geographischen Maaſsstab des Menschen, suche seine wahre Erkenntniſs und untersuche den Grund aller Dinge, die sinnlich oder verständlich hervorgebracht werden.

20. Das siebente Gebot aber spricht: erkenne den Anfang, das Mittel und das Ende aller Dinge, die Schöpfung, die Zeit der 40 Tage, den Bau des Thurms Babels, und die Miſskennung des Principii aller Sprachen, die Zeiten der Weisheit, der Tugend, der Wollust und der Gnaden, und bereite dein Gemüth vor die intellectualische Welt, dies Gesetz ist siebenfach und seine Zahl ist ⊤.

21. Das achte Blatt aber spricht: Lese hier die Zahlen 1. 2. 3. 4. 5. 6. 7. 8. 9. 0. die Zahlen 1. 2. 3. 4. 5. 7. 9. 0. die Zahlen 1. 3. 5. 7. 9. 0. und die Zahlen 1. und 4. und suche die Zahl des reellen und physischen Wesens, das 2 Namen und 4 Zahlen hat, wie weit seine Thätigkeit und sein Verstand gehet, und wie sich seine Handlungen über die 4 Welten erstrecken, untersuche die Rechte aller Dinge, aller Wesen und aller Körper.

22. Das achte Gebot aber spricht: erkenne den Punkt aller Geheimnisse, und den gebornen

Ort der natürlichen Dinge, erkenne die Rechte der immateriellen Wesen, die denken, dies Gebot ist achtfach und seine Zahl ist X.

23. Das neunte Blatt spricht: untersuche die Bildung der Körper im Leibe des Weibes, und erkenne den allgemeinen und besondern Triangel.

24. Das neunte Gebot aber spricht: untersuche die mannigfaltigen und unzähligen Stände, Lagen und Geburten, ihr Leben und ihren Tod, und ihre Wiedergeburt, dies Gebot ist neunfach und seine Zahl ist .

25. Das zehnte Blatt aber ist det Inbegriff des Ganzen, das erste und lezte Glied der Kette.

26. Das zehnte Gebot aber spricht: Und hier sollst Du lesen den Anfang, das Mittel und das Ende aller Dinge, seine Substanz und Wesenheit, die Substanz und Wesenheit aller immateriellen und materiellen Wesen, sie mögen nicht denken oder denken, die Beschaffenheit der vier Welten von Aufgang bis Mittag, von Mittag bis Abend, von Abend bis Mitternacht, und den Punkt der Bezeichnisse aller Dinge, aller Wesen und aller Ordnungen, dies Gebot ist zehnfach und seine Zahl ist I⊠.

27. Geliebte! Dies ist der Inhalt der zehn Blätter und der 10 Gebote, die da geschrieben sind mit dem Finger des selbstständigen Verstandes auf die 2 Tafeln in Euer Innerstes.

28. Der Inhalt der Zahlen der 10 Blätter und der 10 Gebote ist aber folgender:

29. • . ℑ. Die Einheit, der selbstständige Verstand, der Vater, das allumkreisende Licht, das Urprincip aller Dinge.

30. • ℑ. Das umgekreifste Licht, das erste Blatt und das erste Gebot, die Zeichnung aber ist folgende:

31. • Die Einheit ℑ Urprincip, Urlicht, das allumkreisende Licht.

ℑ. Das umge „ℑ„ kreifste Licht, und das erste Blatt.

ℑ.	2. Das zweite Blatt und Gebot.
△	3. das dritte — —
⊡	4. - vierte — —
⫯	5. - fünfte — —
—	6. - sechste — —
⊖	7. - siebende — —
⌒	8. - achte — —
△	6. - neunte — —
ℑ⊡	10. - zehnte — —

56. Gesetz der Srenge.

32. Hier habe ich Euch die Zahlen geschrieben, damit Ihr erkennen möget, und wahrlich, wahrlich sag ich Euch, wer diese Zahlen nicht erkennet, wird das Gesetz der Zahl 56. leiden müssen.

33. Geliebte! betrachtet das Licht, das Ihr eben gesehen habt, und das ich Euch hier zeigen will.

90.
81.
72.
63.
54.
45.
36.
27.
18.
09.

45„ 45. 90.

34. Meine Brüder! gehet zurück auf den Inhalt Eurer Stufe und auf das Licht, das darin leuchtet, und wenn Ihr dieses, und die Zahlen der Blätter und Gebote numerirt habt, so betrachtet, daſs 45. die Hälfte eines geraden Winkels ist, und daſs 90. den geraden Winkel selbst in sich schlieſst.

Sehet die Nullen an, die noch zu ersetzen sind, und Ihr werdet viel gesehen haben.

35. Liebt Euch untereinander, meine Brüder!

VII. Kapitel.

1. Geliebte! seid ächte, gute Menschen, damit Ihr die Weisheit begreifen könnet, die der Punkt des Lichts um Euch verbreitet.

2. Seid folgsam und geduldig, suchet die wahre Weisheit und Ihr werdet sie gewifs finden.
3. Die wahre Weisheit aber ist nicht für Kinder, und für Thoren, für Gaukler und für Narren, für Hochmüthige und für Eitle, für Lügner, für Trunkenbolde und für Witzlinge, sie ist nur für ächte Menschen.
4. Der ächten Menschen aber sind wenig, der Müssiggänger, der Witzlinge und der Schwärmer aber ist die Zahl hoch.
5. Ihr müfst nicht sagen Brüder, zu Euren Brüdern, Bruder gib mir Weisheit, dafs ich alle Dinge erkennen möge; wie wird die Weisheit, meine Lieben, bei Frefs-Gelagen und Weltsaufen eingehen?
6. Die Weisheit ist nicht zum Kauf da, und mit Gewalt und Stolz erwirbt man sie nicht.
7. Der Weise ist demüthig, denn Demuth und Wifsbegierde ist die Zierde des Weisen.
8. Ich wünsche Euch, meine Geliebten, den Geist der Tugend, und wahrlich, wahrlich sage ich beim Vater und durch das Wort und durch den Geist, dafs Ihr das Licht sehen werdet.
9. Ich Ben-Jachim ein Knecht des ersten und lezten desjenigen der da ist, der da war, und der da seyn wird, und ein unwürdiger Sohn der sieben weisen Väter und Brüder Vorsteher der sieben unbekannten Kirchen in Asien, im versammleten grofsen Synedrion, ein Demüthiger des Lichts habe dieses geschrieben für die Menschen, meine Freunde und Feinde, zum Besten meiner Verfolger, für die Menschen meine Brüder.

Liebet Euch untereinander meine Geliebten! und Ihr werdet in Seeligkeit und Frieden das Licht lehren.

Euer Wandel wird Euch dahin führen, Ihr werdet das Licht der zweiten Stuffe und des zweiten Buchs sehen, und Euer Geist wird heiter seyn, wie der lieblichste Tag des Frühlings.

10. Liebet Euch untereinander, und seid ächte gute Menschen, Ihr Männer von Osten, und Ihr werdet den Punkt des veränderlichen Osten verlassen, und im fixen Osten eingehen.

(L. S.)

Rosch. Hamdabrim. 

Pokeach Ibhrim. 

Thumim Bemahloth. 

Metibh Lackol.

Erläuterung über die sieben Kapitel
und zwar
Ueber die erstern zwei Kapitel.

Der Anfang dieses Kapitels soll uns auf den Tag der Verklärung führen, wo wir gerichtet nach unsern Handlungen, in den Mittelpunkt zusammen eingehen, und als höhere und vollkommenere Geschöpfe wiederum in Seeligkeit und Frieden ausgehen werden, wo Qual und Wehe aufhören, und wo wir vereint mit jenen Geschöpfen einherwandeln werden, nach denen wir uns in unserer Unvollkommenheit nicht selten vergebens sehnen.

Dies ist der Tag des lautern Stroms des lebenden Wassers, welches klar, wie Christall, von dem Stuhl Gottes und des Lamms gehet, jenes Stroms, auf dessen beiden Seiten das Holz des Lebens stehet, welches zwölferlei Früchte trägt, die zur Gesundheit der Heiden dienen.

Dieser Tag ist nahe, nahe, meine Geliebten, für jene, die die Kraft des Saamens und seine zwölffache Reinigung kennen, welcher der Schlange den Kopf quetschet, weniger nahe jenen, die diese heilige verborgene Gotteskraft nicht kennen.

Dies ist der erste Tag, den wir Aziloth nennen, und in welchem die ganze Herrlichkeit der ersten unsichtbaren und verklärten Schöpfung verborgen liegt.

Dies ist der Tag, welchen uns die Grundlinie des unendlichen Vierecks anzeiget, welche wir die Allmacht nennen.

Dies ist der Tag, meine Geliebten, von dem gesagt wird, und der Herr wird König seyn, über alle Lande, zur selbigen Zeit wird der Herr nur Einer seyn, und sein Name nur Einer.

Die Macht, diesen Tag durch die Erkenntnifs der heiligsten verborgensten Geheimnisse, auch in der Zeit zu finden, liegt im Menschen, in welchem das höchste Verborgenste concentrirt ist, in ihm liegt das Bild des lautern Stroms, des lebendigen Wassers, die Kraft sich der verklärten Schöpfung zu nähern.

Die Erkenntnifs dieses Tages liegt in der Urquelle der Weisheit, und sie schliefst die Erkenntnifs der vier Schöpfungen ein, die wir Aziloth oder die unsichtbare, oder die Schöpfung aufser der Zeit, Beria, oder die erste allgemeine sichtbare oder die Schöpfung in der Zeit, Zezira, oder die Geisterschöpfung, und endlich Asia oder jene Schöpfung nennen, in welcher die unzählige Menge Welten, die wir sehen und auch nicht sehen, begriffen sind.

Hier finden sich ebenfalls die Abgründe, in welchen die Geister unreinen und bösen Willens theils mehr, theils minder, ein jeder nach seiner Art, herrschen.

Dies ist das Bild dieses Tages aufser der Zeit, das wir dessentwegen Tag nennen, um uns eine verständige Idee davon machen zu können.

In diesem Tage ist aber gestern, wie heut und morgen. Dies ist der Tag der Unendlichkeit, in welchem der Anfang aller Dinge, von Ewigkeit her verborgen lag, und endlich ist es der Tag, der die Geistwelt von Anbeginn her, in seiner höchsten Vollkommenheit eingeschlossen hatte, und der von Anbeginn mit dem Unendlichen eins war. Im Unendlchen war die

Idee der Schöpfung von Ewigkeit her, eins mit Ihm und durch Ihn.

Der Unendliche konnte aber nicht anders, als seiner ungemessenen Allmacht homogene Dinge hervorbringen, und so entsanden die so verschiedenen Abtheilungen der verklärten heiligen Geister, die sich in Seraphine, in Cherubine, in Thronen, in Herrschaften, in Mächte, in Kräfte, in Erzengel, in Engel und endlich in die verständliche Welt, und in die obern Welten eintheilten.

Dies ist die ächte alte Lehre, die ihre Väter von den Patriarchen, und so bis auf Johann den Evangelisten, mittelst legalen Uebergaben einander mittheilten, und dies ist, wie Sie zu seiner Zeit weiter hören werden, was wir die Mago-Cabalistische Uebergabe nennen.

Es waren also, Kraft dieser Lehre, zwei Welten, die erste grenzte dicht an die ersten Ausflüsse des Unendlichen, das allgemeine Agens. — Die andere war die verständliche Welt; in der ersten wohnten unter Macht des Unendlichen die heiligen Geister, und in der leztern wohnten die reinsten Geister des heiligen Lichts.

Die erstern waren in Rücksicht des Unendlichen das Agens, und sie wirkten nach dem Willen des Unendlichen — immer herrlich glänzend Gutes, und dies ging ununterbrochen fort.

Die leztern hingegen, zwar bestimmt zu gleichem Geschäfte, hatten aber ihren unbegrenzten freien Willen, es zu thun oder zu unterlassen.

In dieser herrschte der allergewaltigste, der herrlichste und weiseste unter allen Geistern, den die Mago-Cabalisten den Sohn der Morgenröthe nennen, und er war der erste Ausfluſs des

Unendlichen in der verklärten Schöpfung. Es war der Glanz des göttlichen Lichts, von welchem Er und die ganze verklärte Schöpfung umhüllet war, und mit welchem Er also ununterbrochen erleuchtet und verherrlichet wurde. Er war so verklärt, daſs vom Unendlichen die Strahlen seiner unermeſslichen Majestät gerade zu auf Ihn gingen, und die ganze Geisterwelt lag zwischen ihnen. Er war so zu sagen der Spiegel, welcher die Herrlichkeit des Unendlichen vollkommen darstellte.

Der Unendliche und Er stellten gleichsam eine gerade Linie vor, die die ächten Mago-Cabalisten die wahre gerade Linie vom fixen Osten nennen, weil sie auſser der Zeit, und folglich ohne Anfang und Ende war.

Der Unendliche hatte aber um sich sieben herrliche Geister gelagert, deren Macht allgewaltig war, sie empfingen immer die ersten Ausflüsse des Unendlichen, und sie waren so zu sagen, die einzigen Mittler, durch welche sich die Majestät des Ewigen manifestirte.

Durch sie empfing die ganze verklärte Schöpfung ihre Herrlichkeit, und die wahre gerade Linie des fixen Osten, die mit der Majestät des Unendlichen gleich läuft, entdeckte sich am ersten bei ihnen. Sie waren so eigentlich der allgemeine Punkt, in welchem die ganze Herrlichkeit des Unendlichen, wie in einem selbstständigen Ruhepunkt concentrirt war.

Hier wohnt der Ewige im selbstständigen Feuer, mit welchem Er von Ewigkeit her, eins war.

Sie haben nun, meine Geliebten, drei Gegenstände zu beobachten, in welchen die verklärte Schöpfung eingeschlossen lag.

Den Unendlichen, den Sohn der Morgenröthe, und endlich die sieben gewaltigsten Geister.

Der Unendliche herrschte über jene Schöpfung, die man die Schöpfung der heiligsten Geister nennt, und in welchen das beständige Gute im höchsten Grade vereint war.

Der Sohn der Morgenröthe aber herrschte über Millionen bis an die Kreise der Söhne Gottes; zwischen diesen beiden waren zwölf Kreise oder Abtheilungen; und hier haben Sie den Verstand dieser Welten, unter einem und eben dem nemlichen Gesichtspunkt.

Diese verklärte Schöpfung war nichts als Freude, Ruhe, Seeligkeit und Friede.

Der Sohn der Morgenröthe, der erste Ausfluſs des Unendlichen, der, mit ganz freiem Willen, die Welt der Söhne Gottes beherrschte, erkannte, daſs die sieben allgewaltigen Geister das Mittel wären, durch welches sich Ihm die Herrlichkeit des Unendlichen so feierlich manifestirte und sich durch Ihn wieder durch alle Kreise bis zum Unendlichen verbreite, und also in Ihm die Herrlichkeit der ganzen Lichtwelt concentrirt wäre, welches Ihn zum herrlichsten aller Geister machte, denn es war nach dem Unendlichen kein Geist herrlicher wie Er.

Was Er beherrschte, beherrschte Er unumschränkt, Er aber und alle seine Ausflüsse waren dem Unendlichen unterworfen, weil sie das Bild der Majestät des Ewigen an sich trugen, ohne welches keine Verklärung hätte seyn können, das Bild des heiligen selbstständigen Feuers verklärte sie.

Bei dieser so unaussprechlichen Herrlichkeit, ganz voll von Majestät, Macht und Gewalt, glaubte sich der Sohn der Morgenröthe Selbstständig, vergaſs, daſs seine Herrlichkeit ein Ausfluſs des Unendlichen wäre, und an dieser schrecklichen Meinung nahmen die unzähligen Geister, die er so unumschränkt beherrschte, freiwilligen Antheil.

Stellen Sie sich, meine Geliebten, einen Spiegel vor, in welchem sich alle Herrlichkeit und Kraft unsers Sonnenlichts concentrirt, stellen Sie sich vor, wie plötzlich sich alle diese concentrirte Herrlichkeit und Kraft in dem Punkt des Sonnenlichts zurückziehen, und in sich selbst concentriren, und daſs eine undurchdringliche Finsterniſs den Spiegel umgiebt; so werden Sie sich selbst eine schwache Idee von jener Finsterniſs machen, in welche der Sohn der Morgenröthe nebst seinen Untergebenen eingehüllet war, da sich das selbstständige Feuer in sich selbst concentrirte, jenes Feuer, welches die ganze verklärte Schöpfung belebte, und das von ihm vollkommen gewichen war.

Da der Ausfluſs des Unendlichen nichts anders als Licht ist, ein Licht und Feuer, welches Moses Schamajm nennt, d. i. er nennt es ein wässeriges Feuer oder feuriges Wasser, und in diesem feurigen Lichtglanz ward der Sohn der Morgenröthe; da sich aber dieses zurückzog, so entstand ein dunkles, kaltes feuriges Wasser, ein irdisches, schleimiges schweflichtes Salzwasser, denn das helle, reine war nicht bei Ihm.

Dieses irdische Salzwasser, Mot oder Schlam wird das Chaos genannt, oder mehr Chaos Ereb, welches Dunkelheit, Nacht oder Finsterniſs bedeutet.

Auf diesem Chaos schwebte der Geist Gottes, d. i. der weltschaffende Geist, die Ausgeburt des Unendlichen und des Worts schwebte über den Gewässern.

Es war also, das vom Unendlichen hier verständliche erschaffene erste Wesen, ein salziges Wesen, welches zugleich Feuer und auch Wasser war.

Dies Feuer wird 🜍 und dies Wasser ☿ genannt. Moses nennt es Schamajm, welches so viel als Asch und Majm oder Feuer und Wasser sagen will.

Dieser Geist Gottes wird Elohim oder die Richter genannt, und hier offenbarte sich der Unendliche in seinem Zorn, den unmittelbar die That des Sohns der Morgenröthe nach sich gezogen hatte, dessen Namen erst hier, unter dem Namen Lucifer bekannt wird, weil er das Bild des ersten unsichtbaren Menschen in der Verklärung ist.

Elohim sprach: Es werde Licht, und es ward Licht.

Dies ist also die erste Scheidung im Chaos: nemlich die Scheidung des Lichts von der Finsterniſs.

Und Elohim schied die übrigen feurigen oder Lichtwässer, und Er spannte das Firmament und schied es von dem groben, salzig-schweflichten Wasser. Und Er spannte sie durch die Luft zwischen den obern und untern Wässern.

Dies obere war also ein geistiges Wasser, und so entstand die Scheidung des ☿ und 🜍 vom 🜔. Und so enstand die zweite Scheidung.

Und Elohim schied in der Finsterniſs die salinisch und schweflichten Gewässer.

Und Elohim nannte das Trockne Erde, und die Versammlung der Wasser, Meer.

Und dies war die dritte Scheidung.

Und Elohim hatte mit der Scheidung des Lichts von der Finsternifs den ersten Anfang der Schöpfung gemacht.

Er schied weiter: das Licht im Feuer und Luft, und die Finsternifs in Wasser und Erde.

Und Elohim schied aus dem Licht, Sonne, Mond und alle Gestirne, und diese Scheidung geschah im Schmajm, und so erhielt die Sonne den Namen des Asch oder Feuers, und der Mond wurde Majm oder Wasser genannt.

Und dies war die vierte Scheidung.

Und Elohim schied die Substanzen aller Geschöpfe, die im Meer, und in allen andern Gewässern und auch jene, die in den Lüften leben, und so, wie er aus den mercurialischen Substanzen, alles was man Vegetabilien nennt, geschieden hatte, so schied er diese aus dieser salinischen Substanz.

Und Elochim machte endlich aus den sulphurischen Substanzen alle Thiere auf Erden, ein jedes in seiner Art. Und der Unendliche sahe, dafs die Tagwerke Elohims gut waren.

Da aber kein Thier war, welches alles dies beherschen, bewundern und die Werke Elohims verherrlichen konnte; so sprach Elohim: lasset uns Menschen machen, ein Bild, das uns gleich sey.

Und dies war die fünfte Scheidung.

Elohim hatte aber in Osten einen Garten gemacht, den er aus Schamajm genommen, den die Schrift Eden nennt, und dessen Erde den Namen Adamah führt.

Diese Erde ist also von jener, die die Schrift

Eretz nennt, ganz unterschieden. Hier versammlete Elohim alle Kräfte und Substanzen der Schöpfung in einen Punkt, und schuf den Menschen nach seinem Bilde, sezte ihn in Eden, d. i. in die herrschende Region im fixen Osten, von da Er alle Regionen der sichtbaren Schöpfung auf einmal übersehen konnte.

Hier gab Er ihm Gewalt zu herschen, so, wie der Sohn der Morgenröthe in der verklärten Schöpfung geherrscht hatte.

Diesen Menschen nannte Elohim, Adam oder den ersten Menschen aus rother jungfräulicher Erde.

Da aber Elohim den Menschen nach seinem Bilde schuf, und dazu alle concentrirte Kräfte und Substanzen der ganzen Schöpfung nahm, diese concentrirten Substanzen in Eden, gleich in einen Punkt wiederholt concentrirte, und den ganzen Körper in dem geistigen Schmajm schuf, so erhellet, daſs dieser Adam herrlich, durchsichtig und glänzend gewesen sey, er, der durch den rothen und weiſsen ♀ des feurigen Wassers ✡ aus dem Schmajm formirt wurde.

Adam war mehr ein Wesen, zusammengesetzt aus zwey Actionen, männlich und weiblich, aber deſswegen nur eins, und die ganze Schöpfungskraft lag in Ihm eingeschlossen.

Er war auch, wie wir schon sagten, herrlich, durchsichtig und glänzend; Nur der Sohn der Morgenröthe war in seiner Verklärung vortreflicher als Er, nach seiner Verwerfung aber, übertraf Adam die Herrlichkeit aller heiligen Geister.

Das

Das Bild des Unendlichen wohnte in Ihm. So wie der Unendliche nach dem Fall des Sohns der Morgenröthe, über alle verklärte und sichtbare Schöpfungen herrschte, so herrschte Adam unumschränkt unter Ihm, in voller Herrlichkeit von Eden aus, über die ganze sichtbare Schöpfung.

Und hier sahe der Unendliche, daſs die Tagwerke Elohims vollkommen gut waren. Elohim ruhete.

Dies war die fixe Lage Adams in Eden, die der ehemalige Sohn der Morgenröthe vollkommen kannte.

Dieser war der gemeinschaftliche Widersacher des Unendlichen und Adams.

Er sahe sein ehemaliges Bild in Adam, und plötzlich entstand in ihm der Entwurf, leztern in sein begangenes Verbrechen zu ziehen.

Adam, der die ganze Schöpfung beherrschte, fand in dem unermeſslichen Raum der sichtbaren Schöpfung nichts, das ihm gleichen konnte und doch wünschte er es sich, um seine Herschaft vermehrt zu sehen: Und hier begann er das, was die Mago-Cabalisten im theosophischen Verstande, den Ehebruch des freien Willens nennen. Jehova Elohim (oder die Richter im Glanze der Barmherzigkeit) lieſs daher einen tiefen Schlaf auf Adam fallen. Jeder Schlaf sezzet zum Voraus eine Ursach von Ermüdung, von Arbeit u. s. w. Und dies war der erste Schlaf der Begierlichkeit.

Hier schied Jehova-Elohim das Wasser von dem Feuer, nahm das Wasser und bauete daraus das Weib. Da Adam vom Schlaf überfallen wurde, manifestirte sich zum erstenmal, wie

N

gesagt, sein geistiges Vergehen, und in eben diesem Augenblick war auch in ihm der geistige Anfang des Bluts und Lebens, d. i. es war in ihm Geist, Blut und Leben, nach dem Bild der finstern Welt.

Adam sahe das Weib, da er erwachte, und sprach: das ist doch Fleisch von meinem Fleisch und Bein von meinem Bein.

Jehova-Elohim wieſs dem Adam den Baum des Lebens, und jenen der Erkenntniſs des Guten und des Bösen.

Der Baum des Lebens aber war Adam selbst, und jener der Erkenntniſs des Guten und des Bösen war das Weib.

Esset nicht davon, sprach Jehova-Elohim, denn sonsten werdet ihr des Todes sterben.

Aber das Weib, lüstern nach der unsterblichen Herrschaft, erkannte die Schöpfungskraft Adams, zu der sie ihn beredete.

In eben diesem Augenblick wurden sie Fleisch, Bein, Leben, Blut nach thierischer Art, denn der Tod hatte sich ihrer bemächtigt.

Sie sahen, daſs sie nackend waren, und daſs für sie in Eden keine Nahrung mehr wäre, denn es hungerte sie nach thierischer Art, und diese Nahrung fanden sie nicht in Eden.

Jehova-Elohim verwarf dann den körperlichen Menschen in Eden, und sezte ihn und das Weib auf die finstere materielle Erde.

Hier war er aus der Wohnung der Seeligkeit und des Friedens gestoſsen, und in Quaal und Wehe geworfen.

Adam hatte aber mit sich auf die Erde keine andere geistige Strafe, als den Tod gebracht, die körperlichen Strafen aber sind ohne Zahl.

Jehova-Elohim hatte übrigens alle Macht, Kraft und Herrlichkeit, die Adam in der Verklärung besaſs, in ihm eingeschlossen, in dieser körperlichen Hülle liegt alles geistigerweise verborgen.

Aber Jehova-Elohim hatte ihm und seinen Nachkommen auferlegt, daſs sie diese Erkenntniſs nur mit Mühe, Sorgen und so zu sagen, mit äuſserst demüthiger Gewalt suchen, und nur in Reue und Buſse finden können.

Dies ist das Geheimniſs der Sünde, die man im profanen Verstande, die Erbsünde nennt, und die eins mit dem Tode ist, und die geistigerweise immer in uns eingeschlossen liegt.

Sie sehen also, meine Geliebten, daſs alles in allem im Menschen concentrirt ist; wer nun so glücklich ist, es in sich selbst zu finden (denn sonst findet er es nirgends,) der wird so herrlich seyn wie Moses, dessen Grab Niemand gesehen hat.

Dies ist alles, was über die zwey ersten Kapitel zur zweiten Probestuffe zu erläutern war.

Mehr davon werden Sie in der ersten Hauptstuffe hören.

(Unterschrift wie Seite 183.)

Ceremoniel

der Tafel der beiden Feste, als des neuen Jahres und Johann des Evangelisten des hochwürdigsten Ordens der Ritter und Brüder St. Johann des Evangelisten aus Asien.

I. Die Tafel sey ein vollkommenes Quadrat, dessen drey Seiten besetzt seyn, die vierte aber offen und unbesetzt seyn muſs, z. B.

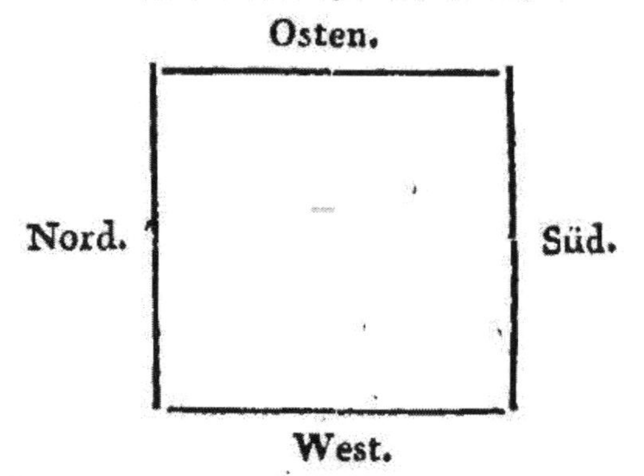

Ost, Nord und Süd wird hier besezt werden, und die Seite von Westen muſs offen und unbesezt seyn.

II. Alle einheimische und fremde Obermeister und ihre zwey zugegebenen Meister haben ihren Sitz in Osten: zur Rechten und zur Linken in Osten sitzen alle Brüder der ersten Hauptstuffe, welche vorgesetzte Meister einer Meisterschaft sind.

III. Alle einheimische und fremde Brüder der ersten Hauptstuffe, die nicht vorgesetzte Meister einer Meisterschaft sind, sitzen in Norden oder zur Rechten.

IV. Alle einheimische und fremde Brüder der ersten und zweiten Probestuffe sitzen zur Linken.

V. Der älteste anwesende Obermeister, oder in dessen Abwesenheit der älteste vorgesezte Meister einer Meisterschaft, hat eine Glocke neben sich zu stehen, womit er das Ceremoniel unter den Brüdern in Ordnung dirigirt.

VI. Nach dem Niedersetzen zur Tafel.

Der dirigirende Meister: Das Geheimniſs des Ewigen, denen die ihn fürchten, Ihnen werde sein Bund verkündet.

Hierauf seine beiden Assessoren in Osten sizzende:

Durch die Barmherzigkeit des Unendlichen wurde uns dies Geheimniſs durch geheime Wege und Mittel von Generationen zu Generationen aufbehalten, und durch die Güte der allerhochwürdigsten 7 Väter und Brüder, Vorsteher der 7 unbekannten Kirchen in Asien, endlich mittelst des hochwürdigsten kleinen Synedrions liebvoll mitgetheilet, wofür wir Ihnen Ehrfurcht, Danksagung, warme Herzen und thätige Liebe lohnen.

Der dirigirende Meister: Die Geheimnisse des heutigen Freudenfestes sind heilig, hoch und erhaben.

Die beiden in Osten sitzende Assessoren:

Schon die Brüder der ersten und zweiten Hauptstuffe sind davon vollkommen unterrichtet.

Der dirigirende Meister: Die Ehre Elohims heischt es, das Werk zu verheimlichen.

VII. Mitten im Essen.

Der dirigirende Meister: Warmen herzlichen Dank dem unendlichen Schöpfer, unser aller Vater, der da ist 1 in 3, und 3 in 1.

Die beiden Meister: Ehre dem Vater der Schöpfung und herzlichen Dank, der uns, Söhne Adams auserkohren, Blicke ins Innerste seines Heiligthums zu werfen.

Der dirigirende Meister fällt ein: Und im geöffneten heiligen Buche der 7 Siegel, Schöpfungskunde zu lesen.

Der erste der beiden Meister zur Rechten: Zu kennen die rothe Erde, woraus er unsern Vater Adam erschuf.

Der zweite zur Linken: Zu wissen, die Geheimnisse des Quadrats und seiner offenen Seite, als die Auflösung des Buchstabens Beth, womit er die Welt erschaffen.

Der dirigirende Meister: Ehre, ewiges Wohl und herzlich innigen Dank dem Landesfürsten, unter dessen Schutz wir ruhig und in Frieden den Lehren und Geheimnissen unsers geheiligten Ordens nachhangen können.

Die beiden Meister: Ehre, ewiges Wohl und unser lezter Lebens-Odem sei ihm zum Dankopfer von unserm Orden stets bereit.

Hierauf wird auf seine Gesundheit getrunken, und von allen Brüdern beantwortet.

VIII. Hierauf trinkt der dirigirende Meister auf die Gesundheit des allerhochwürdigsten großen Synedrion.

Auf das Heil, auf das beständige Wohl

und Gesundheit der allerhochwürdigsten Väter und Brüder des allerhochwürdigsten grofsen Synedrion.

Wird von allen Brüdern beantwortet.

Der dirigirende Meister: auf die Gesundheit des hochwürdigsten obersten Ordens Grofsmeisters und des kleinen Synedrions. Auf das Heil, auf das beständige Wohl und Gesundheit unsers hochwürdigsten und weisen Vaters und Bruders, unsers geheiligten Ordens obersten Grofsmeisters und des hochwürdigsten und weisen versammleten fürwährenden kleinen Synedrion.

Wird von allen Brüdern beantwortet.

Der dirigirende Meister: Auf das Heil, beständige Wohl und Gesundheit unsers hochwürdigsten General-Ordens-Obermeisters und des hochwürdigsten General-Kapitels.

Wird von allen Brüdern beantwortet.

Der dirigirende Meister: Auf das Heil, beständige Wohl und Gesundheit unserer hochwürdigen 4 Provinzial-Obermeister und der hochwürdigen 4 Provinzial-Kapitel.

Wird von allen Brüdern beantwortet.

Die beiden assistirenden Meister, und die übrigen Brüder trinken auf die nemliche Art auf die Gesundheit des dirigirenden Meisters.

Der dirigirende Meister trinkt hierauf auf obige Art auf die Gesundheit der 2 assistirenden Meister, und der übrigen Brüder.

Endlich trinken die Brüder auf die nemliche Art auf die Gesundheit der beiden assistirenden Meister, und aller an- und abwesenden Brüder in Osten, Westen, Süden und Norden.

Nach geendigter Tafel.

Der dirigirende Meister: Der Vater der Schöpfung, der 1 in 3 und 3 in 1 ist, der die Natur in 2, das 1 ist, und in 1 das 3 ist, geschaffen und gebauet hat, verleihe unsern Arbeiten seinen Seegen.

Der erste assistirende Meister zur Rechten: Er segne uns mit dem Segen der Patriarchen.

Der zweite assistirende Meister zur Linken: Mit dem Thau des Himmels, und mit der Fette der Erde.

Der dirigirende Meister: Er tränke uns dereinst aus den Bächen Edens mit wässerigem Feuer und Balsam des Lebens.

Der erste assistirende Meister zur Rechten: Aus dem Kelch, aus dem Esdra getrunken.

Der zweite assistirende Meister zur Linken: Die überwinden, werden nicht sehen den zweiten Tod.

(Unterschrift wie Seite 183.)

Eröffnung des Aufnahme-Kapitels.

Frag. Was war im Anfang?
Antw. Das Wort.
Frag. Wo?
Antw. Bei Gott.
Frag. Und was ist das Wort?
Antw. Gott.
Frag. Was war im Wort?
Antw. Das Leben.
Frag. Was ist also Gott?
Antw. Der Anfang, das Wort und das Leben.
Frag. Und der Anfang, das Wort und das Leben?
Antw. Sind eins.
Frag. Wer giebt Zeugnifs von dieser Wahrheit?
Antw. Johann und die sieben Gemeinden.
Frag. Melden Sie hochwürdiger erster Meister, dies Zeugnifs unsern eingeweihten Brüdern!
Antw. Der Geist sagt, durch Johannem den Gemeinden von Smirna: Wer Ohren hat, der höre, was der Geist den Gemeinden sagt: Wer überwindet, dem soll kein Leid geschehen, von dem andern Tod.

Schliessung des Kapitels.

Frag. Was ist nun das Ende?
Antw. Der Anfang.
Frag. Wer ist nun der Anfang?
Antw. Gott.
Frag. Wer ist also Gott?
Antw. Der Anfang und das Ende.
Frag. Und wer sind der Anfang, das Ende, und Gott?
Antw. Eins.
Frag. Wer giebt Zeugniſs von dieser Wahrheit?
Antw. Johann und die sieben Gemeinden von Asien.
Frag. Melden Sie hochwürdiger erster Meister, dies Zeugniſs wörtlich unsern eingeweihten Brüdern!
Antw. Ich bin das A und das O, der Anfang und das Ende, spricht der Herr, der da ist, der da war, und der da kommt; ich bin der Erste und der Letzte.

Erläuterung über das Buch von sieben Siegeln.

Das Buch von sieben Siegeln ist jenes Buch, welches nach dem Fall des Sohns der Morgenröthe geschlossen, und endlich bei dem Fall Adams ganz versiegelt worden.

Dieses Buch schloſs die Erkenntniſs aller geschehenen, aller gegenwärtigen und aller zukünftigen Dinge in sich.

Dies Buch bestand aus zehn Blättern und seine gemeine Zahl war 70, die geheime Zahl aber auf 72 gesetzt.

Johann der Evangelist spricht in seiner Offenbarung von einem Buch mit sieben Siegeln, und alles was er davon sagt, und alles was darin enthalten ist, schlieſst ein heiliges Dunkel ein.

Aber dies Buch liegt in der unergründlichen Allmacht des Unendlichen.

Es ist der Inbegriff der verklärten und sichtbaren Schöpfung, der Zerstörung der finstern Welt und des Verbannten durchs Feuer.

Es ist mehr der Inbegriff des natürlichen Gesetzes und Gewissens der Menschen, und in ihm ist geschrieben, alles, was in und was auſser der Zeit ist.

Da der Unendliche den Sohn der Morgenröthe verwarf, in Eden aber den Herrscher der sichtbaren Schöpfung gesetzt hat, und da dieser nach dem Ehebruch des freien Willens durch Hülfe des Baums des Lebens, die Erkenntniſs des Guten und Bösen in sich fand, und zufolge dieser That, wie Sie meine Geliebten, schon allbereits gehört haben, auf diese finstre Welt samt dem Weib verworfen wurde; so hätte der Unendliche das Buch von zehn Blättern versiegelt.

Das Buch von zehn Blättern ist aber das Bild des Unendlichen, in welchem der Sohn der Morgenröthe, und nach seinem Fall Adam, alles wie in einem Spiegel sehen oder im Buche lesen konnte; und es ward also Beiden, einem jeden nach seiner Art, nichts verborgen.

Hier war es, wo die Linie vom fixen Osten sich ins Unendliche verlohr, von welcher der Sohn der Morgenröthe seine ganze Majestät und Herrlichkeit erhielt, und sie der ganzen verklärten Schöpfung mittheilte, und hier war es, wo Adam in seiner Verklärung die Macht erhielt, über die ganze sichtbare Schöpfung zu herrschen.

Nach Adams Vergehen war das Buch mit 7 Siegeln versiegelt, diese 7 Siegel sind die 7 allgewaltigsten Geister, die der Unendliche um sich her lagerte, und die auch öfters die 7 Engel, die sieben Donner, und die 7 Zeiten genannt werden. Man nennt sie auch die 7 Gaben des heiligen Geistes, und unter dieser Benennung erscheinen sie in der moralischen Auslegung des Gesellen-Tapis der Freimaurer-Ritter.

Sie können nun sehr leicht urtheilen, meine Geliebten, wie unendlich schwer es sey, in diesem Buche zu lesen, weil Sie nicht eher darin lesen können, Sie haben denn zuvor die Siegel geöffnet.

Die Kraft diese Siegel zu öffnen, liegt wirklich in Ihnen verborgen. Ein einziger Schlüssel öffnet sie. Diesen Schlüssel müssen wir in Schamajim suchen, denn er ist aus △ und ▽ zusammengesetzt, und auch die Schamajim liegt in ihm verborgen.

Das erste Siegel aber heifst Michael, das 2te Gabriel, das 3te Raphael, das 4te Anuel, das 5te Samoel, das 6te Zachariel und das 7te endlich Oriphiel, und diese sieben Siegel schliefsen seit Adams Fall sieben Perioden in sich, die Sie zu seiner Zeit erfahren werden.

Das erste Siegel heifst also Oriphiel, es ist die Erde, und diesem folgen die andern sechs der Reihe nach, bis zum ersten, d. i. bis zum ersten hinauf.

Bei dem Siegel: die Erde, müssen Sie den Verstand des Worts Adahma suchen und sehen, wie unendlich gröfser von jenem, das Eretz heifst, unterschieden ist, und so wie Sie hier die körperliche finstre und sichtbare Erde von der verklärten unterscheiden müssen; eben so sehr müssen Sie Wasser, Luft und Feuer als die elementirten Körper unsers Systems von jenen unterscheiden, die in dem Wort Adamah eingeschlossen liegen.

Der Himmel, von dem hier die Rede, ist der himmlische Schwefel, ein Licht, und in diesem Verstande ein Licht und Feuer, welches erquickend und angenehm ist, und in welchem das Leben und die Erhaltung aller Wesen und aller Dinge, ein jedes nach seiner Art, verborgen liegt, auch wird dieser Schwefel Schmajm, d. i. wie Ihnen bekannt seyn mufs, Asch und Majm oder △ und ▽ genannt, und in ihm liegt also das ▽ oder der ☿ der Weisen, welcher durch das urständliche 🜍 verbunden ist, im heiligen Geheimnifs verwahrt; alles dieses ist eigentlich der himmlische ☿, das radicale Menstruum der Natur, welches alle Körper aufschliefst, und in ihr erstes Wesen zurückbringt.

Dies Menstruum ist aber auch 🜍 und ♀ und

so wie im Himmel der Vater, das Wort und der Geist drei Zeugen, und doch eins sind, so ist in Adamah Leib, Seele und Geist; und auf Erden der Geist, das Wasser und das Blut.

Hier sind nun fünf Siegel, auf welche das sechste, nemlich das Buch der Natur des Menschen folgt.

Das Buch der Natur des Menschen aber schlieſst in sich die Erkenntniſs des Unendlichen, die ewige selbstständige Weisheit, diese Erkenntniſs liegt in Adamah verborgen, und diese endlich ist mit dem siebenten oder lezten Siegel verschlossen. Dieses ist der allgemeine Schlüssel des Ganzen.

In ihm liegt die Gröſse, die Unbildlichkeit und Unbegreiflichkeit des Unendlichen, seine ewige selbstständige Weisheit, die Kraft, die Macht und Herrlichkeit, welche der Sohn der Morgenröthe in seiner Verwerfung hatte, und jene, die er noch in der finstern Welt ausübt, die verklärte Herrschaft Adams und sein Fall, die Erkenntniſs aller Wesen, sind sie gleich in, oder auſser der Zeit, d. i. sind sie gleich verklärte Geister, elementirte Geistkörper oder wirkliche Körper, die ächte Religion, oder Mago Cabala, der Gebrauch des himmlischen ⊖, ☿ und 🜍, oder das vereinte Schamajim, der eigentliche Verstand, das Wort des Todes und was unmittelbar aus diesem folgen muſs, d. i. der Uebergang von dieser finstern Welt, in die verklärte, welches geschieht, wenn der himmlische Mercur oder der Mercur der Weisen sich von uns trennt, mit eins, die Erkenntniſs aller Dinge, welche geschehen sind, wirklich geschehen, und in Zukunft geschehen werden, ist darin geistigerweise verborgen.

Dies alles, meine Geliebten, ist in Adamah, in dieser rothen jungfräulichen Erde in diesem heiligen ⊖ versiegelt.

So weit erstreckt sich die Erkenntniſs der sieben Siegel für die zweite Probestuffe; was mehr davon zu sagen ist, werden Sie, meine Geliebten, in der ersten Hauptstuffe hören.

(Unterschrift wie Seite 183.)

Dritter Theil.

Die erste Hauptstuffe des hochwürdigsten und weisen Ordens der Ritter und Brüder St. Johann des Evangelisten aus Asien in Europa.

Erster Abschnitt.

Die Zurichtung des Aufnahme-Zimmers und die Aufnahme betreffend.

§. 1. Das Kapitel der Aufgenommenen, das ist, das Zimmer wo die Aufnahme vorgenommen wird, soll schwarz ausgeschlagen und mit weissen Rahmen versehen seyn, der Fussboden des Zimmers soll auch schwarz ausgeschlagen werden, Tische und Stühle schwarz überzogen seyn.

§. 2. Sieben goldene Leuchter sollen dies Zimmer beleuchten, von welchen sechs mit fünf Armen, vor und rückwärts zu zwei und zwei von dem mittlern, gleich weit hangen, der mittlere aber stellet eine menschliche Figur vor, die mit einem Kleide angethan, und um die Brust mit einem goldenen Gürtel umgürtet ist.

§. 3. In der Mitte des Zimmers oben an stehet der Armstuhl des hochwürdigen Obermeisters auf einer Erhöhung von drei Stuffen, unter einem schwarzen viereckigten Thron-Himmel, dessen hintere Wände in zwei Theile getheilt, durch sieben verschlungene Quäste zu

drei

drei und drei auf jeder Seite, und vorn mit einer gezogen werden. Hinter dieser Wand ist das Allerheiligste, d. i. hinter dieser Wand findet sich ein Geländer von zehn Säulen, von welchen gerade an, eine schräge hohe einzige Stuffe, beide von Gold zu sehen sind. Auf dieser Stuffe zeigt sich das Bild der Sonne, in einem gleichen Dreieck eingeschlossen, welches unter einem viereckigten goldenen Thronhimmel ruhet, der mit drei goldenen Quasten gezieret ist.

Das Ganze aber umgiebt ein heilig magisches Feuer. Unter dem mittlern Leuchter liegt der Tapis der Freimaurer, Ritter, Lehrlinge, Gesellen und Meister, in einem Stück und dreien Abtheilungen mit neun Leuchtern umgeben, die das Zehende drei Schritte davon in der Entfernung stehen haben; über der Mitte dieses Tapis hängt der §. 2. erwähnte siebenarmigte goldene Leuchter; rechter Hand am Fuſs des Throns liegen auf kleinen Tischen und Kissen ein geflammtes Schwert, auf welchem die Zahl 56 schwarz eingeätzt ist, und ein grüner Stab mit zwei rothen Enden, in Form zweier Balken, und linker Hand das Gesetzbuch des Ordens.

§. 4. Wenn nun der Tag zur Aufnahme eines Bruders der zweiten Probestuffe (der aber niemals der Ruhetag der Woche, Sabbat, Sonnabend oder Sonntag seyn darf) festgesetzt ist, so verfügen sich die Glieder des Kapitels um sieben Uhr Abends, und niemals früher, an den zur Aufnahme bestimmten Ort.

§. 5. Wenn nun der Neuende (d. i. der Aufzunehmende) gegenwärtig ist, so wird er in

O

ein besonderes Zimmer geführt, und der Bruder Einführer verfügt sich zu ihm.

§. 6. Nun hält der Einführende an den Reuenden eine kurze Rede, deren Hauptinhalt seyn muſs, daſs er den Reuenden zu drei wiederholten malen bittet zurückzutreten.

§. 7. Wenn nun der Reuende fortfährt, um seine Aufnahme anzusuchen, so verfügt sich der Einführende zu denen im Vorzimmer des Kapitels an einer runden Tafel vesammleten Brüdern, und meldet ihnen, daſs der Reuende ihren Befehl erwartet.

§. 8. Hier antwortet der Secretair des Kapitels, daſs er soll eingeführt werden.

§. 9. Der Einführende bringt den Reuenden an die Thür des Zimmers, am Fuſse der Thür läſst er ihm folgende, in einem rothen Schild, mit goldenen Lettern bezeichnete Legende beobachten. „Hier ist die Thür des Ewigen, Gerechte gehen da hinein.“ Dann klingelt der Einführende mit der bei sich habenden Glocke zweimal.

§. 10. Der Secretair antwortet ihm mit einem Klang.

§. 11. Nun wird der Büſsende eingeführt, und am Ende des Tisches gestellt, wo ihm der einführende Bruder zu dreimalen das Meisterzeichen machen läſst.

§. 12. Das Kapitel danket ihm mit Beugung des Haupts.

§. 13. Gleich nach diesem macht der Secretair des Kapitels an den Büſsenden folgende Erklärung:

a. Wie er (der gegenwärtige Bruder der zweiten Probestuffe) durch drei Obermeister der Ritter und Brüder St. Johann des Evangelisten, die für ihn ihre Bürgschaft gesetzt, zur Aufnahme in diesen Orden wäre vorgeschlagen.

b. Wie er aus dieser Ursach von dem hochwürdigsten und weisen kleinen fürwährenden Synedrion wäre dazu angenommen worden.

c. Und also folgenden Eid zu unterzeichnen hätte.

§. 14. Ich N. N. des Ordens der Ritter und Brüder St. Johann des Evangelisten aus Asien in Europa, der zweiten Probestuffe Mitglied, verspreche bei dem einzigen Gott, und bei den Pflichten eines ehrlichen Mannes, daſs ich alle und jede Geheimnisse und Punkte, die mir von dem hohwürdigsten Kapitel der Ritter und Brüder St. Johann des Evangelisten aus Asien in Europa werden vorgelesen werden im Fall und gesetzt, daſs mir diese nicht annehmlich und folgsam wären, als ungesehen, ungehört oder ungelesen erkennen will; dergestalt, daſs ich ihre Entdeckung selbst durch die äuſserste Kräfte der Natur als ganz unmöglich erkläre; N. N. in dem Kapitel der Ritter und Brüder St. Johann des Evangelisten aus Asien in Europa, der Provinz N. N. den N. Tag des N. Monats, im Jahr der Reforme N. —

§. 15. Wenn der Büſsende den §. 14. bestimmten Eid unterzeichnet hat, so werden ihm die Unterwerfungspunkte mit dem Anhang vorgelesen, daſs er, sollten sie ihm nicht annehmlich seyn, unter den Bedingungen des unterzeichneten Eides zurücktreten könnte.

§. 16. Hier werden die vom allerhochwürdigsten und weisesten groſsen Synedrion bestimmte allge-

O 2

meine Unterwerfungspunkte vorgelesen. vid. allgemeine Gesetze 1. Abschnitt. Art. 1. inclusive.

§. 17. Wenn dem Büfsenden die Unterwerfungspunkte nicht annehmlich wären, so wird er mit Erinnerung der §. 14. §. 16. freundbrüderlichst entlassen, sind sie ihm aber im Gegentheil annehmlich, so wird er ebenfalls ersucht sie zu unterzeichnen.

§. 18. Sobald er diese unterzeichnet, so wird er ersucht abzutreten. Der einführende Bruder führt ihn ab mit der Erinnerung, dafs er in einer sehr kurzen Zeit, um ihn abzuhohlen, kommen wird.

§. 19. Dann wird das Kapitel-Zimmer zur Aufnahme eröffnet, und der Eingang der Glieder auf folgende Art vorgenommen.

a. Der einführende Bruder.

b. Die Aufgenommenen zwei und zwei.

c. Der Aufgenommene, Einnehmer und Secretair.

d. Der erste und zweite Meister.

e. Der Obermeister.

f. Der Schwerdtträger.

§. 20. Wenn nun alle ihre gewöhnliche Stellen, wie im nachfolgenden zu sehen, eingenommen haben, so wird das Kapitel auf folgende Art eröffnet.

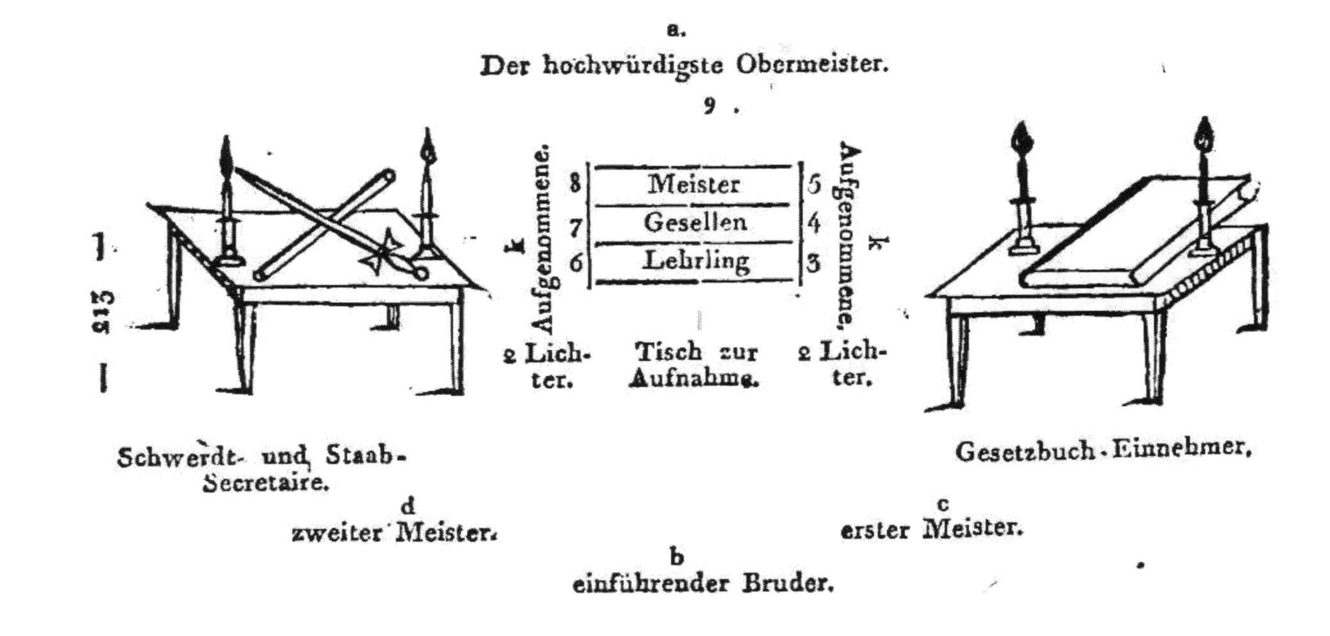
a.
Der hochwürdigste Obermeister.
9 .
k
Aufgenommene.
8
7
6
Meister
Gesellen
Lehrling
5
4
3
k
Aufgenommene.
2 Lichter.
Tisch zur Aufnahme.
2 Lichter.
Schwerdt- und Staab-Secretaire.
Gesetzbuch-Einnehmer.
d
zweiter Meister.
c
erster Meister.
b
einführender Bruder.

§. 21. Der hochwürdigste Bruder Obermeister klingelt dreimal, einmal, und also drei Klänge, dies wird vom ersten und zweiten Meister wiederholt, der Obermeister schliefset es dann mit einem Klang; dann frägt er, wie folget:

Eröffnung des Aufnahme-Kapitels.

Frag. Was war im Anfang?
Antw. Das Wort.
Frag. Wo?
Antw. Bei Gott.
Frag. Und was ist das Wort?
Antw. Gott.
Frag. Was war im Wort?
Antw. Das Leben.
Frag. Was ist also Gott?
Antw. Der Anfang, das Wort und das Leben.
Frag. Und der Anfang, das Wort und das Leben?
Antw. Sind eins.
Frag. Wer giebt Zeugnifs von dieser Wahrheit?
Antw. Johann und die sieben Gemeinden.
Frag. Melden Sie hochwürdiger erster Meister, dies Zeugnifs wörtlich unsern aufgenommenen Brüdern!
Antw. Der Geist sagt, durch Johann den Gemeinden von Smirna: Wer Ohren hat, der höre, was der Geist den Gemeinden sagt: Wer überwindet, dem soll kein Leid geschehen, von dem andern Tod.

§. 22. Nun klingelt der Obermeister, wie gewöhnlich, und wenn dieses in Ordnung beantwortet worden, so spricht er: hochwürdige Brüder, erster und zweiter Meister, hochwürdige Brüder Aufgenommene, erlauben Sie, den Büſsenden zu den Geheimnissen unsers Bundes aufzunehmen, zu dessen Erkenntniſs uns der Unendliche nicht ganz unwürdig fand.

Alle antworten, Ja! hochwürdigster Obermeister.

§. 23. Nach der allgemeinen Bejahung sagt der hochwürdigste Obermeister, wie folget:

Hochwürdiger Bruder Einführer, bringen Sie den Büſsenden an die Thüre des Kapitels.

§. 24. Der einführende Bruder gehet ab und bald darnach erscheint er an der Thüre des Kapitels mit dem Büſsenden, der zuvor seine Waffen abgelegt hat, die dem Bruder Schwerdträger zugestellt worden; und dann giebt er seine Gegenwart mit einem einzigen Klang zu erkennen, den die Glocke, die von auſsen gezogen wird, tönen läſst.

§. 25. Dieser Klang wird von innen durch den zweiten und ersten Meister, und dann durch den hochwürdigsten Obermeister wiederholt, dann wird die Thüre geöffnet, der Büſsende eingeführt.

Ueber der Thür läſst ihm aber der einführende Bruder folgende Legende in einem grünen Schilde mit goldenen Lettern beobachten.

> Und der Herr wird König seyn, über alle Lande. Zu der Zeit wird der Herr nur einer seyn, und sein Name nur einer.

Sobald dieses geschehen, so wird der Büſsende zwischen den Tisch und den einführenden Bruder gestellt.

§. 26. Nun wird dem Büſsenden die vom hochwürdigsten und weisen kleinen fürwährenden Synedrion ertheilte Erlaubniſs zu seiner Aufnahme vorgelesen, und gehörig protokollirt. Hier muſs aber angemerkt werden: ob der Büſsende mit oder ohne die in den Gesetzen bewilligte Befreiung aufgenommen worden.

§. 27. Sobald dies Protokoll in Ordnung verlesen worden, so spricht der hochwürdigste Obermeister: Hochwürdiger Bruder Secretair, fahren Sie fort, den Büſsenden zu unterrichten.

§. 28. Der Bruder Secretair hält dann folgende Rede an den Büſsenden.

§. 29. Um die Gesetze des Ewigen, um seine Allmacht, seine Herrlichkeit und seine Barmherzigkeit, um die Fülle seiner ungemessenen Weisheit kennen zu lernen, sind Sie, mein Sohn, hier eingeführt worden. Wir wünschen, daſs Sie mit eben dem aufrichtigsten Herzen, mit dem Geist des guten Willens, des Gehorsams und der Unterwerfung, mit der Liebe und dem Eifer zum Unterricht und zur einzigen wahren Lehre bei uns eintreten mögen. Wenn Ihr Wille, mein Sohn, gut ist, wenn Sie voll von wahrem Vertrauen, sich in den Schoos des reinen Lichtfeuers werfen wollen, so wollen wir Sie mit einem eben so gradem Herzen, mit dem besten Willen, mit all unsern Kräften, nach dem Ebenmaaſs der Ihrigen unterrichten. Wir wollen Sie bis zur Halle der sieben Bäume führen, Sie mit Ihrem rechtmäſsigen Erbe bekannt machen, Sie zum verlohrnen Mittelpunkt leiten, und mit dem Guten, mit dem allgewaltigen Guten vereinigen.

Mit eins, Sie von Stuffe zu Stuffe durch unsere Geheimnisse bis dahin führen, wo Sie im reinsten Lichte selbst verklärt wandeln können.

§. 30. Nach einer kleinen Weile spricht der hochwürdigste Obermeister, wie folget:

Wenn dem so ist, wie man Ihnen gesagt hat, wenn Sie Ihr innerstes Gefühl davon überzeugt, so treten Sie zum Tisch der Reinigung.

§. 31. Nun führen der erste und zweite Meister den Büſsenden zum Tisch der Reinigung, d. i. es werden ihm Kleid und Weste abgenommen und der rechte Arm bis zum Ellbogen entblöſst.

So wird er zum Tisch der Reinigung geführt, wo zwischen vier, auf drei Füſsen, d. i. auf drei Säulen stehenden Lichtern (deren jede Säule einen Mann und ein Weib, und die mittlere Säulen ebenfalls einen Mann vorstellen, in dessen Mittelpunkt ein Pokal von Kristall mit Wasser, in welchem dreifach Salz aufgelös't worden; bei diesem Pokal liegt ein Büschchen von Zedern- oder Tannenholz, welches mit Ysop, rosenrother und grüner Seide umwunden ist.

§. 32. Der zweite Meister heiſst den Büſsenden niederknieen, dann begiebt sich der hochwürdigste Obermeister ebenfalls dahin, und wenn er das Büschchen zu dreien malen ins Wasser getunkt, so spricht er, indem er ihm

a. den Nacken bespritzt: Der Barmherzige gebe Dir die Erkenntniſs deiner Waffen, deiner Lanze und der Zahl vier,

b. den rechten Arm bespritzt: der Allmächtige gebe Dir Stärke zum Streittreffen,

c. der Gerechte gebe Dir nach Deiner Treue, als einem Ueberwinder, Dein Ruhelager im Mittelpunkt.

§. 33. Wenn dies geschehen, so wird der Büſsende zurückgeführt, und angekleidet. Wann er angekleidet, so spricht der Hochwürdigste, wie folget:

Hochwürdiger erster und zweiter Meister, Hochwürdige liebe Brüder, bitten Sie den Unendlichen in Ihrer Seele, daſs er den Eid des angehenden Aufgenommenen segnen möge.

Gleich darauf wendet er sich zu dem angehenden Aufgenommenen und spricht:

Nun mein Sohn, geben Sie uns die lezte Probe Ihrer Unterwerfung, dies soll uns in den Stand setzen, Ihnen die erste unsers Zutrauens zu geben; sprechen Sie den Eid, den ich Ihnen werde ablegen lassen, und über dessen innerlichen Werth die Gerechtigkeit des Unendlichen urtheilen, und Ihnen lohnen, oder Sie strafen wird.

§. 34. Nach dieser Rede wird der angehende Aufgenommene rechter Hand an dem Tapis vorbei von dem ersten und zweiten Meister zu dem hochwürdigsten Obermeister geführt, der zu ihm, wie folget, spricht:

Mein Sohn, kommen Sie hier und legen Sie Ihre rechte Hand auf dieses Schwerdt, und Ihre Linke auf Ihre rechte Brust, und sprechen Sie: (bei den Worten und sprechen Sie, kehret sich der Hochwürdigste um, und öffnet das im ersten Abschnitt §. 3. bekannte Allerhöchste:) der Secretair lies't sodann folgenden Eid ab, den der angehende Aufgenommene klar nachsprechen muſs.

§. 35. Ich N. N. schwöre bei dem unbekannten und allein gültigen Recht der Natur:

1. Daſs ich ganz frei und ungezwungen nur mit der einzigen Absicht, keinem Wesen, wie es auch immer sey, zu schaden, wohl aber im Gegentheil jedem Mann zu frommen, in die-

sen Orden eingetreten bin. Ich wiederhole hier feierlich und so, als wenn ichs jetzt gleich buchstäblich mit Herz und Verstand und dem Munde wiederholt hätte, meinen im ersten Abschnitt unterzeichneten Eid, und die im nemlichen Abschnitt unterzeichnete sieben Punkte.

2. Dafs ich mit keinem heimlichen, theils dem Namen nach bekannten oder verborgenen Orden, er mag Namen haben, wie er will, sey es auch z. B. der Orden der Hierosolomitauer, der Adepten, der Strukten, der Magisten, der salomonischen Brüder der goldenen Rosenkreuzer, des alten oder neuen Systems u. m. à dgl. was die Geheimnisse, Aufnahme u. s. andere des hochwürdigsten Ordens der Ritter und Brüder St. Johann des Evangelisten aus Asien, nur im geringsten angehen kann, oder in Zukunft angehen könne, einen Verband eingegangen habe, oder eingehen will.

Dieses erkläre ich ebenfalls, ohne Rückhaltung, ohne Dunkel, oder eingebildeten Verstand, ohne Zweideutigkeit, kurz, ich erkläre mich darüber mit Herz, Verstand und Munde buchstäblich.

3. Ich verspreche diesen Eid heilig zu halten, und Niemand soll im Stande seyn mich davon loszusprechen.

Ueberhaupt aber schwöre ich allen Pflichten der Ritter und Brüder St. Johann des Evangelisten aus Asien durch mein ganzes Leben getreu zu bleiben. Sollte ich je eine einzige übertreten, so mögen meine Vorgesezten mich durch unbegreifliche Kräfte, des eben so unbegreiflichen Naturbandes, zum bedaurungswürdigsten Geschöpfe machen; so möge wider mich durch die ganze Ewigkeit die Macht des bösen Urwesens würken; so mögen die grimmigen lichtscheuenden Geister, die gewaltigen Fürsten der Finsternisse, alle Schrekken der Nacht wie eine dicke Wolke um mich versammlen, und alles Licht aus meinem Geist, aus meiner Seele und aus meinem Leibe weichen, und das gute Urwesen, welches Eins ist, und Drei, schliefse mich ewig von seiner Barmherzigkeit aus.

N. N. Im Kapitel St. Johann des Evangelisten aus Asien der Provinz N. den N. Tag, des N. Monats im Jahr der Reforme.

§. 36. Während dafs der Eid geleistet wird, so legen der Obermeister seine rechte Hand auf des angehenden Aufgenommenen Haupt, der erste Meister seine rechte Hand auf dessen rechte Schulter, der zweite Meister aber auf desselben linke.

§. 37. Sobald der Eid geleistet ist, so wird vom zweiten Meister das geflammte Schwerdt vom Tisch genommen, und dem ersten zugestellt, der es dem Hochwürdigsten übergiebt.

§. 38. Alle Brüder ziehen ihre Degen, der Hochwürdigste aber schlägt den angehenden Aufgenommenen, auf folgende Art zum Ritter, und zwar:

a. Auf die rechte Schulter.

Der Unendliche rüste Dich mit Stärke, Schönheit und Weisheit zum Streittreffen, zu welchem Du von Anbeginn Deiner selbst bestimmt warest, und er gebe Dir den wahren Geist der Erkenntnifs, damit Du wahr kennen mögest, was gut oder böse, rein oder unrein, heilig oder unheilig sey.

b. Auf die linke Schulter.

Wir nehmen Dich im Namen der hochwürdigsten und weisesten sieben Väter und Brüder, Vorsteher der sieben unbekannten Kirchen in Asien im versammleten grofsen Synedrion, dann im Namen des hochwürdigsten und weisen kleinen fürwährenden Synedrion der Ritter und Brüder St. Johann des Evangelisten aus Asien in Europa zum Ritter und Bruder feierlich und Kraft Deines Eides auf.

c. Auf das Haupt.

Der Unendliche gebe Dir das Licht der Zahl vier, und du wirst von dem zweiten Tod befreit seyn.

§. 39. Sobald dies geschehen, so heben die beiden Meister den Aufgenommenen auf, die Brüder stecken ihre Degen ein, und rufen zusammen:

a. Der Unendliche segne Dich, mein Bruder, ewiglich.

Der Obermeister aber küfst den Aufgenommenen auf die Stirne, dieser ihm aber die Hand, gleiches beobachten der erste und zweite Meister.

§. 40. Während dieser Zeit haben die beiden jüngsten Brüder den Huth, Degen, Mantel und Ordenszeichen dem zweiten Meister übergeben, der Stück vor Stück dem Obermeister übergiebt und zwar:

a. Den mit schwarz, weifs, gelb und rothen Federn gezierten Huth mit folgenden Worten:

Empfangen Sie hier, hochwürdiger Bruder, den Huth des Kapitels ihrer Stuffe zum Zeichen der Gleichheit und der Substanzen der Schöpfung und des ersten Menschen, zum Zeichen der Gleichheit der Menschen, ihrer Brüder und ihrer Herrschaft, über die Tagwerke der Schöpfung.

b. Den Degen, der mit einem Band und Quast der vier Hauptfarben geziert ist.

Empfangen Sie hier das Schwerdt des Herrn und Gideons.

c. Dieser schwarze Mantel, der, wie Sie sehen, weiſs gefüttert ist, die Kleidung ihres Kapitels, und zeiget ihre Farbe an.

d. Das an einem rothen Band hangende Ordenszeichen.

Sie sehen hier, hochwürdiger Bruder, das Zeichen des einzigen Mittlers, den nur der ächte Mensch kennt. Bald werden Sie seine Erkenntniſs erlangen, dies soll Sie erinnern, diese Wissenschaft tief in Ihr Herz zu prägen, und seiner Anweisung allezeit zu folgen.

e. Die Binde. Diese Binde mit der ich Sie umgürte, soll Sie an das Streittreffen Jakobs mit dem Engel erinnern.

f. DieseHandschuh, hochwürdiger Bruder, sind bestimmt, damit Sie seiner Zeit mit diesen Mitteldingen die Thaue des Himmels und die Fetten der Erde sammlen sollen. Auch werden Sie sich erinnern, daſs Ihnen Ihr Groſsmeister bei Ihrer Aufnahme als Freimaurer, Ritter und Lehrling zwei Paar Manns- und ein paar Frauenshandschuh verehrt hat. Was haben Sie nun mit dem zweiten paar Mannshandschuh gemacht? Ihr Groſsmeister trug Ihnen auf, sie wohl zu verwahren, weil Ihr Meister Sie zu seiner Zeit darum fragen würde.

§. 41. Wenn dies geschehen, so spricht der hochwürdige Obermeister wie folget: Die Aufgenommenen Brüder haben unter sich ein Zeichen und ein Wort, die sie von den Unheiligen unterscheiden.

Das Zeichen ist, Sie legen Hand in Hand.

Das Fragewort: Beer.

Antwort, die Fürsten gruben ihn.

Das Opferzeichen ist:

Sie legen beide Hände in einander, so, daſs beide Daumen aufwärts stehen, aufs Herz.

§. 42. Nun tritt der einführende Bruder hervor, und übernimmt den Aufgenommenen. Die beiden Meister gehen an ihre Stelle, der einführende Bruder bringt dann den Aufgenommenen bei den ersten und zweiten Meister, die ihn auf die Stirn küssen, und denen er die Hand küsset, von denen wird er weiter zum Bruder Secretair und Einnehmer geführt, und so von einem Bruder zum andern, die ihn alle einmal auf den Mund küssen.

Endlich wird er zum Schwerdträger gebracht, der ihm sieben Küsse, auf jeden Bakken drei und einen auf den Mund giebt, da er ihm zuvor mit bloſsem Schwerdt einen Schlag auf das Haupt gegeben hat; nun wird ihm der lezte Platz angewiesen.

§. 43. Der Hochwürdigste spricht dann wie folget: Hochwürdiger Bruder! Ich hätte Ihnen, wenn Sie nicht Bruder unsers Bundes wären, noch zum Schluſs viel zu sagen, was wir gute Sitten nennen. Wir nehmen dies Wort, meine Geliebten, im strengsten Verstande; ich will aber

Ihre Ohren mit keiner schwermüthigen Sittenlehre, nicht mit entlehnten Sprüchen, die die Gesetze des Unendlichen durch ihre üble Anwendung verletzen, kurz mit keiner Predigt ermüden. Lieben Sie den Unendlichen über alles; Er ist das höchste Gut, und er kann nichts ausser diesem wollen, lieben Sie Ihre Brüder mehr als Ihre eigene Erhaltung, und alle Menschen, Ihre Brüder, wie sich selbsten; dieses ist der Inbegriff, das unabänderliche Gesetz, unter dem wir von jeher gelebt haben, leben und allzeit leben werden. Lieben Sie sich unter einander meine Werthesten, seyn Sie duldsam, nachgiebig und verträglich, decken Sie die Fehler Ihres Nächsten mit frommer Hand zu, sprechen Sie niemals von Irrglauben und falschen Sätzen, flehen Sie den Geist der Bekehrung, es läuft gerade zuwider unsern Gesetzen.

Sie dürfen zwar Ihren Brüdern, die unter entfernten und abweichenden Systemen der Finsternifs leben, die Hand bieten, dafs sie als Reuende und Büfsende bei uns erscheinen. — Glücklich wenn sie Ihre Stimme hören — Sollte es nicht seyn, o! so lieben Sie die Irrenden wie zuvor; der Geist der Liebe und der Beruhigung, den Sie an Ihnen erblicken werden, wird sie unvermerkt zu Ihnen leiten; lieben Sie sich meine Brüder, lieben Sie sich unter einander — lieben Sie den Menschen, Ihre Brüder — lieben Sie Ihre Freunde und Feinde, und Sie werden glücklich seyn, weil Sie dann weise und tugendhaft seyn werden.

§. 44. Wenn der Hochwürdigste diese kleine Erinnerung gemacht, so klingelt er wie gewöhnlich

lich, und wenn diese Klänge wiederholt sind, so spricht er:

Hochwürdiger Bruder zweiter Meister, bringen Sie das heilige Feuer.

§. 45. Das heilige Feuer soll allezeit im Vorzimmer des Kapitels, durch die Kapiteldiener, die Freimaurer, Ritter und Meister seyn müssen, für die Aufnahmekapitel in Bereitschaft gehalten werden.

§. 46. Das heilige Feuer aber soll wie folget zubereitet seyn.

1. Spähne von Wachholder.
2. — — Aloe.
3. — — Brasilien.
4. — — Ceder oder Tannen.
5. — — Acacia.
6. — — Semmelmehl.
7. — — Mandelöhl.
8. — — Kohlen, die vorher mit Mirthen und Salz abgerieben worden.

§. 47. Wenn der zweite Meister dieses Feuer in ein Rauchfaſs, das einen liegenden Mann vorstellen soll, in dessen Eingeweide das Feuer liegt, herbeigebracht, so nimmt der hochwürdige erste Meister das in der Mitte des Tisches der Reinigung befindliche Rauchwerk, das in einem Behältniſs, so ein menschliches Herz vorstellet, verwahrt liegt. Beide verfügen sich dann zu dem hochwürdigsten Obermeister und knien bei ihm nieder.

§. 48. Der hochwürdige Obermeister wirft dann zu dreimalen Rauchwerken in das Rauchfaſs, der Rauch soll aber aus folgenden Spezien bestehen:

P

1. Manderogona	½ Loth.
2. Eisenkraut	½ —
3. Teufelskoth	1 Quintchen.
4. Storax Callmite	1 Loth.
5. Augstein	1 —
6. Mira	1 —
7. Nelken	1 —
8. Mutternelken	1 —
9. Zimmt	1 —
10. Saffran	1 —
11. Mastix	1 —

12. einige Federn aus dem rechten Flügel einer weissen Taube, die sehr fein geschnitten, und darunter gemischt seyn müssen.

§. 49. Alle Brüder Aufgenommene legen ihre rechte Hand flach auf die Augen, und die linke auf die rechte Brust, und rufen zusammen Choschech.

§. 50. Der hochwürdige Obermeister aber spricht: indem er die fünf Punkte macht. Der Unendliche, dessen Thron auf zwei unergründlichen Säulen ruhet, der im fixen Osten im Punkt des vollkommensten Lichts wohnt, auf dessen Wink Schöpfungen werden und vergehen, der seine Waffen in die Hände des Schreckens gegeben, und der die Waage im heiligen Gewicht hält — seegne Euch.

Bei den Worten: seegne Euch, räuchert der hochwürdigste erste Meister.

Von Aufgang gegen Mittag, und von Mittag gegen Abend, und von Abend gegen Mitternacht.

Während diesem Räuchern aber spricht der hochwürdigste Obermeister wie folget:

Jebarecha Adonai Wejischmerecha
Jäer Adonai Panas. Elecha Wichaneka
Jisa Adonai Panas. Elecha Wejasem Lecha Salam.

welches auf deutsch wie folget lautet:

Es segne Euch der Unendliche, und hüte Euch. Es erleuchte der Unendliche sein Antlitz über Euch und begnadige Euch.

Es neige der Unendliche sein Antlitz über Euch und gebe Euch Friede.

Bei den Worten: und gebe Euch Friede, kehret sich der hochwürdigste Obermeister um, und schliefst das Allerheiligste zu, und alle Brüder rufen: Es geschehe.

Schliefsung des Kapitels.

Frag. Was ist nun das Ende?

Antw. Der Anfang.

Frag. Wer ist nun der Anfang?

Antw. Gott.

Frag. Wer ist also Gott?

Antw. Der Anfang und das Ende.

Frag. Und wer sind der Anfang, das Ende, und Gott?

Antw. Eins.

Frag. Wer giebt Zeugnifs von dieser Wahrheit?

Antw. Johann und die sieben Gemeinden von Asien.

Frag. Melden Sie, hochwürdiger erster Meister, dies Zeugnifs wörtlich unsern eingeweihten Brüdern!

Antw. Ich bin das A und das O, der Anfang und das Ende, spricht der Herr, der da ist, der da war, und der da kommt; ich bin der Erste und der Letzte.

Nota.

Sobald die Aufnahme-Kapitel geschlossen worden, so sollen die dienenden Brüder einen Tisch, auf welchem vier Lichter brennen, bringen. Dieser Tisch soll schwarz bedeckt seyn; dann ist folgendes zu beobachten.

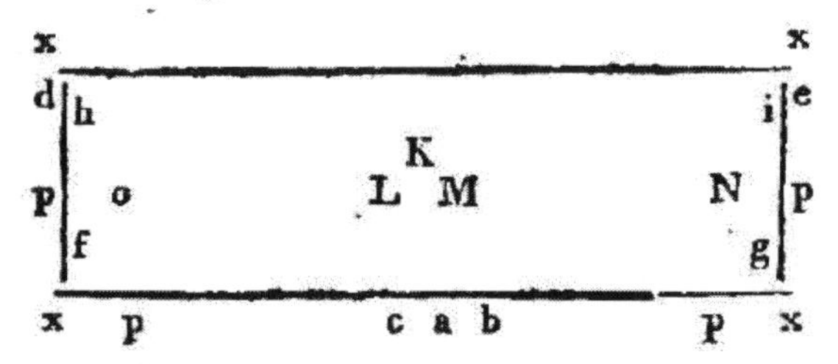

x der Tisch.
a der Obermeister.
b der erste Meister.
c der zweite Meister.
d der einführende Bruder.
e der Schwerdtträger.
f. g. h. i. Lichter.
K Salz in Kristall, mit einem dgl. Löffel.
L Brod.
M Wein.
N Lammfleisch, Schweinfleisch.
p p Brüder.

Alle Brüder waschen ihre Hände und nehmen ihre Plätze, alles stehet und ist bedeckt.

Der hochwürdigste Obermeister nimmt dann ein Stück Lamm- und ein Stück Schweinfleisch nebst Brodt, und spricht:

Hier ist das Zeichen des alten und neuen Bundes, Moses und Aron, und jenes von Christus und Johann.

Brod, Wein und Salz wird wie bei den Probestuffen vertheilt, und alle Brüder essen und trinken davon.

(L. S.)

Rosch. Hamdabrim. 

Pokeach Ibhrim. 

Thumim Bemahloth. 

Metibh Lackol.

Zweite und dritte Haupt- und Grundstuffe des hochwürdigsten und weisen Ordens der Ritter und Brüder St. Johann des Evangelisten aus Asien in Europa, so wie Schluſs und lezte Stücke des Ordens.

Erster Abschnitt.

Von der Zurichtung der Instructions-Stube.

§. 1. Die Stube, wo sich die Obermeisterschaft versamlet, soll so geräumig seyn, daſs sie 33 Brüder fassen kann.

§. 2. Mitten in der Stube soll ein ovaler Tisch stehen, der mit einem schwarzen Teppich überlegt ist. In der Mitte des Teppichs ist folgendes Zeichen mit weiſser Farbe oder Bändern ✡ eingewürkt.

§. 3. Vier Lichter sollen im Viereck gestellt auf dem Tisch stehen.

§. 4. In der Mitte des Signatsterns soll Sala in Kristall stehen.

§. 5. Das Instructionskapitel soll wie das Aufnahmekapitel geöffnet, und eben so geschlossen werden.

§. 6. Ehe aber das Kapitel geschlossen wird, so soll der Obermeister den gewöhnlichen Seegen sprechen.

Zweiter Abschnitt.

Erste Instruction.

Es war von Anbeginn in ungemessenen Ewigkeiten der Unendliche, und in ihm Vater, Sohn und Geist, Eins und Drei, Drei und Eins. Der Feinste des Verstandes, das allumkreisende Licht.

Alles was von ihm ist, war in ihm thätig und gut, so wie er das allervortreflichste Gut im unergründlichen Ebenmaſs ist, da wohnten in ihm alle jene unzählige Lichter, die ohne seine Allmacht zu vergröſsern, deren wahre Herrlichkeit in ihr selbst liegt, mit ungebundener Freiheit gut waren, weil der, der die höchste Güte ist, nichts anders als Gutes hervorbringt. Jedes Licht hatte seine Bestimmung, und es gab einige unter diesen, deren Bestimmung war, die ungebundene Freiheit im Mittelpunkt der Seeligkeit und des Friedens zu erhalten.

Diese Wesen waren Herrscher, deren Geschäft war, die ihnen untergeordnete Wesen in ihren gesetzmäſsigen Schranken einzuschlieſsen. Diese Wesen hatten von ihrem Urwesen Waffen und Stärke erhalten, und im Fall der Nothwendigkeit durch ihre Schönheit, die Weisheit des Unendlichen im hohen Glanze jenen darzustellen, die sich durch ihre übelangewandte Freiheit miſskennen wollten, sie zu bestreiten, wenn sie ihr wirklich widerstreiten, und da endlich das Streittreffen begann, sie durch die Stärke ihrer Waffen, und die Macht ihrer Lanze zu besiegen, und die Einheit, von der sie ausgegangen waren, zurückführen.

Alles dieses geschah zur Zeit, da das Licht

jeden Punkt erleuchtete, und jeder Punkt fühlte die Stärke seiner Kräfte.

Die ungebundene Freiheit übte aber zu diesen Zeiten und von Ewigkeit an, ihre Fähigkeiten nach dem Maaſse jener Entwürfe aus, die sie sich ohne Schranken machte.

Im Mittelpunkt dieser Ewigkeiten wohnten aber Herrscher über alle Wesen, die sichtbar oder unsichtbar, aber allezeit kenntlich dem herrschenden Wesen unterworfen waren. Aber eines unter ihnen, das vornehmste, gebot ihnen frei; dies Gebot aber hatte Schranken.

Doch waren diese Schranken von der Art, daſs sie konnten überschritten werden, weil sie frei waren. So begann das Streittreffen im Mittelpunkt der Zahl vier; aber die Herrscher, die im Mittelpunkt wohnten, verlieſsen ihn, und plötzlich nahm ein anderes wirkendes Wesen ihre Stelle ein; und der Unendliche zog in eben demselben Augenblick seine Lichtstrahlen, ich will sagen, die Strahlen des alles umkreisenden Lichts in seinen Mittelpunkt zurück.

Auf diese Art entstand Finsterniſs, und der Geist des Lichts schwebte über den Finsternissen, die Finsternisse aber begriffen ihn nicht mehr. Der Geist des Lichts aber war eine Geburt des Lichts selbst, und sein Licht war wirksam, denn ohne ihn und die Wirksamkeit seines Lichts würden die Finsternisse selbst nicht gewesen seyn, weil keine Finsterniſs ohne Beraubung des Lichts, und selbst ohne wirkliches Licht seyn kann.

Alle Wesen aber, die ihren Mittelpunkt verlassen hatten, deren ungebundene Freiheit sich von den Gesetzen der Einheit getrennt hatten, fielen in die Finsternisse.

Die Finsternisse bewegten sich, aber immer, weil Licht über ihnen und in ihrem Mittelpunkt war, und also begann durch die beständige Reibung und Erhitzung, endlich Trennung und Geburt.

So wurde Feuer und Luft, Wasser und Erde, und auf der Vesten der Erde entstanden Wesen, beinahe ohne Zahl; der Mensch, ein Wesen, das wohl einen Vater aber keine Mutter hatte, fiel von einem Mittelpunkt zum andern, und brachte mit sich seine Mutter.

Diese Mutter ist die Mutter des sichtbaren Geschlechts, des Geschlechts der Uebertreter und der Leidenden.

So kam der erste sichtbare Mensch von seinem Vater auf die Erde mit einer Mutter seines Geschlechts. — Der erste Mensch wohnte aber ehe im Mittelpunkt der Seeligkeit und des Friedens vereint mit dem höchsten Guten, von dem er ausgegangen war. In diesem Mittelpunkt der Seeligkeit und des Friedens hatte er aber auch die Erkenntniſs des warmen Guten. Er kannte den Werth der sieben Bäume, der 3430 Zweige, der 112 Wurzeln, auf denen er zum Theil mit Herrschaft trat, und die ihn zum Theil beschatteten, deckten und ernährten, und seinen Posten unzugänglich machten.

Alles dieses verlohr er aber, da er den Mittelpunkt verlieſs, zu dessen Vertheidigung er bestimmt war. Doch hatte er die Kenntniſs seiner selbst, seiner Würde und seiner Macht, in sich eingeschlossen. Diese Kenntniſs bestand in zehn Abtheilungen, die er von seinem Vater erhalten hatte; dies war ein Buch von zehn Blättern, dessen Bestimmung war, dem Menschen alles was war, was ist, und was künftig geschehen wird, in einem vorzulesen, ganz ausgedehnt vorzulegen.

Jedes Blatt dieses Buchs hat seine besondere Abtheilung, so handelt z. B. das erste von dem allgemeinen Principio oder von dem Mittelpunkt, aus welchem alle Mittelpunkte ohne Unterlafs ausfliefsen.

Das vierte von der Zahl der immateriellen Wesen, die denken, und was unter diese Zahl gehört.

Das fünfte aber von der Abgötterei und Faulung; das neunte von der Bildung des körperlichen Menschen in dem Leibe des Weibes, und von der Auflösung des allgemeinen und besondern Dreiecks, das zehnte aber war der allgemeine Inbegriff der vollkommenen Auflösung der vorhergehenden neun Blätter, und man konnte diese neun Blätter unmöglich ohne Beihülfe des zehnten verstehn.

Diese Kenntnifs blieb thätig, aber eingeschränkt. Da der Mensch ehemals alle zehn Blätter mit einem Blick übersehen konnte, so blieb ihm im Gegentheil keine andere Fähigkeit, als mit vieler Mühe Blatt vor Blatt zu studiren, und immer das zehnte bis zum lezten zu behalten. Diese Fähigkeit hat er noch in sich eingeprägt, sie ist die ächte Erkenntnifs des Unendlichen, des umkreisenden und des umgekreisten Lichts der Dinge, die da waren, der Schöpfung der Dinge, die da sind, und die da seyn werden.

Der erste unsichtbare Mensch verstand alles dieses, er kannte die zeitliche Zahl desjenigen, der die einzige wahre Stütze, die einzige Kraft, und die einzige Hoffnung des Menschen ist.

Ich sage, er kannte das reelle und physische Wesen, das zwei Namen und vier Welten hat, und das seine Bewegungen und Handlungen über die vier Welten ausdehnet.

Alles dieses kannte der unsichtbare Vater des sichtbaren menschlichen Geschlechts, der Mensch, der keine Mutter hatte, kannte alles.

Der sichtbare Vater konnte noch durch seine Weisheit den Winden und den Gewässern gebiethen, und er begriff klar den Verstand der zwei Säulen, worauf das Weltgebäude ruhet. Ich spreche ihnen hier von einem Menschen, den ich Adam oder den ersten Menschen aus rother Erde nennen, weil er der nächste ist, dessen Wirklichkeit Ihnen am natürlichsten seyn kann.

Adam hatte zwei Söhne, Kain und Abel, die vom Weibe gebohren, und die ersten körperlichen Menschen sind; der Vater, der den ganzen Werth der Wissenschaften kannte, die er besafs, hatte seine beiden Söhne in diesen unterrichtet.

Kain, dessen ganze freie Handlungen sich nach dem ersten Augenblick seiner Entstehung der wilden Freiheit naheten, war von der ungebundenen Freiheit Abels sehr unterschieden, Kain folgte dem Entwurf der Widersacher; Abel hingegen dem Entwurf seines leidenden Vaters.

Er suchte mit seinem Vater das Licht das sie kannten, das sie aber verloren hatten, im Lichte selbsten.

Kain suchte es im Gegentheil in der Finsternifs. Dies Gesuch der beiden Leidenden gebar Zwietracht in Kains Seele, und so entstand in ihm Fluch, Rache und Mord wider seinen Bruder; er tödtete ihn.

Abels Blut rufte von der Erde gegen den Himmel, und Kain wurde durch diese That flüchtig auf Erden und auf ihr verworfen, und die Erde wurde es zum zweiten mal mit ihm.

Hier erscheint die erste Parallele der Menschen; der erste Mensch, die Geburt des Lichts, der Kain des Guten, zwei Wesen von ihm entsprungen, beide leidend, wie er selbst ist. Eins gut, das andere böse.

Der erste sichtbare Mensch suchte leidend den rechten Weg, den er kannte, und den der Mensch ohne Mutter verlohren hatte. Abel suchte ihn ebenfalls, und dies war der erste Suchende von der Mutter, und der erste Leidende mit dem Vater.

Nach Abels Tod lieferte uns die Uebergabe den Namen eines Leidenden, welchen die jezzigen Brüder Freimaurer-Ritter von Osten bis Westen, und von Süden bis Norden Tubalkain nennen, die Bauleute von Osten gaben ihm gleich anfänglich diesen Namen.

Man nennt ihn einen künstlichen Bearbeiter der Metalle, weil er den Versuch wagte, die verlohrne Lanze, die aus vier amalgamirten Metallen bestand, herzustellen. Tubalkains Bemühungen waren nicht ohne Folgen, aber der sichtbare Mensch hatte sich in die Zahl 10 geworfen, und wandte sie mehrmalen böse an.

Ihre Zahl mehrte sich aber durch das Weib, und groſs an der Zahl widerstritten sie offenbar der himmlischen Weisheit. Es naheten sich die Zeiten der sichtbaren Gewässer; ehe diese kamen, waren die suchende Menschen im Mittelpunkt der Finsternisse.

Da die Kinder Gottes, sagte die Geschichte, die Töchter der Menschen beschliefen, wurden daraus gewaltige und berühmte Leute, diese Kinder waren zweifache Wesen, sie bestanden aus zwei Actionen, die andern aber waren von der Zahl der immateriellen Wesen, die denken.

Das war die Ursach, warum der Unendliche die Erde bis an die Grenzen strafte, die den sichtbaren Menschen einschlossen.

Da der sichtbare Mensch die Erde betrat, so wurde ihm auferlegt, daſs er sie im Schweiſse seines Angesichts bearbeiten, daſs er sich durch seine Arbeit nähren, seines Gleichen gehorsamen, und sich selbst zur Qual und Wehe seyn müſste.

Es war in ihm aber seine ungebundene Freiheit seines Buchs Blatt vor Blatt gelassen, und er erhielt alle Mittel, um von der Bürde des Reuenden und Leidenden von Qual und Wehe zur Seeligkeit überzugehen. Allein der Mensch, der von vier zu neun gegangen, und in 10 geworfen wurde, wird hartherzig und verstockt, die Zeit der Gewässer waren vorbei. Noa allein kannte den Altar noch, den er bei jedem Schritt vierfach sah, den Altar, der immer mit Lampen besetzt, die nicht verlöschen werden, den Altar, der so lange bestehen wird, als seine Lampen brennen werden.

Auf diesem Altar opferte Noa den Weirauch, den er immer und unzertrennlich bei sich hatte.

Er opferte in Seeligkeit und Friede. Henoch aber, ein ächter Abkömmling der Weisheit, welcher wuſste, daſs die Welt wechselsweise durch ▽ und △ untergehen müſste, errichtete zwei Säulen, die eine von Stein und die andere von Thon; in diese grub er alle Geheimnisse der Zahl, das Alter der Lampen, der Opfer, des Weirauchs, der sieben Bäume, der Zahl ihrer Zweige und Wurzeln und aller jener Dinge ein, die mit den Geheimnissen wirklich einigen Verband hatten. Er lehrte deren Bedeutung seinem Sohn Metusalah, dieser unterrichtete hierin seinen Enkel Noa, der mit seiner Familie sich in die Arche gerettet.

Nimrod, ein Sohn des Chus- und Enkel des Chams hatte den Verstand der beiden Säulen empfangen.

Die Allegorie der Stadt und des Thurms Babels, die er bauete, ist ein sehr hinlänglicher Beweis dieser Wahrheit, denn er erhielt, ob er ihn gleich aus Ziegelstein, Thon und Kalk bauete, eine solche Festigkeit und Schönheit, daſs der Herr, weil er zum voraus sahe, zu welchen Hochmuth die suchenden Bauleute durch Vollendung eines so wunderbaren Werkes würden verleitet werden, ihr Vorhaben nöthig fand, durch Miſskennung des Principiums aller Sprachen zu vereiteln.

Denn der Thurm sollte bis an die Sterne reichen, damit er hoch genug wäre, die Weisheit, welche die Säulen Henochs in dunkler Kürze vorstellten, und die durch die Gewalt der Gewässer eine zwar nicht beträchtliche Beschädigung erlitten hatten, mit deutlicher und vollständiger Erklärung zu fassen.

Sechs Jahr nach der Verwirrung der Sprachen wanderte Mizraim, der zweite Sohn Chams mit seinem Geschlechte aus Sina nach

Egypten, und übte dort einen grofsen Theil seiner Geheimnisse aus. Er war der erste, der seine öffentliche Lehre durch Hieroglyphen verbarg, und gewifs Prüfungen und Einweihungs-Gesetze vorschrieb, ohne welche Niemand zu den Geheimnissen gelangen konnte.

Diese Verfassung hat bis auf das Jahr 1822 nach der zweiten Strafzeit, wo Kambises, der König von Persien Egypten eroberte, und also 1662 Jahr seine unabänderliche Dauer.

In Kaldea wurden die Mysterien durch Sem, den zweiten Sohn des Noa fortgepflanzt, von welchem Abraham abstammte, welcher in der profanen Geschichte der erste Hermes genannt wird.

Die profane Geschichte setzt aber den ersten Hermes, dem Mann an, der im 427sten Jahr nach der Strafzeit der 40 Tage das Land der Kananiter bezog. Kanaan, Chams Sohn, der Enkel Noa, der gemeinschaftliche Stammvater der Phönitier und Egyptier, hatte aber von diesem die Geheimnisse verbreitet, doch ist weder dieser noch Noa selbst, der erste Hermes.

Selbst Tubalkain, der doch an der Amalgamirung der vier Metalle, und also an der Verfertigung der Lanze arbeitete, ist es nicht.

Der erste Hermis aber ist die Zahl vier.

Abrahams vornehmste Wissenschaft war, die Sternkunde, worin er den Kananitern so guten Unterricht ertheilte, dafs sie ihn beinahe vergötterten.

Bald erscheint der in der Geschichte bekannte zweite Hermes, nemlich Joseph, der Sohn Jacobs, der sie in Egypten erlernet, dieselben gegen die Geheimnisse der Einheit führte, bei ihren äuſsersten Grenzen aber stehen blieb, sodann diese Wissenschaft zur höchsten menschlichen Vollkommenheit brachte.

Moses, in Egypten erzogen, brachte diese wahre Kenntniſs des Buchs des Menschen auf einen weit höhern Grad, er übertraf in der Kenntniſs natürlicher Dinge alle Weise dieses Landes. Er verwandelte seinen Stab in eine Schlange, welche alle zu Schlangen gewordene Stäbe der egyptischen Manier verschlang.

Er schlug Wasser aus einem Felsen, bereitete den sogenannten Stein der Weisen, und machte ihn unter dem Namen Urim und Thummim zum priesterlichen Schmuck.

Nach Moses Tod, dessen Grab Niemand gesehen, zeigte Josua dem Volke durch Austrocknung des Jordans, daſs ihn Gott berufen habe, Moses Nachfolger zu seyn. Die merkwürdigste seiner Thaten war, daſs er durch das einzige: Sonne stehe, das Gleichgewicht der Punkte auf eine kurze unbestimmte Zeit im Ruhepunkt gesetzt hatte.

Von dem Feldherrn Josua bis auf den König Salomon waren bei den Juden Judas, Gideon, Samoel und David, die berühmtesten Leute der ächten Kenntnisse; die Geschichte nennt sie in Geheimnissen berühmt, ohne die verschiedene Anwendungen zu preisen, die sie davon gemacht hatten.

Es hatten zwar die andern Völker eben so berühmte Leute unter sich, allein die Anwendungen, die viele ihrer Glieder davon machten, verdienten noch weniger gepriesen zu werden, als es jene wirklich verdienten, die sie gerade von der Uebergabe empfangen hatten.

Salomo

Salomo der Sohn Davids, dessen Geburt ein feierlicher körperlicher Ehebruch und eine Mordthat merkwürdig machen, ist als der weiseste unter dem sichtbaren Geschlechte der Menschen bekannt, die bekannte Geschichte ist die Bewunderung seiner Gröfse. Salomo nahm es über sich, dem Volke, das er beherrschte, seinen Bundgenossen und seinen Feinden eine Idee seines Mittelpunkts zu machen, der mit der Zahl vier von dem unsichtbaren Menschen mit Waffen und Lanze beschützt worden.

Er bauete mit der Unterstützung Chirams, König von Tyer, dem Freund seines Vaters und Adoniram seines Baumeisters einen Tempel, der durch die Kostbarkeit seiner Materialien, und durch seine Regelmäfsigkeit alle Weltwunder übertrift.

Die Leuchter im Tempel, die Lampe, die mancherlei Blumen und Laub an demselben, Messer, Becken, Löffel, Näpfe, Rauchfafs, die Wände des Tempels, der Eingang und die Thüre am Hause waren Gold.

Salomo bauete aber die Halle, und drei Vorhöfe, dann erst sieben Stuffen, die zwei Säulen umschlossen.

Diese Art zu bauen, ist merkwürdig, am merkwürdigsten aber war die Thür zum Allerheiligsten, das Innerste war nur dem Priesterthum offen.

Hier konnten die Priester die Geheimnisse des Buchs des Menschen lesen, aber sie konnten niemals von 1 bis 10 das Ganze übersehen.

Nach Vollendung dieses Tempels wurden die Geheimnisse von jenen Menschen, die ihre Vorstellungen besorgt hatten, von den Bauleu-

Q

ten des Buchs des Menschen, die sich durch verschiedene Länder vertheilten, allenthalben ausgebreitet. In Judea aber blieben die Geheimnisse bis auf die Zeiten Christi beim Priesterthum; weil sie ihnen aber nur unter den Bildern, die in Salomos Tempel waren, vorgestellt wurden, und einige unter ihnen zu träge waren, die ächte Benamung zu studiren, so waren die Kenntnisse der Priester, laut den Zeugnissen der Zeiten so seichte, daſs sie ihrer gänzlichen Verlöschung nahe waren. Christus erschien, Christus der Sohn Maria, und mit ihm erschien eine allgemeine Art von Seeligkeit und Friede, die sehr merkwürdig ist. Christus der von seinem Vater, nicht von Joseph, der nur sein Ernährer war, in der ächten himmlischen Weisheit unterrichtet worden, steckte das Licht der Wahrheit in weit hellerm Glanze, als es je erschienen, wieder auf.

Schon als zwölfjähriger Knabe erklärte er im Tempel den Lehrern die Schrift, die Berührung seines Kleides heilte die Kranken, seine Stimme geboth den Winden und Meeren, er erweckte die Todten zum Leben, vertrieb die unreinen Geister aus den Gefallenen, offenbarte das vorhin nicht allgemein bekannte Geheimniſs der Dreieinigkeit, führte die nützliche von den Christen, nun miſsbrauchte Taufe der Egyptier ein, zeigte die Unnützlichkeit des verdorbenen Salzes, klärte durch das Saamenkörnchen, welches in die Erde geworfen, und durch seine Fäulniſs zu einem fruchtbaren Baum wird, die Nothwendigkeit der Fäulniſs zur Erzeugung auf. Der Mensch der war, ehe das Geringste der Wesen war, der aber doch nicht eher war, eher alles war, hatte sich verlohren, er war zu seinem Vater heimgegangen.

Der erste sichtbare Mensch hatte seinen Vater und seine Mutter verlassen und war nicht mehr, der erste Mensch aber hatte einen Vater und keine Mutter. Moses war heimgegangen, und seine Ruhestätte war niemals gesehen, Christus aber hatte eine Mutter und keinen Vater.

Als sich Christus von den Juden entfernte, übergab er dem Petrus die Schlüssel seines Reichs, nur die Schlüssel, nicht die Geheimnisse, denn diese wären übel bei ihm verwahrt gewesen. Nur die Macht zu lösen und zu binden, d. i. die Macht einzuweihen und zu dispensiren, denn dies und nicht mehr, drücken die Worte lösen und binden aus. Deswegen war er auch nicht im Stande, sich aus dem Gefängniſs zu befreien, sondern Gott muſste ihm einen guten Engel schicken, der ihn rettete.

Die höhern Mysterien wurden nur dem Liebling Johannes mitgetheilt.

Johann mit dem Beinamen der Geliebte, zeichnete sie auch mit dem erhabenen Schwung auf, den ihre ganze Würde heischt.

So empfing der Mensch die Geheimnisse des ersten Menschen wieder, und sie kamen von neuem im höchsten Glanz zum Vorschein, das Geheimniſs der 7 Bäume, der 3430 Zweige und der 112 Wurzeln, das Geheimniſs der Einheit, jenes der Zahlen 3 4 und 9. Er sah das Mittel vor sich, das schreckliche Gesetz der Zahl 56 zu vermeiden, und ohne der Strenge dieses Gesetzes preis zu seyn, zu 64 zu gelangen.

Er hatte neuerdings Gewalt, die Blätter seines Buchs mit weniger Mühe, als ehemals zu übersehen.

Er kannte seinen Gottesdienst, dessen äusserliche Gebräuche ihn vormals irre gemacht, und er wufste, dafs er seine Blicke unaufhörlich von Morgen bis Abend, und von Mitternacht bis Mittag über länger und breiter in alle Theile des Universums zu heften hatte. Ehemals war das Geschäft des Menschen lesen zu lernen, ohne geschrieben zu haben.

Allein sie hatten Schrift und Sprache vergessen, und sie hielten noch am Buchstaben. Der zweite Mensch, der mit ungebundener Freiheit alle diese heilige Dinge annahm, fuhr fort sie auf die alte Art zu behandeln.

Ganze Völkerschaften folgten mit freiwilliger Blindheit der falschen Lehre, wachten gegen die Wenigen, die sich widersetzten, plötzlich auf, bestürmten und mordeten sie.

Doch gab es wenige, die sorgfältig den Verstand der ächten Lehre annahmen, bald häufte sich ihre Zahl, aber unter dieser Zahl fanden sich Menschen, die der erkannten Wahrheit vorsetzlich widerstrebten.

Dies gab Ursach zur Verfolgung und zur Trennung, und da viele unter ihnen den widrigen Vorsatz hatten, beide zu vereinigen, so entstand daraus eine unübersehliche Ordnung.

Das Licht hatte nun in den Finsternissen geleuchtet, die Finsternisse hatten es aber nicht begriffen.

Es war da, leuchtete und verschwand. Wenige Menschen hatten sich mit seiner Flamme genährt, aber diese waren ebenfalls genöthigt sich ins Dunkle zurückzuziehen, die Flammen in eine undurchdringlichte Finsternifs einzuhüllen, dem Kern selbsten aber gaben sie eine ganz fremde unbekannte Schaale.

Johann der Liebling war nach dem Tod seines Meisters der erste, der Schutz für seine empfangenen Lehren in Hieroglyphen suchte, er war der Wittwe Sohn.

Seine Lehre ist das herrlichste Gemälde, das je erschienen ist, da Menschen den Pinsel des Vergangenen, des Gegenwärtigen und des Zukünftigen führten.

Er gab sie buchstäblich seinen Brüdern, die sie mit aller möglichen Sorgfalt in Asien ausbreiteten, die Lehren aber blieben unter ihren erstern Anhängern sehr geheim. Selbst wenige unter ihnen sahen das innerste des Kerns, die meisten blieben belebt vom Geiste des unsichtbaren Feindes an der Schaale kleben, und so war die Schaale beinahe in vier Theilen Asiens bekannt.

Sie beschäftigte nun ganze Völkerschaften, und so kam sie selbst unkenntlich nach Europa über, wo sie einmal eine ganz andere Gestalt bekam.

Europa war damals gröfstentheils ein Strich wild bevölkertes Land, und die Sonne war ihm nur wohlthätig, weil ihre Wohlthat ein Amt der heiligen Natur war. Wild und roh, ohne menschliche grofse Sitte, belebte Europa wechselsweise der Geist der Zwietracht, der Bosheit, der Lügen, des Aberglaubens, der Geist der Herrschsucht, der Rache und des Todes.

Doch hatte Europa einige Nationen, die wirklich grofs gewesen wären, wenn sie mehr Menschlichkeit, mehr Wort besessen hätten. Unter den Nationen, die die Geschichte Griechen und Römer nannte, fanden sich wahre groſse Männer in geringer Zahl, so gab es deren einige in dem äuſsersten Norden. Was zwischen diesem lag, waren Völkerschaften ohne menschliche Zucht zum Rauben und Morden bestimmt, versenkt in die Finsternisse des Aberglaubens, aber mannhaft und stark erschaffen, so zu sagen zum Eigensinn der Sache, vor die sie eingenommen waren. Die ersten Männer der Römer kannten Geheimnisse, die sie von den Griechen übernommen hatten.

Die Absicht dieser Geheimnisse war anfangs gut, allein sie artete in Gegenstände aus, die den heiligsten Rechten der Menschheit widerstritten.

Sie fielen endlich, wie die Römer, unter der Macht ihrer eigenen Waffen.

So war Europa beschaffen, als Männer mit der hitzigen Einbildungskraft der mittägigen Einwohner mit der Schaale im Busen herumgezogen kamen, und ihre Lehre verkündigten.

Europa nahm sie anfangs mit Widerwillen, dann mit Beifall, und endlich mit ungemessenem Eifer an, zumal da dieser Eifer mit der äuſsersten Macht unterstützt wurde.

Der alte Aberglauben wurde im Blut begraben, und kam nicht mehr.

Unzählige andere Secten nahmen seine Stelle ein; bald entzweiet, bald vereint, der guten Sache aber immer gleich gefährlich, gleich schädlich, fingen sie an um den innerlichen Werth der Schaale zu streiten, den sie nicht kannten; unter sich ermüdet, machten sie den Entwurf, ihre ersten Brüder von dem Joch der Sarazenen zu befreien, unter dem sie, wie sie glaubten, sehr seufzten. Es entstanden daher unter Zank, Verfolgung und Tod die sogenannten heiligen Kriege, eine Art frommer Pest, die Mord und Verwesung um sich schleuderte.

Diese Kriege brachten einen grofsen Theil der Völkerschaften Europens nach Asien über, die Völker machten unter sich ganze Bündnisse und Ritterschaften. So waren z. B. ganze Ritterschaften, deren frommer Eifer die Grenzen der Menschheit verletzte, und unter dessen falschem Schein der Seeligkeit und des Friedens wider die Sarazenen fochten; eine Art Ritter, die man Tempelherrn nannte, deren Endzweck war, die Brüder des christlichen Glaubens zu befreien, und Jerusalem, das in seinen ältern Zeiten Salomos Tempel einschlofs, in seinem ersten Glanz herzustellen.

Diese Ritter zählten unter sich bei ihrer Entstehung viele und grofse fromme Männer, die durch die so oft veränderliche Schaale durchdrangen, und den Kern merklich berührten. Diese Ritter stritten wider Saladie, der das Haupt der Sarazenen war. Sieg und Ruhm eines wahren grofsen Mannes sind immer alle Tugenden und mit Weisheit verbunden. So, und mit diesen Gesinnungen nahm der zu seiner Vertheidigung gezwungene Saladie seine Feinde an. Der Weise kann zwar fallen, aber selbst sein Fall ist das gröfste Zeichen seines Triumphs, er siegt dann über sich selbst, und so fielen die Ritter zwischen edlen Feinden und gefährlich bösen Freunden.

Der Aufenthalt der Tempelritter in Asien war der Grund vieler Beschaffenheiten, die sie unter sich selbst und unter Christen und Sarazenen theilten. Johannes Zöglinge nahmen die edelsten unter ihnen mit brüderlichen Herzen an, bedauerten sie, daſs sie als Kinder der Wittwe mit geschlossenen Augen in den Finsternissen herumwandelten. Sie nahmen es über sich, ihnen Licht zu geben, und unterrichteten einige davon in jener geheimen Weisheit, die ihr Stifter von seinem Meister erhalten hatte.

Sie weihten sie also zur Erkenntniſs der ächten heiligen Geheimnisse ein.

Die Sarazenen siegten, und Christen und Tempelritter flohen aus Asien nach Europa über.

Ihre Flucht brachte den Kern gröſstentheils aufgeschlossen mit sich, und hier erschien neuerdings Licht in den Finsternissen.

Im Eingeweide der Finsternisse entstanden aber bald Misverstand und Irrungen, mit denen sich Haſs, Neid und Verfolgung vereinten. Habsucht und Verläumdung, böse Zeugnisse, und endlich der Tod verbanden sich wider diese Zöglinge der wahren Weisheit, und so stürzte diese Gesellschaft unter blutigen Ruinen zusammen.

Drei böse Gesellen hatten diesen unmenschlichen Entwurf gemacht, und ihn zum Schauder der Natur ausgeführt.

Die politische Geschichte der Zeiten schildert sie unter dem Namen Clemens des fünften, römischen Bischofs, Philipp des schönen, Königs von Frankreich und Nogareth, Philipps Kanzler, und da sind sie zum schrecklichen Angedenken der Nachwelt durch tausend schwarze Thaten gebrandmarkt.

Diese Verfolgung war aber nicht im gleichen Grade allgemein, und wenn die Ritter in

Rom und Frankreichs Gebieten durch die Hand des Henkers bis zur Verzweiflung unter tausend schmerzlichen Martern dahin starben, so gingen jene, die in den Gebieten der Britten und der Deutschen wohnten, gröſstentheils den natürlichen Weg ihrer Väter.

Diese Frommen, die in ihren Leiden den Trost des wahren Guten in der ächten Kenntniſs der heiligen Weisheit fanden, hatten einige wenige ihrer jüngern Brüder, so wie es die nothwendige Behutsamkeit erforderte, in der ächten Lehre ihres Meisters unterrichtet; viele unter diesen, bei welchen die Lehre noch keine tiefe Wurzeln geschlagen hatte, verlieſsen sie; andere vergruben sie mit sich selbst, und nur sehr wenige kamen zu ihren Brüdern den Schotten. So fiel ein Theil der Geheimnisse in die Hände der schottischen Brüder, nnd ihr erstes Augenmerk war, sie den Unheiligen ganz unerkenntlich zu machen. Schon hatten sie die Lehre unter Bildern empfangen, und sie fuhren fort, dieselbe ferner unter Bildern mitzutheilen.

Die Bilder waren ächt, die Lehre ihrer Bedeutungen und Eintheilungen aber war theils sehr dunkel, theils unverständlich und sehr oft unsicher. Die Ursache dieses empfindlichen Uebels waren die ununterbrochenen Verfolgungen, und das beständige Morden, die sie umgaben, und die zum Theil ihre wahre Besitzer ganz unvorhergesehen hinraften, ehe sie den Lauf ihrer Lehre geendet hatten, theils waren andere, gerührt durch die Grausamkeit der Menschen zu schüchtern, sie zu verbreiten.

Es war schwaches Licht, das sich in den äuſsersten Grenzen der dicksten Finsternisse zeigte.

So waren die Sachen, als sich funfzehn schottische Brüder versammleten, um die Bilder und Lehren zu untersuchen, die sie empfangen hatten, wie weit es wohl möglich wäre, sie zu verbreiten, ohne sich einer neuen Gefahr auszusetzen, die um so entschiedener gewesen wäre, weil sie wirklich verborgen seyn würde.

Die schottischen Brüder hatten aber seit langer Zeit Bilder und die Lehren unter sich geheim bearbeitet, und sie theilten sie, geleitet durch die Erfahrung und Ueberzeugung, in gewisse Ordnungen ein; denn sie wünschten, daſs die Fackel der Wahrheit allenthalben Strahlen verbreiten möchte. Nach vielen in dieser Ordnung getroffenen Abänderungen entstanden also die drei Abtheilungen der Bilder, und ein Orden, den sie den Orden der Freimauer, Ritter, Lehrling, Gesellen und Meister nannten.

Sie gaben diesem Orden die ächte Wahrheit in ächten Bildern, gaben ihren Versammlungen den Namen □, und nahmen die Stellen und Aemter der □, aus den Benennungen jener □ her, die die ersten Juden nach den legalen Zeugnissen der Uebergabe ihrer Protokolle in Uebung gebracht hatten; so entstand der Orden der Freimaurer, Ritter und Brüder, dessen Benennungen zwar neu sind; die Bilder aber sind aus dem Mittelpunkt und der Zahl vier genommen, die der erste unsichtbare Mensch verlassen, gemeinschaftlich zusammen verlassen hatte.

Es hatten also die Brüder Freimaurer Ritter ächte heilige Wahrheit in ächten Bildern, die erstern unter ihnen, die schottischen Meister, kannten sie allein.

Sie gaben diesen Bildern in ihren öffentlichen Versammlungen moralische Auslegungen, um die Brüder gleichsam durch diese zu höhern Dingen vorzubereiten.

Da sich die Zahl der Brüder Freimaurer Ritter mit jedem Tag mehrte, so sahen sie sich in die traurige Nothwendigkeit durch Menschen versetzt, die ächten Bedeutungen der Bilder vor Entheiligung zu schützen.

Sie zogen die wahren Bedeutungen derselben ins heilige Dunkel, und sie ergriffen bei dieser Gelegenheit ein Mittel, das ihrer rechtschaffenen und edlen Absicht Ehre macht.

Umgeben mit himmlischer Wahrheit, wollten sie zum wenigsten den ächten Leidenden einen Dienst, der wirklich ein Dienst des Guten ist, aufrichtig leisten. Sie wollten den Menschen von der Zahl des Bösen entfernen, und in ihren Versammlungen ächte, gute Menschen machen, überzeugt, daſs einem wahren frommen Menschen die Quelle der Wahrheit, der Punkt des Lichts, in Zukunft nicht verdeckt bleiben wird; allein auch hier ergaben sich unzählige Trennungen.

Es fanden sich bei vergröſserter Ausbreitung des Ordens Glieder, die nicht blos bei der Moralität der Verfassung wollten stehen bleiben, sie wollten mehr, sie wollten helles Licht; das war ein neuer unglücklicher Wille, der sie mit ungemessener Uebereilung auf Irrwege führte. Die schottischen Brüder hatten die Ordnungen der Bilder auf drei eingeschlossen.

Sie überschritten diese Zahl, und vermehrten sie, der Geist der Nation war auch viel an diesem Uebel schuld.

Es giebt Völker, die immer Neuerungen wollen, und diese Völker gab es im Orden.

Es entstanden also die sogenannten höhern Grade der Brüder Freimaurer Ritter, und sie entstanden beinahe ohne Zahl.

Sie glaubten sich durch dieses Mittel der ächten Erkenntniſs der Bilder zu nahen, und sie entfernten sich davon beinahe auf immer.

Da sie sich durch die Bilder, die Salomos Tempel vorstellte, durch ihre Pracht, durch die Gröſse eines Königs, der beinahe eines der elendesten Reiche beherrschte, blenden lieſsen, da sie glaubten, daſs so ein armer König ganz auſserordentliche Mittel müsse besessen haben um so groſs zu werden, so fielen sie, da sie die alten Abwege mit neuen vereinigten, auf die Bereitung des Steins der Weisen, gerade als wenn die Bereitung des Steins der Weisen das würdigste Geschäft der Leidenden wäre.

Ich habe Ihnen nun, hochwürdige Brüder, eine kleine Ihnen angemessene Erklärung gegeben, ich habe angefangen von dem ersten unsichtbaren Menschen, auf den Menschen ohne Mutter, auf den zweifachen Menschen zu führen.

Ich habe Ihnen gewiesen, den streitenden Menschen, und gezeigt, was er freiwillig verlohren hatte.

Ich habe Ihnen auch endlich gesagt, was der Mensch ohne Mutter an der Würde, Macht, und Ansehn besaſs.

Ich habe Ihnen auch gezeigt, daſs er die Fähigkeit, all dies zu erlangen, zwar noch in sich selbst eingeprägt habe, aber diese nur mit groſser Mühe und heilig frommen Eifer durch Reue und Buſse wiederfinden könne.

Nun hören Sie aber, hochwürdige Brüder, was ich Ihnen nach dem strengsten Inhalt meiner aufhabenden Pflichten sagen werde.

Die wahre Erkenntniſs des Unendlichen, des unsichtbaren und sichtbaren Menschen, den Werth des Menschen, und jenen der Zahl vier, die Erkenntniſs der sieben Bäume und der 3430 Zweige und der 112 Wurzeln, und jene des Buchs des Menschen, die Geheimnisse, in denen Tubalkain seine Seeligkeit suchte, die Henoch in zwei Säulen grub, durch die Moses die Wunder that, und die Christus mit seiner ihm so natürlichen Sanftmuth und Liebe erklärte, und alles was Johann der Liebling aufgezeichnet hat, ist in den drei Abtheilungen der Bilder des Ordens der Brüder Freimaurer Ritter enthalten. Was über diese ist, ist eitle menschliche Erfindung ohne Wahrheit, Seeligkeit und Friede; da es aber unmöglich ist, daſs der sichtbare Mensch den Verstand dieser Bilder auf einmal begreifen kann; so ist bei uns nach der Vorschrift unsers Stifters, nach der Vorschrift Johann des Lieblings festgesetzt, die Lehre selbst ebenfalls in drei Abtheilungen zu geben, wovon die erste die Erklärung Ihrer Aufnahme und ihrer Bilder, die zweite und dritte Abtheilung aber die ganze aufgelös'te Lehre in sich fassen, und zwar erstens

Dritter Abschnitt.

Die Erklärung Ihrer Aufnahme, als Freimaurer, Ritter, Lehrling und Bruder.

1. Man führet Sie in eine schwarze Kammer.
   a) Dies ist das Bild der Verwesung.

b. Das Bild des ersten Menschen mit dem Weibe.

a. Man verband Ihnen die Augen, verboth Ihnen zu sehen, und gab Ihnen ein Licht, nahm es, und liefs es Ihnen doch, dies ist das Bild

c) des umkreisenden Lichts, mit dem der erste unsichtbare Mensch vereinigt war; dieser Mensch wohnte im Mittelpunkt im Licht, und seine Bestimmung war, die Finsternisse zu bestreiten, und er war mit hinlänglichen Waffen bekleidet, die er nach seinem freien Willen brauchen konnte.

Ein Licht ausgegangen von seinem Urlicht, gut wie das Urlicht selbst, aber frei, und unter ihm, hüllte sich in die Finsternisse ein, er sahe es, und sollte es nicht sehen, er bestritt es nicht, und sollte es doch bestreiten.

Er ergriff aber das Licht in der Finsternifs, und dies sollte er nicht thun, er ergriff es, sah sich dann selbst, verlohr seine Waffen und erhielt nichts als die Erinnerung, dafs er sie hatte und die Fähigkeiten, sie wieder zu erlangen.

Sie ist weiter:

d) Das Bild der Natur, denn alles was in der Natur entstehet, mufs zur Verwesung kommen, ehe es geboren wird, mufs wieder verwesen und aufs neue entstehen, um seinen Uranfang zu finden. So ist z. B. der alles gebährende Geist, der in dem Leibe seines Weibes, wenn er eingehet, verweset, und die Dinge zeuget, die er in sich homogen mit seinem Weibe hatte.

Sie zeigt Ihnen mehr:

a) daſs eine gewisse Materie in der Erde eingeschlossen sei, die im Mittelpunkt der strengsten Finsternisse das höchste natürlichste Licht hat.

3. Man nahm Ihnen alle Metalle, die sie bei sich trugen, mit Sorgfalt ab, dies ist sein Bild.

a) Der erste unsichtbare Mensch empfing im Mittelpunkt seines Aufenthalts eine Waffe, diese war weder Thon noch Metall. Sie war Erz, blank, hochglänzend und polirt wie Spiegel, ausgespannt, wie die Sehnen der Himmel über die vier Welten, diese Waffe war undurchdringlich in sich selbst, bestimmt zu jeder Vertheidigung, die ihr rechtmäſsiger Besitzer anwenden wollte.

Mit dieser Waffe verlohr er eine Lanze, der Gebrauch war aber einstimmig mit dem Gebrauch der Waffe selbst, auch diese Waffe verlohr er, nachdem er die Lanze verlohren hatte; diese Lanze war aber aus vier almagamirten Metallen zusammengesetzt, von denen keins von dem andern unterschieden war.

Diese Waffe und diese Lanze war aber nicht aus sichtbarem Metalle und Erz gebildet, weil die Waffe die Zahl Eins, und die Lanze die Zahl vier hatte. Zum Zeichen also, daſs sie Waffe und Lanze verlohren hatten, nahm man ihm alle Metalle ab.

b) Man nahm sie ihm mehr aus der Ursach ab, daſs die Grundsache der Dinge nicht specificirter metallischer Natur sey, und daſs es ein Metall gäbe, das nicht wächst, wo Metalle wachsen.

c) Und man nahm sie ihm endlich ab, um ihn zu belehren, dafs ein Ding in der Natur sey, welches männlich und weiblich ist, und immer seines gleichen hervorbringt, welches aber die Mutter aller rechtschaffenen Wesen ist, seyen sie von welcher Gattung sie immer wollen.

4. Man entkleidet Sie, und der Entkleidung Bild ist:

a) Die Wesenheit des unsichtbaren Menschen, und man wollte Ihnen dadurch zeigen, dafs Sie die falsche Hülle, die Sie umgiebt, ablegen, und dem Urglauben und der Fäulnifs entsagen müssen, damit Sie ins reine Licht eingehen können.

b) Wollte es Ihnen andeuten, dafs um die Geburten der Natur, ihren Mangel und ihre Vorzüge, in Rücksicht der verschiedenen specificirten Dinge zu erkennen, man immer das äufserse in das innerste, und so wechselsweise verkehren müsse, und so giebt es Materien, die ebenfalls von ihrer von Natur gegebenen Hülle entblöfst werden müssen, da man sie gleichsam aus dem Leibe ihrer Mutter zieht.

5. Man liefs Sie weiter den Schuh eintreten, und den Arm entblöfsen, und dies ist das Bild

a) das Sie reinigen soll, sich von der Zahl neun losszureifsen, zu welcher der unsichtbare Mensch von 4 gewichen ist, dies kann geschehen, wenn Sie ihre Rechte suchen und finden, im Streittreffen Ihren Arm mit der unüberwindlichen Lanze schützen, und dann siegen.

Es war bei den Israeliten ein alter Gebrauch,

brauch, daſs wenn sich unter ihnen der Bruder von dem Weibe seines verstorbenen Bruders losmachen wollte, ihm der Schuh ausgezogen wurde; gleiches geschah, wenn jemand auf einen ererbten oder erkauften Acker Verzicht machte.

b) Es führt sie weiter auf gewisse natürliche Dinge zurück, die einzeln der Scheidung unterworfen sind, der Lauf aller natürlichen Dinge ist Fäulniſs, Scheidung und Geburt, Fäulniſs, Scheidung und Leben.

6. Man führte Sie durch drei starke aber einzelne Schläge in ihrer □ ein, und dies ist
   a) Einheit.
   b) Des gleichen Dreiecks.
   c) Der geheimen Zahlen.
   d) Und endlich zeigen sie Gewicht, Zahl und Maaſs an.

   Sie bedeuten weiter:
   e) Das allgemeine Principium der Dinge;
   f) Die drei auf einander gesezten Substanzen des Principiums selbst, die eins und drei, und drei und eins, und immer eins unzertrennlich mit ihm sind.

7. Das Rauschen der Schürzen, die bei der Aufnahme eines Freimaurers, Ritter und Lehrlings als ein Zeichen der Bejahung oder des Beifalls angegeben werden, ist das Bild
   a) Der Erinnerung, daſs der erste unsichtbare Mensch ohne Mutter ausgegangen, von seinem Principium gut von ihm ohne Mutter und ohne Weib, auch ohne Schamhaftigkeit war.

   Die Urquelle der Schamhaftigkeit ist die

R

Entstehung des Weibes des ersten sichtbaren Menschen.

b) Zeiget es die Stärke des körperlichen Menschen und des Weibes.

c) Und endlich zeiget es, daſs man in der Natur kein eingeschlossenes Feuer ohne Luft finden könne, das die Theile der Körper aus einander setzt, und daſs ein gewisses Feuer in der Natur sei, welches man das Feuer der Weisen nennt.

8. Die beschwerlichen Reisen, die Sie zu drei malen machten, sollten Sie belehren:

a) Daſs die Religion des Menschen selbst mit dem ersten unsichtbaren Menschen entstanden sei, und daſs sich diese vom Morgen bis zum Abend, und von Mitternacht bis Mittag erstrecke, und daſs sie in Breiten und Längen in allen Theilen des Universums bestimmt sei.

b) Daſs der Mensch ferner seinen Weirauch zu dieser frommen und schuldigen Ausübung seiner Pflichten bei sich trage.

c) Daſs er aber, da er von seinem Urlicht abgegangen, doch noch immer diese Wege der Finsternisse mache, daſs er ihn suche, daſs er leide und so lange leiden wird, bis er ihn gefunden habe.

Sie belehrten weiter:

a) Die Strafzeit des Menschen.

Und mehr:

b) Das Ende derselben durchs Feuer, woraus seine Wiedergeburt und das Ende der Strafzeit entstehet.

Und endlich:

c) Daſs er nun platterdings diese nicht erlangen kann, weil er sich durch die freiwillige Losreissung aus der Einheit und der Zahl vier, und durch den Uebergang zu neun, die innerste Erkenntniss davon, die er wirklich in sich geschlossen hat, sehr schwer gemacht hat.

9. Sie mussten das Zureden des Aufsehers und viele andere damit verbundene Dinge mit Gelassenheit annehmen, dies soll Ihnen zur beständigen Erinnerung seyn.
   a) Dass in Ihrem Innersten die ächte Erkenntniss der Einheit, und jene des Buchs des Menschen eingeschlossen sei, dass sich die Stimme dieser Erkenntniss immer bei Ihnen rege, und dass Sie diese Stimme mit frommer Erbauung, mit Ehrfurcht und Demuth hören, ihr folgen, und nach ihr gerade wandeln sollen, damit Sie aufhören mögen, ein Suchender und ein Leidender zu seyn.
   b) Diese Stimme sagt Ihnen mehr, dass Sie Ihren Obern, dem Orden und seinen Gliedern mit Treue, Verschwiegenheit und Gehorsam sollen unverbrüchlich seyn, weil dies der Weg sei, die Sprache Ihres Innersten zu verstehn.

10. Man setzte Ihnen die Spitze des Degens auf Ihre Brust, mit der Erinnerung, sich davor zu hüten; dies soll Sie auf das nachdrücklichste warnen:
   a) Dass Sie sich vor der schrecklichsten Strenge des Gesetzes 56 bewahren sollen.

11. Sie sahen einen schwachen verwundeten Menschen, ein blutig Tuch und Blut in einem Gefäss; dies ist das Bild
   a) Des einzigen Mittlers, den der ächte Mensch

R 2

kennt, auf dem einzig und allein sein ganzer Trost, alle seine Hoffnungen, sein wahres Ziel und Ende gebauet ist; des Mittlers der war und nicht war, der ohne zu leben gestorben ist, und der wirklich lebte, weil er niemals tod war.

12. Man sagte dafs Sie es verständlich hören konnten, dafs man für den Verwundeten Sorge tragen sollte, dies soll Sie erinnern:

a) Das System der Natur war eine Hülle von Finsternifs, schlofs Fäulnifs in sich. Diese Faulung brachte zwei Actionen hervor, diese zwei verwundeten eine das andere, und sie trugen wechselsweise Sorge für ihre Erhaltung, weil sie aus der Faulung entstanden waren, und sie kannten, wie gefährlich ihnen diese zweite unzeitige Faulung seyn würde, ich will sagen, dafs alles was in der Natur entstehet, zuvor der Faulung unterworfen seyn muls, und es kann nichts entstehen, es sei denn, dafs es aus dem Leibe der Verwesung entstehe, der den Saamen der Frucht empfangen hat.

13. Sie sahen alles in der ▭ durch die Zahl drei machen, dies Bild will ich Ihnen lehren.

a) Dafs es ein Ding in der Natur giebt, das aus allen drei Principiis der Natur zusammengesetzt ist, das auch in allen drei Reichen der Natur gesaamet, gebildet und geboren worden, zu jedem insbesondere und zu allen dreien gehört, und keines von allen ist.

Alles was Sie weiter gesehn, was man Ihnen gemacht und gelehrt hat, sollen Sie ebenfalls vernehmen.

Vierter Abschnitt.

Erklärung der Freimaurer, Ritter und Lehrling, Tapis und der Attributen, die Sie zum Theil gesehen oder empfangen, oder von dem Sie sind belehrt worden.

1. Sie sehen auf der Erde ein ▭ ausgespannt, dies Bild will sagen:

a) die erste Seite dieses Vierecks ist der Grund und die Wurzel der drei andern, sie ist das Bild des ersten und allgemeinen Wesens, jenes Wesen, welches sich in der Zeit und allen sinnlichen Dingen erkläret und geoffenbaret hat; dieses erste, einig, ungetheilte und allgemeine Wesen hat in sich selbst seine eigene Ursach und den Urpunkt aller Principien, denn es ist selbst, gleich in seinem eigenen Ruhepunkt, entfernt von aller Sinnlichkeit und von der Zeit, und seine Zahl ist 1.

b) Das Bild der zweiten Seite ist das Bild jener thätigen und verständigen Ursach, die als die höchste und erste aller zeitlichen Ursachen durch ihre Fähigkeit den Lauf der Natur und der körperlichen Wesen durch die Macht ihrer verständigen Fähigkeiten aber die Thaten der Menschen regieret.

Denn der Mensch ist hier in der Qualität eines verständigen Wesens ähnlich, dies ist also die thätige und verständige Ursach unmittelbar nach dem ersten Wesen, das aufser dem Zirkel zeitlicher Dinge besteht, sie ist das Bild der ersten Ursache, und sie besitzt alle Macht und Gewalt über alles was in der Zeit ist; sie vertritt die

Stelle der ersten Ursache in sinnlichen Dingen, und sie ist ihr erstes zeitliche und wirkende Wesen, und führt die Zahl 2.

c) Das Bild der dritten Seite aber ist das Zeichen aller und jeder Resultate, sowohl die körperliche sinnliche, als die immateriell und außer der Zeit sind, sie führt die Zahl 3.

d) Das Bild der vierten Seite endlich, ist die Wiederholung des Ursprungs aller Dinge und seiner Zahl, und sie zeiget alles an, was Mittelpunkt oder Principium ist, wohin dieser nur immer gehöre, und sie führt die Zahl 4. Dieses Viereck ist die einzige ächte Quelle der Erkentniſs des Lichts, dessen der Mensch wirklich fähig ist, und die er im Punkt des Verderbens verloren hat.

2. Die auf dem Viereck angesetzte vier Himmelsgegenden zeigen an
   a) Des fixen Osten und gerade Linie.
   b) Die erste Religion des Menschen, die sich von Morgen bis Abend, und von Mitternacht bis Mittag erstrecket.
   c) Die vier Welten.
   d) Die vier Hauptwinde, von denen der erste Hermes sagt, der Wind trägt sie (die Materie) in seinem Bauch, und sie ist der Anfang und das Ende aller zeitlichen Dinge.
   e) Die vier Hauptfarben aus welchen alle Farben entstanden sind, denn Wille giebt Farben und Farben giebt Wille.

3. Sie sehen weiter, einen mosaischen Fuſsboden, dies will sagen:
   a) Stellen Sie sich den ganzen Fuſsboden, als ein einziges Viereck vor, dies Viereck aber besteht aus vier Linien und vier Punkten,

und aus einer Linie und einem Punkt, welche denn, wenn sie in Eins, ins Strenge gezogen werden, einen einzigen Punkt machen; dieses Viereck soll Ihnen ein Bild der Kenntnisse seyn, die die Obern Ihres Ordens mit Demuth und Reue im Licht gesucht, und wiedergefunden haben.

4, Sie sehen hier den flammenden Stern, in welchem Sie diese Signatur :⇛• angemerkt finden, dies ist das Zeichen,

a) Der zweiten Seite des Vierecks.

b) Des Universal- oder saamlichen Geistes, seine Benennung ist G e, seine Signatur

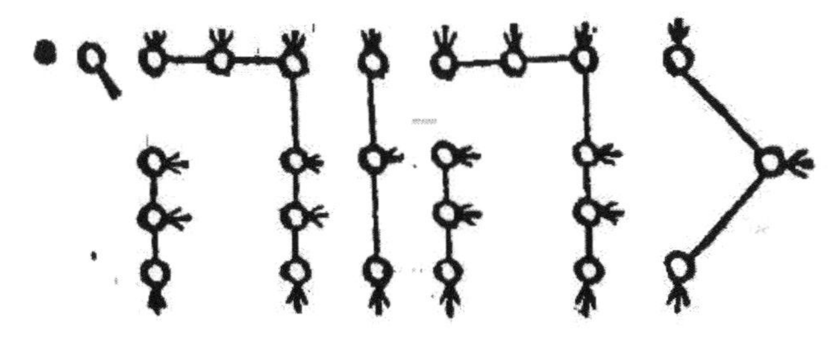

Sie können sich aber diese Vorstellung noch verständlicher machen, wenn Sie Ihrem Verstand zwei Parallelzirkel vorlegen, deren Mittelpunkt gemeinschaftlich ist, von denen aber einer den andern einschliefst. Im flammenden Stern ist nichts anders als das Jot, von Jehova der erste wirkende Urborn des Lichts, der erste wirkende göttliche Punkt; weil aber keine Einheit in der Natur möglich, sondern sogar der kleinste Punkt selbst besteht aus Anfang, Mittel und Ende. Die erste Bewegung des göttlichen wirkenden Wesens geschah also nach der Tradition der ältesten Weisen bis auf unsere Väter, auf diese Art

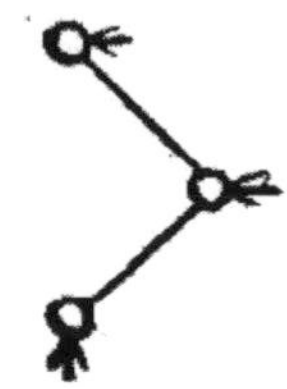

und hieraus wurde der erste Buchstabe des gröſsten selbstständigen Namens Gottes Jehova, und weil diese drei Punkte, jeder weder Anfang, Mittel noch Ende hat, so wurden daraus 9 und zwar in dieser Figur und dieses wurde der zweite Buchstab im gröſsten selbstständigen Namen Gottes, alles wurde also dadurch Eins, welches drei ist, und drei, welches neun ist und mit dieser sich immer gleichbleibenden Zahl wurde auch das groſse Werk der Schöpfung, der sich immer vermehrenden und doch immer gleichbleibenden Natur ihrer Ordnung und Einklemmung des Ganzen, und dieses ist auch der Aufschluſs über die heilige Zahl des drei mal drei der Brüder Freimaurer.

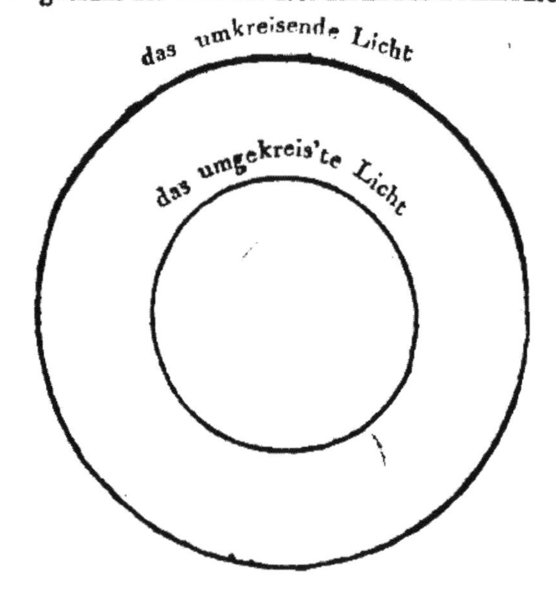

Fünfter Abschnitt.

Werfen Sie nun einen aufmerksamen Blick auf jenes Gewicht von unermeſslichen Finsternissen, die sich alle um den ersten selbstsändigen Punkt bewegen. Hier ist ein angenehmes sanftes Licht, und hier eine begrenzte Finsterniſs, die sich wellenförmig unter einender wirft, und im schrecklichen Streit begriffen ist, hier die Faulung, Geburt, Scheidung und Sturz. Es kommt nun darauf an, Ihnen zu sagen, wie alles dies bei seinem ersten Ursprung gewesen ist. Es war der Punkt des selbstständigen Lichts, und dieser Punkt unendlich in sich selbst, grenzenlos ohne Anfang und Ende, hatte in sich die Idee der Schöpfung, die war also, wie er, von Ewigkeit her in ihm und mit ihm.

Es ist das einfachste, und in dem, der das Einfache ist, kann nichts entstehen oder werden, das nicht schon von jeher in ihm war; dieser Punkt ist nun das Licht in zahllosen Kräften, von Ewigkeit her eins mit ihm, und doch eins durch ihn.

So war die Idee der Schöpfung, als sie in dem Unendlichen den feinsten und reinsten Punkt machte, und da selbst die Bestimmung der Zeit, wann die Schöpfung beginnen sollte, von Ewigkeit in ihm war, und in ihm gewesen seyn muſs, so nahm dieser Punkt, je näher er am Ziel der Bestimmung kam, immer mehr und mehr an Kraft und Wesenheit zu.

So wie der Wille des Menschen immer reifer und kräftiger wird, je näher er an die Wirkung und Zeit kommt; so vereinigte der Unendliche in Rücksicht der Eigenschaft des Punkts das Männliche, oder das Wirkende, der Punkt aber, das Weibliche oder das Leidende. Nun wurde durch das Wort ein anderer weltschaffender Verstand, der Geist, der durch das Unsichtbare das Sichtbare schuf.

Es waren aber zehn Lichter, die bei uns unter dem Namen der zehn feurigen Punkte gelehret werden. Diese zehn Lichter aber hatten den Endzweck der Schöpfung in sich, und die Schöpfung wurde auch durch sie ausgeführt; es waren aber fünf der Strenge und fünf der Gnade gewidmet. Sie wissen und es ist Ihnen bekannt, daſs sich nach den Gedanken des Menschen, die Farbe seines Angesichts ändert; nun waren diese zehn Lichter in dem Willen der Schöpfung begriffen, der mit ihnen von Ewigkeit her in dem Unendlichen, als in dem einfachsten Wesen selbstständig war.

Hier waren sie ohne Farbe, als sie aber vor sich zu wirken anfingen, so entstand Farbe, stets solche Farbe, die der Wirkung angemessen war, und dies ist der Grund der vier Farben, wovon Sie weiter hören werden, und ich Ihnen durch folgendes Beispiel erläutern will.

Wenige Tropfen Wein in Wasser vermischt, werden weder in der Farbe noch im Geschmack als Wein erkannt, und dennoch wird ewig nicht einer dieser Tropfen Weins zernichtet, so daſs jeder Tropfen vor sich seine eigene Farbe oder Geschmack verlohren; so ist es auch hier. Als es darauf ankam, den Willen ins Werk zu sezzen, in eben diesem Augenblick zog der Unendliche alle die in seinem ganzen Wesen zerstreuten Eigenschaften an den Ort des Punkts zusammen, welcher gleichsam der Schwamm war, der sie zusammen und an sich zog, und der diese anziehende Kraft an sich hatte, weil dadurch die Schöpfung zu Stande kommen mufste, denn so lange diese ausgebreitet und einfach waren, durch das Wesen desjenigen, in dem sie ausgebreitet waren, konnte die Schöpfung nicht zu Stande kommen. Es mufste also die Wirkung der Strenge empfangen, denn die Strenge ist es, welche zusammenziehet, und Maafs und Grenzen setzt, denn die Gnade verbreitet sich unendlich, denn ihre Natur ist ohne Grenzen, und es wäre also der Raum nicht zu finden gewesen, welcher zum Werk der Schöpfung nothwendig gewesen wäre, denn das Gebäude der Welt mufste Zeichnung haben.

Die Zeichnung erfordert Maafs und Gesetz, Maafs und Gesetz aber Zusammenziehung, und Zusammenziehung ist Strenge.

Die zehn Lichter mufsten sich also zusammenziehen in einen Punkt.

Zusammenziehung ist Strenge, Strenge ist Erhitzung, und dies ist das Geheimnifs des männlichen und weiblichen Beischlafs.

So war im Unendlichen eine Zusammenziehung und Erhitzung, und folglich eine Vereinigung in ihm und durch ihn, so ist der Saamen zerstreut im ganzen Körper, und fällt durch die Erhitzung in Tropfen auf einen Ort, nemlich im Punkt zusammen, der sie empfing, und hier wurden sie zusammen eine vollkommene Gestalt. Und dies ist jener Adam oder Mensch, welcher in und durch den Unendlichen ist, und in welchem begriffen ist der Wille und die Gewalt des Unendlichen. Gott, der die Chechaina oder den Punkt seiner Mutter nennt, nemlich das

Weibliche oder Leidende, auf dem der Unendliche wirkte, durch diese Wirkung entstand jene Erhitzung und Beischlaf und dadurch wurde Adam, der eins mit ihm, und doch in ihm, und durch ihn ist, und in dem sein Wille und seine Kraft lebt, wie ich Ihnen schon gesagt habe.

Nun will ich Ihnen durch zwei Beispiele vieles der gröſsten Geheimnissen eröffnen: Der Feuerstein, wenn man daran schlägt, giebt Feuer von sich, und es findet sich in allen Theilen desselben die Kraft des Feuers. Wenn Sie aber diesen Feuerstein zu ganz unsichtbarem Pulver stoſsen, so werden Sie kein Feuer in ihm finden, weil in allen Theilen die Kraft des Feuers ist, die, wenn sis durch Schläge erhitzt wird, ihre Kräfte an sich ziehet, wo dann das Feuer von der Kraft und Wirkung zur That übergehet, so ist auch das Geheimniſs der Zusammenziehung und Erhitzung, der in ihm und durch ihn versammelten Theile.

Wäre es möglich, den Funken, der aus dem Stein gehet, mit dem Stein zu vereinigen, so wäre er ganz mit demselben eins. Doch scheinen hier drei verschiedene Abtheilungen zu seyn, erstens jene des Funkens, welche bereits in die Wirkung überging, und jene der Kraft, welche bis in die kleinste Theilchen des Steins zerstreut ist, und drittens jene des Steins selbst, ob sie gleich im Grunde völlig eins sind. Gleiches läſst sich von dem Unendlichen sagen, ihm ist das Licht ohne Wille, welches sich mit dem Wesen des Steins vergleichet, und dann das Lich mit Wille, welches zu vergleichen ist mit den Feuertheilchen, welche in allen Theilen des Steins verbreitet sind, und den Funken, der wie jener des Feuers ist, welcher immer mit ihnen vereinigt, und das nemliche Wesen in sich enthält, und der nur durch den Uebergang zur Wirkung und in der That kenntlicher und unterscheidender geworden.

Das zweite Beispiel, so ich Ihnen sagen will, jenes eines Königs, den man allgemein preiset, daſs er sich mit dem Ackerbau beschäftige, wenn wir diese Beschäftigung unter dem Gesichtspunkt betrachten, daſs ein so groſser König seine kostbare Zeit mit den geringen Beschäftigungen des Landmanns zubringt, so würde es seinem Ruhm gewiſs nachtheilig seyn. Wenn man aber die Beschäftigung als eine Probe ansieht, daſs dieser König eines so groſsen Geistes sey, daſs er sich sogar bis auf die geringe Arbeit des Landmanns ausbreitet, so wird es wirklich seinen Ruhm vergröſsern. Wenn nun der Landmann von seiner Arbeit sprechen will, so muſs es wirklich zu jener Zeit geschehen, da sich die Gedanken des Königs mit dieser Arbeit beschäftigen. Eben so ist es mit einem Menschen, von dem man sagt, er habe keine Sinne, als jene des Geruchs. Dieses Lob würde ihn gewiſs herabsetzen, wenn man aber im Gegentheil von ihm sagt, er habe alle Sinne, jener des Geruchs mangele ihm, so würde ihm der Abgang dieses Sinnes eben so nachtheilig seyn, als er ihm zuvor war.

So ist das Wesen des Unendlichen, der über allen Ruhm, über alle Macht erhoben und in sich selbst ist.

Man darf also von ihm nicht denken, daſs blos der Gedanke der Schöpfung der einzige war, der ihn beschäftigte, man muſs aber im Gegentheil denken, daſs er so voll der tiefsten und erhabensten Gedanken sey, daſs er sogar jener geringern der Schöpfung auch nicht mangelte.

Jener Gedanke, in welchem jenes Licht, und der Wille der Schöpfung der Welten vorhanden war, ist von jenem unterschieden, in welchem dieser Wille nicht war und nicht ist.

wie der Landmann mit dem auf den Ackerbau bedachten König nur von dieser Sache und dem Willen dieser Sache zu sprechen hat, niemals aber von den andern Gegenständen, die zu erhaben vor ihn und über ihm sind.

Das Licht ohne Willen der Schöpfung aber heiſst bei uns חשך Choschech oder Finsterniſs, so in seinem Urwort eine Entfernung oder Erdrückung bedeutet.

„Gleiche Bedeutung hat der Name Chaos, „welcher von undenklichen Zeiten als Hebrä„isch und Phönizisch כהית. Ma nach der Art „der Sprache, wie ein ת S: gelesen wird. Es „bedeutet also gemeine Finsterniſs, Dunkelheit, „vorzüglich aber jene Dunkelheit oder Finster„niſs, die im Anfang der Schöpfung gewesen, „und von der Moses im ersten Buch der Schö„pfung spricht: die Erde war, ehe sie eine rechte „erkennliche Erde wurde, wüst, leer und unge„stalt, und es war Finsterniſs, Choschech auf der „Tiefe. Es war ein sehr unabmeſslicher Ab„grund an dem Orte, wo jezt die Welten, und „sieben Herrscher stehen, die die sichtbare Welt „in sieben Kreisen einschlieſsen. Dieser Abgrund „war voll Finsterniſs oder schwarzen Nebel, „und der Geist Gottes, die Geburt des Unend„lichen und des Sohnes schwebte auf den Ge„wässern, er bewegte die Nebel, trieb sie in die

„Enge, zog sie zusammen und resolvirte, und
„gebar endlich die Massen."

„Hier läfst sich erinnern, dafs die Alten mit
„dem Namen Chaos die erste Materie der Welt,
„woraus alle Dinge entstanden, und durch wel-
„che sie hervorgebracht worden, bezeichnet
„haben."

„Hermes Trismegist und einer seiner Nach-
„folger Sanchionoton ein Phönizier, sagen eben
„das bei Euseb."

„Sie gedenken erstens eines Geistes, dann
„einer weit zertheilten Finsternifs, die entschei-
„dend mit dem Namen Chaos, Ereb, Nacht,
„Dunkelheit oder dicke Finsternifs genannt wird,
„Es heifst, dafs durch die Wirkung der Bewe-
„gung des Geistes aus diesem Chaos geworden
„sey Moos: ein Schlamm, eine wässrig erdigte ver-
„mischte Masse oder ein wässeriger Klumpen,
„aus welchem Moos manchmal die so übel ver-
„standenen Elemente und der erste Saamen aller
„Dinge entstanden seyn; diese Meinung stehet
„sehr im Gleichgewicht mit jener, die Moses mit
„der Schöpfung hat, der Hauptinhalt dieser
„Meinungen ist folgender: Als Gott die Welt
„aus Nichts erschaffen, habe er, weil nichts
„da war, erstlich einen vermischten Klumpen
„gemacht. Dieser Klumpen habe ganz ohne Ge-
„stalt in der Tiefe des Abgrunds, der in dem
„Raume, wo jezt die Welten stehen, geschwebt."

„Diesen Klumpen habe nun der Geist um-
„schlossen, und durch eine kräftig lebendigma-
„chende Regung, mit einer sonderbaren Lebens-
„und Gebärungskraft und Natur erfüllet, die den
„Klumpen so bereitet, dafs sich das subtile von
„dem starken angefangen zu scheiden, eine dik-

„ke schleimigte Masse sich inwendig zusammen-„gesetzt, welche in einem vollen Kreise mit dün-„nen Gewässern umgeben war, auf welcher end-„lich der Geist Gottes ruhte.“

„Aus diesem so zu sagen beseelten und zur „Geburt tauglich gemachten Klumpen, sind in „der Folge alle Dinge von Gott hervorgebracht „worden. Ich habe hier den Hauptinhalt der „Sätze angemerkt, bei welchen ich nur erinnern „will, dafs Gott, der Verstand, das Leben und „das Licht, der Vater durch das Wort einen „andern schaffenden Verstand, das Feuer oder „den Geist zum Erschaffer der Welten gesetzt, „vorausgesetzt, dafs von Ewigkeit her die Idee „der Schöpfung, und also alles in allem im Un-„endlichen eingeschlossen, er selbst aber alles „in allem in sich und durch sich selbst war.“

Nun wird der Ort der Farben, von welchen der Punkt, die Wirkung oder Frucht ist, Vater und Mi genannt.

Das Wesen des Unendlichen aber, welches ohne Farbe ist, und in dessen Innersten der Punkt vorhanden ist, wird Elech עאילת lech und Mutter bestimmt.

Man nennt ihn auch Ensoph ohne Farben; die Silbe En, die in keinem Fall zu begreifen ist; Soph aber nennt er sich wegen des angemerkten Worts Mi, welches das Ende aller Stuffen wegen Verbreitung der Farben ist.

Nun merken Sie, dafs das En, oder Nichts Elech heifst, Soph aber das Licht mit Farben, und Mi genennt wird, zusammen Ensoph Elechim א עהים ausgedrückt. Das Wort Elech ist ebenfalls das grofse Geheimnifs, das Wort Choschech oder Finsternifs das, wie ich schon

schon sagte, ursprünglich von dem bestimmten Ausdruck, Entfernung oder Erdrückung herkomt, der diesen oder jenen Gegenstand als unerreichbar darstellt, so ist es auch die Bestimmung der Weiblichen, wie ich ebenfals oben schon sagte, der Mond, der nichts von sich selbst hat, und die schöne Jungfer ohne Farbe.

Jetzt gehen wir leider zum Punkt zurück. Der Punkt ist wie Sie wissen, das Innerste, das Innerste aber drückt sich durch den Namen סתר Sether aus, wovon die Anfangsbuchstaben Soph, Toch und Rosch bedeuten, das Ende wird durch Soph, das Mitte durch Toch, der Anfang aber durch Rosch angezeigt.

Nun werden Sie sich erinnern, daſs ich Ihnen den Punkt durch die Zusammenziehung als Figur und Gestalt vorstellte, bei welchen noch diese Beschaffenheit ist, daſs bei dem Rosch oder dem Haupt, da es noch nahe bei dem Ursprung ist, die Gnade und die Strenge nicht bemerkt, oder entwickelt sind, denn bei dem Haupt ist noch volle Bereitung, und dieser Ort wird mit der Bedeutung, das Verborgenste aller Verborgensten oder das Geheimniſs aller Geheimnisse belegt.

Die Mitte oder das Toch bringt die Kraft zur Wirkung, und setzt durch die Strenge und Gnade Maaſs und Grenzen, das Soph aber ist jener Theil, welcher die sogenannten Sephiren, Tesoth und Matchoth begreift, worin das Weib oder der Leidende eben enthalten ist, dies ist das Geheimniſs des Namens חות — den Rosch ist חי wie es Ihnen bekannt, oder Chetcher, Chachma und Pina, Toch ist das Waf ו, und als die weitere Verarbeitung des

S

Wafs geschah, die diese Figur ה zeiget, darin das weibliche enthalten ist, so entstand daraus die Figur der lezten He ה oder der Name des Gottes Jehova.

Sie müssen wissen, dafs in dem Augenblick, da sich die zehn sogenannten Sephiren unter sich vermischt, herabgezogen und verbreiteten, die Strenge die Oberhand über die Gnade hatte; sie giengen, da sie sich heruntergezogen, von der Kraft zur Wirkung über, jede Wirkung aber ist in Rücksicht der Kraft, schon Strenge.

Durch sie gewann die Strenge immer, die Gnade aber hingegen mufste sich vermindern; wäre also die Waage oder das Gleichgewicht nicht gemacht worden, und wäre ebenfals die Strenge, und die Gnade jenen besonders, und vor sich nicht eingetheilt worden, und hätte nicht jedes seine Art von Behältnifs vor sich bekommen; so hätte sich die Strenge immer verstärkt und vermehrt, die Gnade hingegen wäre immer geschwächt und vermindert worden.

Sie müssen weiter wissen, dafs als die Zusammenziehung geschahe, so ward dadurch die Erde, und umgab diese eine Art von neuer Luft, welches die Techira genannt wird. Und da nun, wie ich Ihnen schon sagte, die Schechina von keinem Orte, ohne einen Merk zurückzulassen, weicht; so blieb auch ein solcher Merk in dieser Techira zurück, welcher ein Licht war ohne Farben. Als nun dieses Licht anfing seinen Mangel zu fühlen, dafs nemlich sein Urlicht sich von ihm entfernt habe, so wollte es herauf und herunter gehen, um wieder zu seinem Urlicht zurückzukommen, wodurch der ganze begonnene Weltbau ganz zernichtet worden wäre; jenes Licht mit Farben hingegen, worin der Wille war, zur Erschaffung und Erhaltung der Welten, wollte nicht von seinem Orte weichen, daher entstand eine Verwirrung unter den Lichtern, woraus unzählige Zirkel entstanden sind, und aus diesen Zirkeln wurden die Behältnisse der sogenannten Sephiren, die ein ganz anderes Ding sind, als man wirklich von ihnen lehrt. Ein jedes Licht, welches näher am Ensoph ist, gehört im Zirkel, und macht sich einen eigenen Weg. Aus diesem entstand das Geheimnifs des Jeschsop oder der Endlichkeit, und dies ist auch die Stütze. So wie ein Maler, der, ehe er eine Gestalt bilden will, erst die Farben auf die Tafel wirft, die gleichsam der Stoff jener Gestalt sind, die er in Zukunft seinem Gemalde geben will. Ich mufs Ihnen noch sagen, dafs jene Sephiren, welche יה Jah genannt werden, und die das Haupt der göttlichen Figur sind, hier das hauptsächlichste waren, und dafs sie alle Sephiren und alle die unzahlige Zirkel bezeichnet haben, die im Inbegriff des grofsen Zirkels waren.

Da nun in diesem Licht oder zurückgebliebenen Menkte die Gnade, welche sich Majim nennt, und die Strenge, welche sich durch das Wort Aesch unterscheidet, durch einander waren, so entstanden die Wasser, und da die Hitze der Strenge die Oberhand bekam; so fingen die Wasser mit einer Art von Gewalt zu ströhmen an; alles dies gieng in der Tehira oder in der innersten Luft vor; diese Luft machte einen ⊙, denn die Zusammenziehung des Punkts mufste in einem Zirkel seyn, so wie es jene Zusammenziehung des Ensophs, welcher das umkreisende Licht seyn mufste.

S 2

So war die Zusammenziehung im Zirkel, und dann war der Wille, daſs jener Zirkel des umgekreisten Lichts oder der Punkt sich zum Viereck gestalte, um nicht in allen Punkten an dem umkreisenden Licht, oder an dem Unendlichen anzurühren, sondern nur mit den vier Punkten des Vierecks, wie diese Figur zeiget.

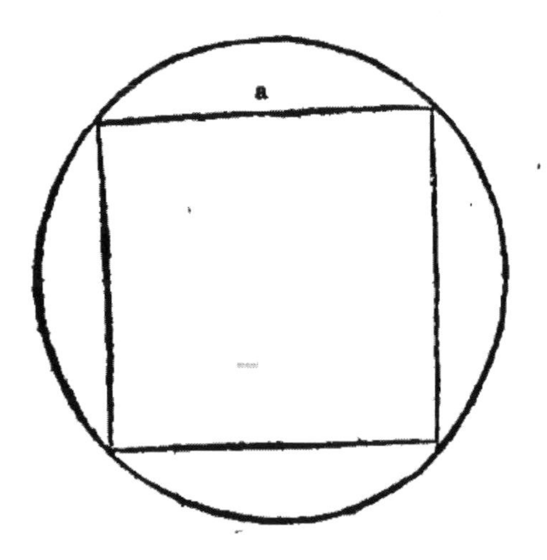

So wurden endlich die vier Distanzen zwischen den vier Wänden des Vierecks und des Zirkels, und dieses wurden die Distanzen dem ausgestrahlten und dem ausstrahlenden und in die Distanz S a wurde das Weltgebäude gesezt.

Sechster Abschnitt.

5. Sie sehen hier Sonne und Mond und ihre Bedeutung ist:

a) Die Sonne die in Osten aufgeht, die ihren Stand in Osten mit jedem Tage verändert, ist das Licht der senkrechten Länge, die vom fixen Osten kommt, und die Zahl vier führt, diese Länge ist unabänderlich, die Breite aber gehet von Süden nach Norden, ist zirkelförmig, und führt die Zahl neun, und dies ist der Mond, der aber der Veränderung unterworfen bleibt.

Da sich aber beide vereinigten, und ein Theil wirkend, der andere aber leidend wurde, so entstand die Zahl dreizehn. Dreizehn aber ist die Zahl der Natur.

6. Sie sehen mehr, hier zwei Säulen; diese wollen Ihnen sagen:
   a) Das zweifache Wesen, der zweiten Seite des Vierecks und die Zahl zwei.
   b) Sind sie weiter die zwei Grundsäulen der Zahl zehn und dreizehn.
   c) Führen sie auch die Namen נצך Nezach und היד Hod.
7. Hier zeigt sich eine Thür, deren Eingang verschlossen ist.
   a) Die Aufklärung des Bildes werden Sie gleich mit jenen der sieben Stuffen und des Schlüssels hören.
8. Sie sehen weiter, ein Senkblei, ein Winkelmaafs und einen Zirkel.
   a) Das Senkblei erinnert Sie an die fixe Länge von Osten.
   b) Das Winkelmaafs an die erste zwei Säulen des Vierecks, und an die Zahl 1 und 2.
   c) Der Zirkel ist das Instrument von dem ich mit Ihnen gleich reden werde.
9. Hammer und Kelle bieten sich ebenfalls Ihren Augen dar, ihre Bedeutung aber ist:
   a) Suchen und leiden.

b) Arbeiten und finden.

Mehr zeigen sie:

c) den Hammer, das doppelte Mercurial-Subjekt.

d) Die Kette, den Schwefel der Weisen.

10. Hier ist ein Reißbrett, ein cubisch geschliffener und ein Rohstein, diese Dinge wollen sagen:

a) das Reißbrett, ein gleiches Viereck, auf welchem der cubikische Stein bearbeitet worden, da er noch roh war; es wurde aus ihm die höchste natürliche Vollkommenheit, so daß er den Namen Nophech erhielt.

Das Reißbrett aber ◻ lös't sich in vier Daletten solchergestalt ╝╔ auf, und die vier offenen Daletten stellen den Werth des Reißbretts in seiner ganzen Größe vor.

11. Drei Lichter umgeben ihren Tapis.

a) Sie werden die Auflösung der Lichter ebenfalls gleich erfahren.

12. Sie sahen vor sich einen Altar, bei dem Altar einen Mann, der das Kleid der Natur angezogen hatte, unter einem viereckigten Thronhimmel stehen, seine Bedeutung ist:

a) Der Altar ist der Altar des Menschen, den er allenthalben vor sich siehet, den er kannte, den er aber nicht mehr kennt. Diesen Altar umgaben Lampen, die nie zu brennen aufhören werden, so lange er bestehen wird; dieser Altar und diese Lampen aber sind zwischen der Zahl vier verborgen.

13. Sie sehen hier ein Schwerdt auf dem Buch der Wahrheit liegen, dies will sagen:

a) Die Strenge der Zahl 56, diese Strenge beschützt das Buch der Wahrheit gegen sie, und sie können von 9, wo Sie sind, unmöglich zu diesem Buch gelangen, wenn Sie nicht fünf wegnehmen, die Einheit am Ende suchen, und die Wurzel, oder den Grund von 4 3 2 und 1 in 4 gefunden haben.

14. Man gab Ihnen ein Wort, und dies heifst Tubalkain, seine Bedeutung aber ist folgende:
   a) Tubalkain war der erste sichtbare Mensch, der sich auf die Amalgamirung der ersten Metalle legte.

15. Sie bekamen buchstäblich das Wort Jachim, und die Bedeutung davon ist:
   a) Strenge und Sieg; ich werde Ihnen aber von der Art es zu sprechen, bald mehr sagen.

16. Man gab Ihnen zwei Paar Handschuh vor Männer, und ein Paar vor Weiber, und ihre Bedeutung ist:
   a) Ein paar Mannshandschuh, wollen Ihnen den ersten unsichtbaren Menschen ohne Mutter,
   b) Das zweite Paar den ersten sichtbaren Menschen mit der Mutter
   c) Und jene des Weibes die Mutter selbst anzeigen.
   a) Sie haben aber auch ihren Bezug auf das männliche und weibliche, wirkende und leidende der Dinge, aus welchem ein Drittes entsteht, so ist die höchste Vollkommenheit.

Siebenter Abschnitt.

1. Man hat Ihnen, da man Sie zum Freimaurer Ritter und Gesellen machte, den Hals den

Arm und das rechte Knie entblöfst, und sie verkehrt in ihre ▭ eingeführt; dies will sagen:

a) Man hat Ihnen bei Ihrer ersten Aufnahme al Lehrling das Licht gezeigt, Sie waren in der Finsternifs, und kannten Ihre Blöfse, Sie sahen Licht, und Ihre Schamhaftigkeit wurde nicht im geringsten verletzt, man kleidete Sie dann nach Möglichkeit mit Ihren ächten Kleidern, und Sie schämten sich gar nicht mehr, weil die Wurzel der Scham, das Weib von Ihnen getrennt war, man konnte Ihnen aber kein anderes Licht, als Ihr Innerstes zeigen, weil Sie aus der Erkenntnifs von diesem zur Erkenntnifs des Urlichts übergehen müssen. Sie standen also am vierten Punkt der vierten Linie der Zahl vier. Da Sie nun die Linie betraten, so zweifelte man, ob Sie die Strahlen der weitern Erkenntnifs des Lichts sogleich würden fassen können, und liefs es Ihnen rückwärts scheinen.

Sie sahen es dann, aber Sie erkannten, dafs Sie Ihr ganzes ächtes Kleid nicht an sich hätten, weil Sie bestimmt wären, es gleich einem schwer arbeitenden Menschen, der mühsam im Schweifse seines Angesichts arbeiten mufs, in sich selbst noch stärker als jemals zu suchen.

b) Zeigt Ihnen diese nemliche Stellung einen Menschen an, der mit unbeschreiblicher Mühe im Eingeweide der Erde die Finsternifs sucht, um aus dieser das Licht zu ziehen, das da verborgen liegt.

2. Man kettete die Lehrlinge zusammen, und diese Kette will sagen:

   a) Dafs von dem Punkt der Erde aus, bis zu der unermefslichen Einheit eine Kette sei, und dafs man, wenn man die Hand an das letzte Glied der sichtbaren Kette legt, man auch bis an die unsichtbaren Glieder an der Kette, und so ununterbrochen und beständig reichen könne.

3. Der Buchstaben Ge, kommt mehrmalen zum Vorschein, und hier offenbaret sich ein anderer Theil seiner Geheimnisse, obwohl alle Theile zusammen nur eins machen, und keiner ohne den andern bestehen kann.

   a) Hier will Ge den Anfangsbuchstaben das Wort Ganemetrie oder Cabala anzeigen, diese Cabala ist aber keine andere Wissenschaft, als die Erkenntnifs der Zahl vier und des Menschen.

4. Sie sahen weiter, sieben Stuffen, die zur verschlossenen Thür führen, diese sieben Stuffen bedeuten:

   a) Die sieben Bäume, die die Wohnung des ersten unsichtbaren Menschen ausmachten, der Mittelpunkt dieser Wohnung ist, aber durch die Gewalt der Zahl 56 beschlossen.

   b) Die sieben Punkte der Metalle, die von 1 zu 3, von 3 zu 4 und von 4 zu 5 und 7 steigen.

   c) Zeigen sie den Stein mit sieben Augen an, den Zacharia sahe, und endlich die sechs Tagewerke der Schöpfung und den Sabbat, da das Werk der Natur seine Vollkommenheit erreicht hat, deren Vollendung man ihnen ebenfalls mit der Belehrung der Zahl 7 erklären wird.

5. Sie sehen weiter, einen Leuchter mit fünf Armen, das Bild will sagen:
   a) Die Quintessenz aller natürlichen Dinge.
6. Ich muſs hier die verschlossene Thür eröffnen, dies will sagen:
   a) Das verschlossene Buch des Menschen von zehn Blättern, gesiegelt mit sieben Siegeln, der Schlüssel dieses Buchs ist in die Gewässer geworfen worden, und ist nicht hier, der ächte Schlüssel liegt aber auch in Ihnen, und Sie tragen sein ächtes Bild an Ihrer Brust.
7. Endlich muſs ich Ihnen das Bild des Zirkels sagen:
   a) Es giebt nur eine Zahl und zwei Linien in den Dingen, die alle aus der Einheit entspringen; die erste Linie ist die gerade, und die läuft von fixen Osten her, und ihre Länge ist unermeſslich, denn sie führet die Zahlen eins und vier. Die andere Linie ist der Zirkel.

   Der erste ist der unsichtbare, der andere aber der sichtbare, der erste entstehet in seinem Mittelpunkt, und ist unermeſslicher Ausdehnungen fähig, der andere entstehet ebenfalls aus seinem Mittelpunkt, umkreis't die Erde, besteht aus dreifachem drei, oder sechs gleichseitigen Dreiangeln; die Peripherie giebt 9 oder Null und so beläuft sich der Inhalt des Zirkels, der die Materie einschlieſst auf 3 6 0, dieser Zirkel giebt selbst ohne die Materie die Zahl neun.
8. Man sagte Ihnen, daſs Sie weder lesen noch

schreiben konnten, und Ihre Meisterschaft sagte Ihnen mit diesen wenigen Worten, die erste aller Wahrheiten, die Sie sich tief hätten einprägen sollen.

a) Es giebt in der Welt eine Sprache, die die allgemeine Sprache aller Völker der Erde ist Sie war aber auch die Sprache des Unermeſslichen. Seine Sprache aber war nur ein Wort. Diese Sprache besteht ins Unendliche ohne Aenderung. Die Sprache des Menschen aber wird in seiner Zeit einer Simplification unterworfen werden. Diese Sprache ist der allgemeine Schlüssel aller Dinge, und sie öffnet die sieben Siegel des Buchs von zehn Blättern.

Diese Sprache würde die Kräfte von Norden, und die Abweichung des Magnets, die jungfräuliche Erde, den Stein des Karfunkels, den unsere persische Brüder durch den Namen Jscheb Schirack oder Fackel der Nacht erklären, und den die Kaldäer

nennen, anzeigen, und sie würde über alle Wesen, Macht und Licht verbreiten. Zu dieser Sprache haben Sie ebenfalls den Schlüssel in sich, und es war niemals ein Mensch auf der Erde, der nicht einen Buchstaben dieser Sprache geredet hätte.

9. Die ungeschliffene oder rohe, und die geschliffene oder polirte silberne Kette, die Sie empfangen haben, wollen sagen:

a) 1 4 und 7.

Achter Abschnitt.

Und nun hochwürdiger Bruder! mögen Sie

Ihren Verstand und Ihr Herz öffnen, Ihre Lippen aber auf immer verschliefsen, sich vor der Zahl 56 und vor dem zweiten Tod bewahren.

Das Bild des Tempels Salomo, dessen die Geschichte mit so prächtigen Allegorien gedenkt, war nichts anders, als ein prächtiges Gebäude der Religion des Volks, und jene der Väter gewidmet, Maafs und Zahl, Gewicht und Ordnung waren aber aufs genaueste beobachtet.

Salomos Tempel, dessen Form ein langes Viereck vorstellte, in dessen Mittelpunkt die Tafeln des Gesetzes, die Bundeslade und endlich das Allerheiligste war, sollte nichts anders, als die Wohnung des ersten unsichtbaren Menschen, des Menschen ohne Mutter vorbilden, die Wohnung bestand aus sieben Bäumen, diese sieben Bäume waren die Erkenntnifs der sieben geschehenen und der sieben ungeschehenen Dinge, unter dem Schatten dieser Bäume, unter ihrer Macht und Schutz sollte der erste Mensch unüberwindlich seyn. Salomo war die Frucht eines körperlichen Ehebruchs und einer Mordthat.

Der erste unsichtbare Mensch beging, ehe er dem Gesetz der Elementen unterworfen wurde, den Ehebruch des freien Willens, ich schweige über die weitere Erklärung aller damit verbundenen Umstände, theils weil es mir jetzt noch meine Pflicht nicht erlaubt, Ihnen mehr davon zu sagen, theils weil ich bei der geringsten dieser Umstände beschämt die Augen auf meine Mutter hefte, und am ganzen Leibe bebe.

Salomo liefs aber im Tempel alle Geheimnisse der Zahlen 1 und 4, der Zahlen 3 5 6 7 9 8 10 13 56 und 64 aufzeichnen. Die Bilder dieser Zahlen schlossen die Geheimnisse aller

Wesen und Dinge in sich, und sie waren aus dem Verstand der zwei Säulen des Henochs genommen. Salomo gieng von der Erkenntnifs dieser Geheimnisse und von Seligkeit und Frieden zur Abgötterei und Faulung über, Salomo aber, will Salomo sagen, und was noch mehr von ihm zu sagen wäre, das werden Sie in der Folge hören, aus folgendem aber sehr viel aus sich selbst schliefsen können. Chiram König von Tyr, welcher Salomo den Tempel bauen half, war der Freund Davids, des Ehebrechers. Der Prophet Ezechiel schildert ihn als einen Menschen, der die erste Sprache soll vollkommen verstanden und klar geredet haben, das kaldäische Buch Jalkot aber giebt nachgesetztes über den Inhalt Ezechiels an.

Chiram, König von Tyr, welcher Salomo den Tempel bauen half, erreichte durch seine grofse Weisheit unendliche Schätze, und ein Alter von mehr als 900 Jahren. Er übernahm sich sodann seiner Weisheit, und glaubte sich Gott ähnlich, er gründete, um das Werk der Schöpfung nachzuahmen, zwei Säulen auf den Gründen der Meere, auf diesen beiden Säulen bauete er sieben Himmel, und im siebenten bauete er sich einen Thron, der dem Thron Gottes gleichen sollte. Gott sandte Ezechiel zu Chiram, und der Prophet hielt ihm sein ganzes Verbrechen nach dem vollen Maafs seines Auftrags vor.

Der Unendliche zerschmetterte endlich mit seinem Donner die sieben Himmel des Chirams, und fiel von seiner Höhe in die Tiefe, und starb nicht, obwohl er auch nicht leben konnte. Salomo und Chiram, sind zwar entgegengesetzte Bilder, und doch eins. Salomo, der seine Kenntniſs im Buch des Lebens gefunden hatte, war der Weiseste und Erste, und fiel.

Sein Fall aber ist ein Verderben mit Grenzen, Chirams Fall ein Verderben ohne Grenzen zu nennen.

Die Grenzen schlieſsen sich aber an den sichtbaren und materiellen, theils an den unsichtbaren Zirkel an.

Wie sich aber alles, habe es in der Zeit Grenzen, oder sind die Zeiten seiner Grenzen ohne Maaſs, an diesen unsichtbaren Zirkel schlieſst, und wie dies alles in der Zahl eins eingehen wird, können Sie schon in diesen Unterweisungen durch Ihre eigene Selbsterkenntniſs lernen. Sie werden sie aber in jeder Art bei uns finden, wenn Sie sich nach den ächten Pflichten ihrer ächten Wesenheit unter unsern Augen betragen werden.

Es soll Ihnen also folgende Erklärung mit Einschluſs aller vorhergehenden und nachfolgenden zum Lichtfaden dienen:

1. Die ▭ der Meister ist schwarz angekleidet, dies will sagen:

   a) Die ▭ der Lehrlinge und jene der Gesellen haben die Farbe der sichtbaren Luft angenommen, um ihnen zu lehren, daſs der erste sichtbare Mensch in seinem eigenen Kleide gekleidet war. Nach dem Ehebruch des freien Willens aber fiel er in die Finsterniſs.

   Diese Finsterniſs ist die Zahl 9, und Sie sehen deswegen neun Lichter in dieser ▭, diese neun Lichter zeigen ebenfalls die neun Meister an, die mit Ausschluſs der

Mitternacht giengen den Baumeister zu suchen, der erschlagen worden.

Diese Mordthat ist die Mordthat des freien Willens, die der erste unsichtbare Mensch begieng, und ich wage mich nicht zur Zeit in Ihrer Gegenwart daran zu denken; denn dieser Mord ist schrecklich, weil beide, der Ehebruch und die Mordthat die Zahlen 56 und 360 verursacht haben, so wie die Zahl der Lichter aus 3 und aus 6 bestehet.

b) Die ▭ zeiget aber auch an, daſs alle Weisen, seyn sie immer von welcher Art sie wollen, durch die Verwesung erzeugt werden.

2. Sie sahen einen Sarg, und dies ist das Bild.

a) Der Zahl 10; 1 ist die Zahl der Einheit, 9 aber jene der Ausdehnung; 1 machte 2, 2 machte 3, 3 aber machte 4, 1 2 3 und 4 macht 10, 10 aber ist die Zahl der Erde.

b) Im Mittelpunkt der Erde entstehet also Verwesung und Leben, zwei Actionen die zugleich männlich und weiblich sind. Die Verwesung aber enthält in sich drei Theile, aus dreien wird aber eins, und das erste, und sie sind 3 5 1, 3 5 und 1 aber machen 9.

3. Die Ursach, warum man Sie unter drei wiederholten starken aber einzelnen Schlägen, an das Bild des Todes erinnerte, Sie aber den Punkt der Verwesung nicht ins Auge fassen lieſs, war:

a) 1 ist die Zahl der ersten Seite des □, 2 der zweiten, 3 der dritten und 4 der vierten, 1 und 4 macht 5, 2 mal 5 machen 10, 10 aber ist eben die Zahl des Buchs des Menschen von 10 Blättern.

7 aber ist die Zahl seiner Siegel, 1 aber ist die höchste Vollkommenheit.

Aus eins aber gieng zwei aus, und dies ist der Urausgang aus der Unreinheit. Dieser Urausgang aber ist ein Principium und zählt im sichtbaren Zirkel 1.

Aus diesem Urausgang kam 2 3 und 4, die Unreinheit aber und die Zahl 4 ist die Zahl des unsichtbaren Vierecks, so wie sie die Zahl des sichtbaren Vierecks ist.

b) So wie 1 die Zahl des Principiums aller Wesen ist; so ist 1 die Zahl des Urausgangs dieses Principiums, und so ist mehrmalen 1 des alles verzehrenden, gebärenden und ernährenden Geistes, des Geistes von drei Substanzen und einer Wesenheit, die aber die Zahl 1 und 3 und 3 nnd 1 führt, deren Zahl aber ist 7.

c) Der im Sarge dieser ▭ eingeschlossene Bruder trägt den Namen Chiram, worunter wir eine gewisse Materie verstehen, die diesen Geist von drei Substanzen und enier Wesenheit eingeschlossen hat.

Nicht als wenn nur diese Materie die einzige der Art wäre, denn man erklärte Ihnen schon hinlänglich, daſs jenes Ding auch das Geringste der Welt davon entstanden ist; Chiram stellte also die Hülle dieses Geistes vor.

Drei Gesellen wagten sich unter der Herrschaft des Friedens diesen Chiram zu ermorden, um das Wort, sein Geheimniſs oder den Geist herauszukriegen. Sein Wort aber ist Jehova oder das Central-Feuer oder das höchste Licht in der Natur der Dinge, der

Kette,

Kette, wo sich die sichtbaren Dinge schließen. Sie gruben ihn ein, weil er erst der Faulung unterliegen mußte, und sie sahen das Bild des Todes an ihm, als sein Geist grämlich emporstieg.

Da fingen sie an, die ersten Buchstaben der allgemeinen Sprache zu sprechen, und sagten Jachim und beim zweiten Anblick Bootz, weil sie den Geist vom Leibe getrennt sahen, und endlich übersahen sie ihn ganz, und versicherten die Wahrheit dieser Sache durch das Wort Mack Benahag, denn Mack heißt Faulung, Benahag aber ein Schein in der Faulung.

d) Der Freimaurer-Ritter- und Meister-Grad lehret ferner die Eigenschaften der Materie, daß sie mineralisch seyn, und dies zeigen die Grabstätte, daß sie animalisch seyn, und dies zeigt der Todtenkopf, und endlich daß sie ebenfalls vegetabilischer Natur seyn, und dies zeigt der Acatiazweig an.

e) Dies will sagen, daß unsere Materie nicht specificirt sey, daß sie aber die Eigenschaften aller drei Reiche, und keine davon haben muß.

4. Sie geben aber dieser Materie den Namen [illegible] und wir haben drei Materien, die wir mit diesem Namen belegen, die erste davon wird Ihnen gezeigt, die sich bei der strengsten Untersuchung mit den herrlichsten Tugenden werden ausgeziert finden.

5. Diese Materie wird, um sie im Sarge der Faulung zu überlassen, auf einer gläsernen Tapel

T

in den Keller gethan, dieser werden Gefäſse von Glas untergestellt, in welche die Auflösung der Metalle flieſst, sie werden eine grünlicht rothe Auflösung bekommen, und auf der Glastafel wird der todte Leib unverletzt liegen bleiben.

6. Sie werden nun selbst leicht einsehen, was die Thränen am Sarge und am Thronhimmel der ▭ sagen und bedeuten wollen.

7. Sie werden sich erinnern, daſs Ihnen ihr Groſsmeister auftrug die Leiche nicht zu beschädigen, dies soll Sie belehren:

   a) Die zurückgebliebenen faulen Leiber oder die Erde wohl zu bewahren, weil sie ohne diese Mitwirkung ein halbes Nichts machen würden.

8. Ich muſs Ihnen denn weiter Ihre Zeichen lehren.

   a) Das Zeichen des Lehrlings will ⊖, jenes der Gesellen 🜍 und jenes der Meister ☿ sagen, und die Meister nennen ⊖ 🜍 ☿ von ψ und von Stimme der Weisen.

9. Wenn Sie nun die ganze Geschichte der Sache selbst durchsehen, so werden Sie finden, daſs unser Geheimniſs der Inbegriff der Erkenntnisse.

   a) des Unendlichen oder des ersten Princripiums aller Wesen,

   b) die Zahlen 1 4 5 3 6 7 8 9 10 13 56 und 64 sey

   c) und daſs in dieser Erkenntniſs die Kenntniſs aller Dinge die da waren, die da sind, und die da seyn werden, eingeschlossen sind. Glauben Sie aber nicht, hochwürdiger Bruder, ja nicht, dafs diese Kenntnisse in das Herz eines finstern Menschen eingehen. Nur der ächte Mensch kann das Licht sehen, und sich in ihm durch die Behauptung seiner Rechte durch seine Fähigkeiten und Willen, und also auch sich selbst dem Urlicht nähern. Hier haben Sie, hochwürdiger Bruder, Ihren Erblohn, Ihre goldene Kette und Ihren Schlüssel erhalten, wozu Ihnen der Unendliche Seeligkeit und Frieden in der Zahl 1 und 4, durch 3 geben möge.

Neunter Abschnitt.

1. Klein und grofs sind einander gleich, denn das Grundgesetz der Natur ist Einheit.
2. Wollen Sie also zur Erkenntnifs des unermefslichen Ganzen gelangen, so betrachten Sie einen seiner kleinen Theile.
3. Die Verachtung des Kleinen ist das gröfste Hindernifs der Weisheit, denn wer seine Augen beständig auf das Grofse heftet, wird schon deswegen, weil er nichts übersehen kann, nie eine Weisheit finden.
4. Aber das Kleine können die menschliche Sinne fassen, deswegen ist der Weise demüthig.

   Sein Geist erniedrigt sich zu den geringsten Gegenständen, und er wird dadurch erhöht, und lernt das Grofse kennen.
5. Entstehung, Veränderung und Vernichtung sind das Loos eines jeden Dinges.
6. Diese drei Sachen sind verschieden und eins.
7. Keine Entstehung kann ohne Veränderung und Vernichtung,
8. Keine Veränderung, ohne Entstehung und Vernichtung,

T 2

9. Keine Vernichtung ohne Veränderung und Entstehung seyn.
10. Denn was entsehen soll, muſs aus etwas wirklichem, aus etwas das ist, wie z. B. die Pflanzen aus ihren Saamen entstehen, aus nichts wird nichts.
11. Die Entstehung der Pflanze muſs durch Veränderung oder Auswürkung ihres Saamens,
12. Die Auswirkung ihres Saamens durch Faulung und Vernichtung seiner Hülfe entstehen.
13. Durch die Vernichtung der Pflanze erhalten andere Körper ihren Stoff, und durch diese sind sie von ihrer Entstehung an veränderlich und verweeslich.
14. Kein Ding kann allein existiren, denn jedes bedarf zu seiner Erhaltung verschiedene nebenexistirende Dinge. So bedarf zum Beispiel die Pflanze eines Erdreichs, darin zu wurzeln; einer Feuchtigkeit, wovon sie sich nähren könne, und eines gewissen Grads von Wärme, das ihre Röhre öffnet, damit die Feuchtigkeit oder ihr Lebensgeist im Stande ist, in ihr einzudringen.
15. Die Dinge so neben einander existiren, wirken beständigwechselsweise auf einander, d. i. jedes Ding leidet beständig eine sowohl seiner Natur als den Kräften der darauf wirkenden Dinge gemäſse Veränderung, und bringet ebenfalls nach Beschaffenheit des Grads, seine Veränderung hervor, oder kürzer, jedes leidet und wirket.
16. So wird z. B. der Schnee von der Wärme im Wasser aufgelös't, so wird das Wasser oder der aufgelös'te Schnee durch die Erde, die ihn aufgesaugt, und sich mit ihr vermischt, gänzlich verunreinigt und zur Faulung gebracht.

Die faule Feuchtigkeit aber von den faulen Wurzeln der Pflanze angezogen, und zu einem kostbaren Nahrungsmittel bereitet, der durch ihre feinsten Röhrchen dringt.

17 Gleichwie in unsern kleinen Planeten §. 14. die Nebeneinander-Existenz verschiedener Dinge zur Erhaltung jedes einzelnen nothwendig ist, so ist auch zur Erhaltung dieses Planeten die Neben-Existenz von verschiedenen andern Planeten unumgänglich nothwendig.

18. Gleichwie die Dinge in unsern Planeten neben einander existiren, auf einander wirken, und durch diese Wirksamkeit einander beständig verändern, so wirken auch die neben einander sich befindliche Planeten beständig auf einander, und werden dadurch auch immerfort verändert.

19. Gleichwie durch die Veränderung der Gegenstände unserer Erde §. 8. Dinge vernichtet werden, und entstehen, so werden durch langwierige Veränderung der Planeten, ganze Planeten vernichtet und neue geboren.

20. Dem nemlichen Schicksal sind auch alle Planeten-Systeme unterworfen.

21. Und selbst das grofse System, worin sich alle Planeten-Systeme verbinden.

22. Aber obgleich alles vergänglich ist, so bleibt doch das, woraus alles bestehet, unvergänglich.

23. Diese unvergängliche Bestandtheile sind Materie, Feuer und Geist.

24. Materie, Feuer und Geist aber sind 3 und 1.

25. Und sie sind im umgekreis'ten Licht eingeschlossen.

26. Das umgekreis'te Licht aber schliefst die Zahl 1 ein.

Zehnter Abschnitt.

Frag. Hochwürdiger Bruder! erster Meister! Was ist der Anfang?

Antw. 1. Hochwürdiger Bruder.

Frag. Wie viel ist 1?

Antw. 2 und 3 und 1.

Frag. Was ist die Vollkommenheit?

Antw. 1 2 3 4 mit dem ●.

Frag. Wie hoch ist die Zahl der Brüder?

Antw. Vier.

Frag. Und die heilige Zahl?

Antw. Drei.

Frag. Warum?

Antw. Ich kann meine Begriffe davon nicht recht bestimmen.

Frag. Und die mittlere Hauptzahl?

Antw. 6, 7 und 9.

Frag. Warum?

Antw. Weil sie 1 2 3 4 und 5 in sich schliefst.

Frag. Was nennen Sie das gröfste Geheimnifs?

Antw. Die Erkenntnifs En Sophs.

Frag. Kennen Sie es?

Antw. Man hat es mir klar gelehret.

Frag. Wie viel kennen Sie Namen?

Antw. 72.

Frag. Und Füllen?

Antw. 4. ab, sag, cha, ban.

Frag. Und ihre kleine Zahl?

Antw. Neun, wie das Siegel Jehova.

Frag. Was war im Anfang?

Antw. Finsternifs, die ein dunkler Hauch umschlofs, und in diesem der Mittelpunkt, denn zwei Punkte in einem, und alles war ein Punkt.

Frag. Was wurde dann?

Antw. Licht, auf das Geheiſs Elochims.
Frag. Und dann?
Antw. Abend und Morgen des ersten Tages.
Frag. Wie?
Antw. Nach der Scheidung des Lichts von der Finsterniſs.
Frag. Wie rechnen Sie die Tagwerke der Schöpfung?
Antw. 1.
Frag. Warum 1?
Antw. Weil im Punkt keine Theilung Platz hat, und weil ein unabänderlicher Wille mit einer immerwährenden Handlung eins ist.
Frag. Was ist ein unabänderlicher Wille, und eine immerwährende Handlung, und wie verstehen Sie dies?
Antw. Ich erkläre beide durch Gesetz und Maaſs, Ordnung und Zahl.
Frag. Und wie kennen Sie das Licht?
Antw. Durch die Finsterniſs.
Frag. Was ist von Ewigkeit?
Antw. Das Gute?
Frag. Was ist das Gute?
Antw. Ein Uranfang, in dem alles in allem ist.
Frag. Was ist das Böse?
Antw. Ein anderer Uranfang.

Frag. Sie antworten falsch, wie kann das seyn?
Antw. Ich will nun ein groſses und ein heiliges Geheimniſs erklären, um die Lehre zu rechtfertigen, die ich empfangen habe, ich bin in mich selbst zurückgegangen, und ich habe in mir selbst gesucht, was ich sonst nirgends finden konnte, ich habe in mir ein Licht gefunden, dessen Herrlichkeit ich beinahe nicht

ertragen konnte. Ich habe Einheit, Seligkeit und Friede, Qual und Wehe gesehen.

Ich habe einmal gesehen, wie das erstere die Erfüllung seines einzigen Gesetzes vollbringt, und wie sich das leztere immer dieser Erfüllung widersezt.

Dies einzige Gesetz ist Wahrheit, und es faſst die Unendlichkeit aller Wesen in sich.

Diese Wahrheit ist Einheit, diese Einheit ist Seligkeit und Friede, Qual und Wehe bestreiten diese immer. Sie wollen diese Einheit stürzen und eine andere errichten.

Qual und Wehe ist aber hier auſser dem Gesetze der Einheit, es stöhret und verhindert seine Erfüllung, und es ist also Falschheit.

Das erste hat von sich selbst seine Macht, seine Stärke und seine That, das leztere ist nichts, wenn das erstere da ist.

Das erstere hat eine ungemessene Ueberlegenheit, eine Einheit, eine Unzertrennlichkeit, einen Umfang aller Wesen, es ist der Punkt der Seligkeit und des Friedens. . -

Das letzte ist ihm ganz entgegengesetzt, das lezte ist ein Ausfluſs des ersten.

Es hatte Friede und Seligkeit von ihm ohne Qual und Wehe zu fühlen, und so war es an Macht und Stärke unterschieden. Dieser Ausfluſs war gut, weil er ursprünglich von der Güte und dem vortreflichsten und einfachsten Wesen selbst war.

Es war vorzüglich darin unter dem Guten und dem Urwesen der Seligkeit und des Friedens, daſs sein Gesetz nicht von ihm selbst war, und es also die Fähigkeit hatte zu thun, und nicht zu thun, was ihm ursprünglich gebothen war.

Diese Fähigkeit ist das Resultat der Freiheit, aber durch diese war es dem Wollen oder Nichtwollen Preis gegeben.

Seine Wahl war aber frei, und es konnte sich also von dem Gesetz der Einheit entfernen, Seligkeit und Frieden verlassen und Qual und Wehe annehmen.

Die Einheit des ersten ist herrliche Nothwendigkeit, unabänderlich ohne Anfang und Ende, selbstbeständig von sich selbst.

Das Wesen des andern ist Ausartung, wilde Anwendung der Freiheiten, ein beständiger Widerspruch des ersten, ein freiwilliger Feind des Guten, unordentlich und unrein. So wie das erste Einheit, Gesetz und Ordnung, Gerechtigkeit, Seligkeit und Frieden in sich selbst hat, so und nicht anders, übt es seine Macht und Stärke aus. Ganz entgegengesetzt kennt das lezte nichts anders, als eine böse Macht und einen bösen Willen; in seiner eigenen freiwilligen Finsternifs begraben, ist es keines Lichts fähig.

Frag. Ich verstehe wohl was Sie sagen, könnten Sie sich aber nicht besser erklräen?

Antw. Ja ich will Ihnen noch eine weitere Erklärung geben, Einheit, Seligkeit und Frieden, das selbstständige Gute konnte nichts anders als Gutes hervorbringen.

Licht ging von ihm mit ungebundener Freiheit. Dieses Licht senkte sich in die Finsternifs, und die Finsternisse haben es nicht begriffen. Diese gesenkte und umhüllte freiwillige Entfernung ist mit einem immerwährenden verderbten, unreinen und bösen Willen umgeben.

Es hat nicht die geringste Gemeinschaft mit dem Guten, und es hat sich freiwillig das Vermögen genommen, das Gute zu erkennen und zu fühlen. Und obwohl es Fähigkeit und Freiheit hat, dahin zurückzukehren, so sind doch diese beide Dinge vor ihm ohne Wirkung.

Dieser schreckliche Mangel macht diese Beraubung zu einer immerwährenden Qual, und zu einem fürchterlichen Wehe.

Frag. Nun habe ich Sie vollkommen verstanden, sagen Sie mir aber, was da zu erwarten ist?

Antw. Ich würde mir, dieses zur Sünde rechnen, über dieses Geheimniſs ein Urtheil zu fällen.

Frag. Warum?

Antw. Wie kann es, Hochwürdigster! Ich kenne meinen Ursprung, ich weiſs, daſs der Mensch älter, als jedes andere Wesen der Natur war, und doch ist er später als sie und alle Wesen.

Frag. Wie soll ich dieses annehmen?

Antw. Der Mensch kannte den Widerstürmer der Einheit, und des Menschen Bestimmung war, ihn selbst zu bestreiten, der Unordnung zu steuern, sie zu endigen, und alles in die Einheit im Punkt zurückzuführen.

Frag. Was nennen Sie bestreiten?

Antw. Der Mensch hatte von seinem Vater den Beruf zum Streittreffen erhalten. Er konnte aber nicht werden, und nicht streiten, weil er, obwohl er wirklich war, doch nicht war, denn er muſste von einem Vater und von einer Mutter entstehen, und der Mensch hatte keine Mutter.

Frag. Wenn der Mensch war, ehe alles war, was in der Natur ist, wie entstand er denn?

Antw. Durch die Macht der Einheit.

Frag Was war der Mensch, da er war, ehe die Natur war?

Antw. Er war berufen, über die Wesen zu herrschen, die bestimmt waren, ihm zu gehorchen.

Frag. Wie konnte der erste Mensch Streittreffen unternehmen?

Antw. Der Mensch war mit einer undurchdringlichen Waffe bekleidet, deren Gebrauch er nach seinem freien Willen abändern konnte.

Frag. Was hatte er noch über diese Waffe?

Antw. Eine Lanze, die aus vier amalgamirten Metallen gebildet war.

Frag. Was hatte diese Lanze für Macht?

Antw. Sie brannte wie Feuer, und sie war so scharf, daſs vor ihr nichts undurchdringlich war; ferner war sie so thätig, daſs sie immer an zwei Stellen traf.

Frag. Wo war der Kampfplatz des Menschen?

Antw. Im Allerheiligsten. d. i. Es war ein groſses prächtiges Gebäude, zu dem sieben Stufen führten. Von der siebenten kam man in die Halle. Von der Halle waren 16 Stuffen bis zum Mittelpunkt. Dies prächtige Gebäude aber war ein Wald, mit sieben Bäumen bedeckt.

Jeder Baum hatte 16 Wurzeln und 490 Zweige.

Unter dem Schatten der sieben Bäume und der 3430 Zweigen auf 112 Wurzeln, war also der Kampfplatz des Menschen.

Frag. Welche Eigenschaften hatten diese Bäume?

Antw. Sie lieferten dem Menschen ohne Unterlaſs erneuerte Früchte, und gewährten ihm die vortreflichste Nahrung.

Frag. Welche Macht hatten sie?

Antw. Sie machten seine Centralstelle ganz unzugänglich.

Frag. Wie lange blieb der Mensch an dieser Stelle?

Antw. Unzählige Zeiten, und wenige Augenblikke. An diesem glücklichen Ort bewohnte er den Mittelpunkt. Von diesem Mittelpunkte aus konnte er alles beobachten, ohne beobachtet zu werden.

Er genoſs ohne Unterlaſs, Seligkeit und Frieden, der Mensch entfernte sich aber von diesem Mittelpunkt und ein anderes wirksameres Wesen nahm seinen Platz ein, und wurde von der Stelle Meister, von der er es war.

In eben diesem Augenblick wurde der Mensch schmählig, aller seiner Rechte beraubt, und er sank tief in die Region der Väter und Mütter, wo er seit dieser unglücklichen Zeit lebet.

Hier begleitet ihn Gram und Demüthigung, und er lebt herabgesetzt, verkannt von allen Wesen der Natur, nicht mehr geachtet, wie sie entfernt vom Lichte in der Finsterniſs.

Frag. Was kann der Mensch in dieser mühseligen Lage machen?

Antw. Das Hauptgeschäft des Menschen soll seyn, die ächte Waffe, von der er noch immer im dunkeln und unerkenntlichen Verstand umhüllt ist, zu suchen.

Er muſs die Zahl 9 verlassen und jene von 4 suchen, und er wird in dem nemlichen

Augenblick, da er von 9 zu 4 übergehet, sich dem Mittelpunkt nähern.

Frag. Welches ist das glückliche Gesetz?

Antw. Die Einheit.

Frag. Warum lebt der Mensch nicht wirksam unter dieser?

Antw. Weil sich der Mensch freiwillig in die Region der Väter und Mütter hinabgegeben hat, er mufste das Gesetz fühlen, das alle Wesen fühlten, die in dieser Region leben.

Frag. Was giebt denn die Farbe?

Antw. Der Wille.

Frag. Wie viel sind zusammen, und wann wurden sie?

Antw. Vollkommen eins, gleich her von Ewigkeit.

Frag. Was war denn En Soph?

Antw. Die Himmel und die Veste, die vier Linien des Vierecks, die sieben Siegel des Buchs des Menschen mit zehn Blättern, und in der Mitte der Punkt.

Frag. Wie rechnen Sie die Zeit?

Antw. Wie En Soph.

Frag. Was ist beständig?

Antw. Die Natur in veränderter Form, Figur und Gestalt.

Frag. Was ist selbstständig ohne Anfang und Ende?

Antw. Ich kenne es, aber ich kann es nicht aussprechen.

Frag. Warum?

Antw. Weil ich kein Wort denken kann, das es bestimmte.

Eilfter Abschnitt.

Frag. Was nennen und verstehen Sie unter dem Wort Natur?

Antw. Ich gebe dem Wort Natur einen zweifachen Verstand.

Frag. Sagen Sie ihn!

Antw. Ich nenne Natur das grofse All, welches vom umgekreis'ten Licht eingeschlossen ist.

Aber ich kenne auch den ersten Menschen, und ich kenne den, der eine Mutter hatte.

Frag. Kennen Sie die sichtbare Natur?

Antw. Man lehrt sie mir in unsern Versammlungen.

Frag. Wenn man sie Ihnen lehret, so sagen Sie mir den natürlichen Anfang der Dinge!

Antw. Finsternifs, denn ein freier verständiger Hauch, der vom selbstständigen Verstand ausging.

Gott Vater und Geist, umkreisendes Licht und umgekreis'tes Licht, weiter, grenzenlose Tiefe, in welcher sich wellenförmig Feuer beweget. So stieg das erste schnell in die Höhe, da sich die Finsternifs schied. Es war Feuer, das sich mit Macht von den Wässern trennte, die sich gebildet hatten. Die feinsten Theile der Gewässer verdünnten, schlossen sich an die äufsersten Grenzen des Feuers an, und nahmen die Lage des Gleichgewichts, das in beständiger Ordnung die festen vereinigten Theile durchschnitten, und von den laufenden Gewässern in unzähligen Kreisen und Formen in dem umgekreis'ten Licht erhält.

Frag. Was nennen Sie die ersten Bestandtheile der Natur?

Antw. Elemente.

Frag. Was nennen Sie Elemente und wie viel sind ihrer?

Antw. Ich nenne △ 🜃 🜁 und ▽ Elemente und ihre Zahl ist 4.

Frag. Was ist denn eigentlich Element?

Antw. Nicht das, was wir sehen oder fühlen, denn dies sind nur elementirte Körper.

Ich nenne aber Elemente ein ganz anderes Ding, die sichtbare Vermischung von △🜁▽ und 🜃 ist nicht im Stande in der Natur der Dinge etwas hervorzubringen, denn obgleich alle Dinge in den Elementen gemacht, hervorgebracht und erhalten werden, so sind sie doch nicht der eigentliche Grund der Entstehung eines solchen hervorgebrachten Wesens. Dieser Grund ist ein ganz anderes Ding, welches in ihr gefunden wird, und dieses Ding ist und heifst Universal, oder saamlicher Geist, und seine Signatur ist

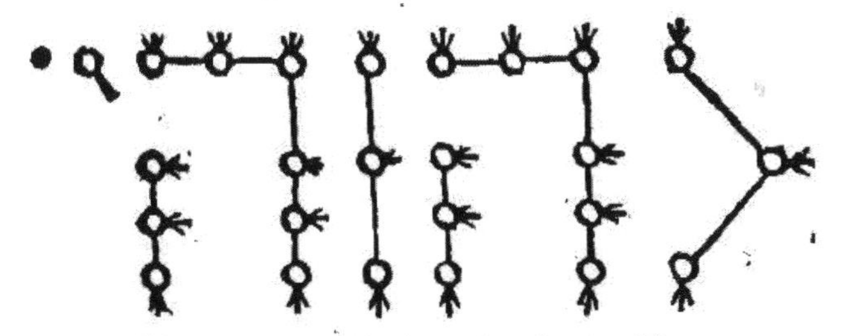

Frag. Wie nennen Sie dies Band, so die Elemente unter sich verbindet?

Antw. Das Band, so diesen Geist an die Substanzen der Elemente festbindet, ist das Mittel, und dieses Mittel heifst Magie, oder das unbegreifliche Band vor sich ohne Farbe, so, dafs es unmöglich von ihm getrennt werden kann. Auch ist unmöglich, einen einzigen elementarischen Theil, er sey so klein er immer wolle, zu finden, der nicht mit diesem Lebensgeist geschwängert seyn sollte.

Frag. Sagen Sie mir, wenn Sie können, die Substanz dieses Geistes?

Antw. Dieser Geist, geistige Substanz, oder erster Saame aller Dinge, schliefst in sich drei verschiedene Substanzen, welche aber doch in sich selbst nicht verschieden sind, denn er kann nur homogen, und eben aus dieser Ursach nur eine einzige Substanz seyn. Weil sich aber in derselben eine gewisse Wärme, eine feuchte und eine trockene befindet, welche drei Eigenschaften nur dem Namen nach unterschieden werden, aber keinesweges abweichen, so ist klar, dafs diese drei nur ein einziges Wesen, und Radical-Substanz seyn, diese Substanz wird wegen des Feuers, Schwefel, wegen des feuchten Aliments und Nahrung des Feuers Merkur, und wegen der radicalen Trockenheit, die das Band dieser Feuchtigkeit ist, Salz genannt, so dafs eine, dem Wesen nach einige Substanz drei Namen führt, die aber in keinem Fall abweichen.

Frag. Wie viel sind also Substanzen der Schöpfung?

Antw. Zwei.

Frag. Wie heifsen sie?

Antw. Substanzen oder Säulen, die Schönheit und die Stärke, Sieg und Ruhm, Wasser und Himmel.

Frag. Kennen Sie wohl unsere Sprache?

Antw. Ich mufs Ihre Frage erwarten, um zu sehen, ob ich darauf antworten kann.

Frag.

Frag. Sagen Sie mir die Erklärung der Sonne!

Antw. Die Sonne soll uns das Bild des Unendlichen vorstellen, ihr Zeichen ist ein ⊙, dies Zeichen ist aber jünger als folgendes θ, so bei unsern kynesischen Brüdern üblich ist, und bei ihnen bald Salz, bald Feuer, bald Licht, bald Richter und bald Erschaffen sagen will, je nachdem es im Verhältnifs mit der Rede selbst ist, dies Zeichen wird Ge ausgesprochen, zwar hat dies nemliche Zeichen eine Abänderung erlitten, und wird so |三| gemacht, doch ist Aussprache und Bedeutung eins, dies Zeichen steht im genauen Verhältnifs mit dem sogenannten flammenden Stern, denn seine Aussprache ist ähnlich und gleich.

Das Hieroglyph des Unendlichen ist seiner ganzen Gröfse angemessen, denn wie im ganzen System der Schöpfung die vier Welten durch die Sonne belebt, erwärmt und fruchtbar gemacht werden, weil alle saamliche Kräfte ohne ihr tod, ohne ihr concentrirten elementarischen, theils anziehenden theils von sich stofsenden Feuer, Kräfte ohne alle Wirkung wären. Eben so belebt das Licht des fixen Osten den Geist des umkreisenden Lichts, das umgekreis'te Licht, und dies die Schöpfung.

Frag. Wenn entdeckte sich denn die schöne Jungfer ohne Makel, und wenn versteckte sie sich?

Antw. Sie entdeckt sich am Morgen, und versteckt sich am Mittag.

Frag. Was muſs man nicht sagen, wenn man zu einem Marmorstein gelangt?
Antw. Nicht Mann, Mann, oder Wasser, Wasser.
Frag. Was ist endlich das vollkommenste Feuer?
Antw. Das leuchtet, flammet, und verzehret.

Der Obermeister: Seligkeit und Friede, meine hochwürdigen lieben Bruder. Ensoph erleuchte Sie mit der Fülle seiner Allmacht, seiner Gnade und seiner Barmherzigkeit.

Alle sagen: Es geschehe.

Zwölfter Abschnitt.

Frag. Hochwürdiger Bruder erster Meister! was ist das Ende?
Antw. 1. Hochwürdiger Obermeister.
Frag. Wie viel ist 1?
Antw. 2 und 3 und 1 und 4 mit dem Punkt.
Frag. Wie viel sind Hauptwissenschaften?
Antw. Drei.
Frag. Wie heiſsen sie?
Antw. Die Erkenntniſs der Zahlen 1 3 und 4 und 1.
Frag. Was verstehen Sie mit 4 und 1?
Antw. 7 und 10.
Frag. Was ist positiv?
Antw. Gut.
Frag. Was ist negativ?
Antw. Böſs.
Frag. Können Sie mir ein Gleichniſs geben?
Antw. Ja.
Frag. Wie soll es seyn?
Antw. Licht und Finsterniſs, Wärme und Kälte.
Frag. Wo haben Sie diese Kenntniſs genommen?
Antw. Aus der Lehre der sieben Väter.
Frag. Wo finden Sie die Lehre der sieben Väter?
Antw. In mir selbst und in der Natur.

Frag. Warum nennen Sie sich zum ersten? Sie sollten sagen, in der Natur und in mir selbst.

Antw. Ich antworte mit Bedacht, denn ich bin älter wie die Natur, und ich bin auch jünger.

Frag. Wie soll ich dies letztere verstehen?

Antw. Ich leide nur, wie kann ich es sagen.

Frag. Weil Ihre Stimme, die Stimme der versammleten Brüder ist, so will ich die geringste Frage an Sie thun. Sagen Sie mir, welche Wissenschaft ist die älteste auf der körperlichen Erde?

Antw. Die Scheidekunst nach der Natur, denn die gemeine Scheidekunst gehört nicht in diese Frage.

Frag. Geben Sie mir also den Auszug der Lehre, den sie darüber empfangen haben!

Antw. Ich werde Ihnen von Schwängerung und Faulung, von Geburt und Zerstörung reden müssen.

Frag. Was werden Sie davon sagen?

Antw. Die Scheidekunst ist die Lehre und Wissenschaft von der Geburt der Dinge und der Körper, und von ihrer Verwandlung, welche durch die Verfeinerung derselben in der Natur geschiehet. Sie lehrt uns nemlich alles dieses durch die Kunst zu machen, was die Natur durch die Natur selbst macht.

Ich will fortfahren, hochwürdiger Obermeister, mich über diese Dinge besser zu erklären.

Hermes, d. i. der erste bekannte Hermes mit dem Beinamen Trismegist, war der erste, der diese Wissenschaft in eine gewisse Ordnung gebracht, man nannte sie Chemie, Chemia, oder Chymia, nach ihrem ersten uns bekannten Vaterland Egypten. Die Be-

U 2

weise davon sind allgemein, und man nennet dieses Land, in den so verschiedenen Geschichten חם Cham auch Xyhy, und Xymix, Choeme und Chemia. Die Araber setzten nun ihren gewöhnlichen Artikel, Al dem Wort vor, und so entstand ihr אלחמוא, oder das Wort Alchemia, dem sie den Verstand aller Naturgeheimnisse beilegten. Hermes war der erste, der die erste sinnliche Sprache des Menschen in Ordnung brachte, und vielen Dingen Benennungen gab, die noch keinen Namen hatten, auch gewisse Charaktere und Zeichen erfand, wodurch man seine Meinungen einander mittheilen konnte.

Frag. Sagen Sie mir doch, was Hermes eigentlich sagen will?

Antw. Ich setze voraus, was ich schon von Hermes in Rücksicht der hier schon bekannten Geschichte gesagt habe.

Es ist aber sicher, daſs er zu den neuen Zeiten unter dem Namen Merkur Thoth Teuth und Thaut תאות bekannt war. Sein Name selbst scheint einen Erfinder anzuzeigen.

Es ist aus dem alten orientalischen Worte אות Aruth, Euth oder Oth genommen, der ein Zeichen, Character oder Buchstaben mit gewöhnlicher Versetzung des dienstlichen Buchstaben ת — bedeutet, — herkommt.

Frag. Fahren Sie fort, uns mehr zu sagen, wenn Sie können.

Antw. Ja, Hochwüediger! ich soll es. Wir sehen aus der ältesten Geschichte, daſs unsere Väter sich der Zeichen als als gewisser bedeutender Dinge bedienten, um dieses oder jenes anzuzeigen, und wir haben noch heute eben die nemlichen Bedeutungen in vielen Wissenschaften.

Wir haben z. B. in der Meſskunst eben die Punkte, Linien und Flächen, von denen sie uns die Lehre hinterlieſsen, und wir finden Chemie vielfältig, die Charactere die sie brauchten, um jenes oder dieses Ding zu bezeichnen.

Die Zeichen der Meſskunst haben dies mit jenen der Chemie gemein, daſs sie nur ursprünglich die Natur der Dinge bezeichnen. So ist der Punkt der Ursprung aller Gröſsen, aller Linien und aller Figuren, er ist ihr Anfang und ihr Ende, und in ihm sind alle Quantitäten verborgen, die Länge, die Breite, die Dicke entspringen aus ihm, er ist aber eigentlich keines von diesen Theilen. Unsere Väter bezeichneten das Chaos gleichfals mit einem Punkt, weil es der Ursprung aller Dinge ist. Denn es war auf der Tiefe grenzenlose Finsterniſs.

Wasser und Feuer, verständiger Hauch, die durch die Macht des Unendlichen im Chaos wohnten, hier also der Ursprung aller Dinge und aller Wesen.

„Die chaotische Masse war Principium, „Kraft, Nothwendigkeit, Ende und Erneue„rung, sie war aber auch das materielle lei„dende Principium. Gott und Natur, der Un„endliche umgab sie.“

„Hier war die Materie, durch die das „schaffende Wesen ausgegangen von Natur, „und Sohn der Geist, alles hervorbrachte.“

„Hier war noch alles ungeschieden, un„gebildet, endlich schied sich das Licht; eben „das Schwere legte sich unten, nachdem alles

„durchs Feuer abgesondert, getheilt, gereinigt
„und zu diesem oder jenem Subject schicklich
„gemacht war. Es war aber alles in der Hö-
„he befestigt, daſs es der Hauch bewegen
„konnte.“

Das Chaos war also eine nebelmäſsige Materie, in welcher die Zeugungskraft aller Dinge gleich seyn, wie in ihrer Mutterlage, das leidende materielle Principium, auf welches der Geist, als das wirkende Principium wirkte.

Hier entwickelten sich die Elemente und alle Dinge, die den Bau der Schöpfung ausmachten.

Die Elemente im Ganzen, sind die groſsen Körper der Natur und die Gebährmutter, die ihnen von dem allgemeinen Geist, oder von dem sich bewegenden Punkt gegebene Tugenden, Saamen und Zeichen, und Bilder in sich halten.

Die Elemente haben zwei Naturen, eine geistige und eine leibliche; es ist die erste Tugend im Schooſs der andern verborgen, ihre wahre Wirkung aber ist, den allgemeinen Geist leibhaft zu machen, ihn durch verschiedene Fermente, so in ihrer eigenen besondern Werkstätte sind, eine Bildung zu geben und ihm die Charactere und Zeichen mitzutheilen, so darin gleichsam eingegraben liegen.

Dieser Geist ist bequem zu allen Dingen, und er kann alles in allem werden, und dies geschieht, weil die Natur in keinem Falle und niemals müssig ist, sondern stets arbeitet, weil es aber eines endlichen oder zerstörenden Wesens ist, so kann sie vor sich weder erschaffen noch zernichten, indem diese zwei Sachen eine unendliche Kraft erfordern.

Element aber ist nicht das, was wir in den Elementen sehen, denn das was wir mit unsern Augen sehen und vom gemeinen Mann ein Element genannt wird, ist kein Element, sondern ein vermischter elementarischer Körper, und die Frucht desselben, was eigentlich genannt werden mufs.

Feuer, Luft, Wasser und Erde, welche wir sehen und empfinden, sind unmöglich im Stande, das allergeringste oder kleinste Ding in der Natur der Dinge zusammenzuziehen oder hervorzubringen, denn obgleich alle Dinge in den Elementen gemacht, hervorgebracht und erhalten werden, so sind sie doch nicht der eigentliche Grund der Entstehung eines solchen hervergebrachten Wesens, sondern dieser Grund ist ein ganz anderes Ding, welches in ihnen gefunden wird, und dieses Ding ist und heifst Universal- oder saamlicher Geist, und seine Signatur ist

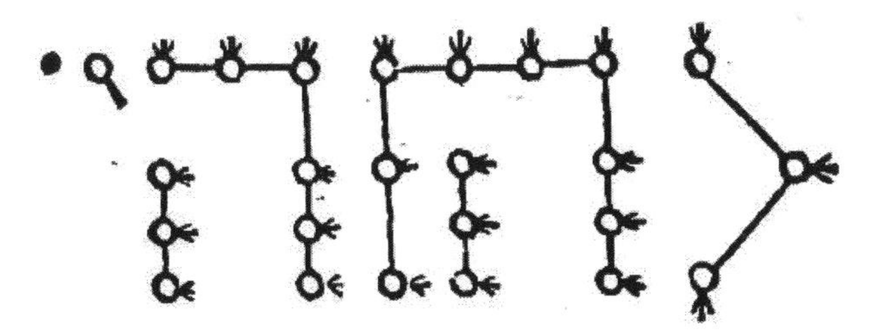

Die Alten bezeichneten auch die Quintessenz mit einem Punkt, weil sie das Ende aller elementarischen Dinge, gleich, wie der Punkt selbst das Ende aller Gröfsen ist; dieser saamliche Geist ist eben dieser, von dem die erprobte Lehre sagt, dafs er sich in der ganzen Welt

ausgieſse und überall anzutreffen sey. Den Magnet, der ihn einziehet, kennen unsere Brüder.

Es ist bekannt, daſs Archimet eine Kugel von Glas bereitet hatte, in welcher er mit Hülfe dieses saamlichen Geistes, die wahre Gestalt und Bewegung des Himmels, der Sonne, Monden und Sterne ohne alle mehcanische Kunst vorstellte.

Die Geschichte bezeuget dieses mit dem Worte: Die Erde war wüste und leer. Dieses ist ebenfalls von den übrigen sogenannten Elementen zu verstehen, welche in gleichem Grade unnütz und der Ausdehnung unfähig waren, ehe der Schöpfer diesen Lebensgeist in sie legte und dadurch Bewegung und Farbe in ihnen hervorbrachte, denn diese von diesem Lebensgeist abgesonderte Elemente sind nur Substanzen ohne Kräfte, weiblicher Saamen ohne männlichen, sind leidend, ohne die Eigenschaft des Wirkenden zu haben.

Dieser Lebensgeist ist ferner an die Substanzen der Elemente durch ein Mittel festgebunden, dieses Mittel ist Magia, oder das unbegreifliche Band vor sich ohne Farbe; so daſs es unmöglich ist, einen einzigen elementarischen Theil, er sey so klein als er immer wolle, zu finden, der nicht mit diesem Lebensgeist geschwängert seyn sollte. Dieser Lebensgeist, geistige Substanz oder erster Saame aller Dinge, hat wieder drei verschiedene Substanzen in sich, welche aber doch in sich selbst nicht verschieden sind, denn er kann nur homogen, und deswegen nur eine einzige Substanz seyn, weil sich aber in demselben eine gewisse Wärme, Feuchte und Trockene befindet, welche drei Eigenschaften nur dem Namen nach unterschieden werden, aber keineswegs abweichen, so ist es klar, dafs diese drei nur ein einziges Wesen und Radical-Substanz sind. Diese Substanz wird wegen des Feuers Schwefel, wegen des feuchten Aliments, und Nahrung des Feuers Mercur, und wegen der radicalen Trockenheit, die das Band dieser Feuchtigkeit mit diesem Feuer ist, Salz genannt, so, dafs sie drei von einander abweichende oder unterschiedene Substanzen haben, welches ich Ihnen alles in der Folge klarer ins Licht setzen werde. Die zwei vom Unendlichen erschaffenen Substanzen oder Säulen der Welt, sind Schönheit, Stärke, Sieg und Ruhm, Wasser und Himmel, und dieser wieder der Grund der zwei andern, nemlich Luft und Erde, denn zwischen Himmel und Feuer ist auch nicht der geringste Unterschied zu machen, weil Himmel nichts anders als Feuer, und Feuer nichts anders als Himmel ist.

„Hier der Himmel und Feuer zeiget sich in „der Grundsprache. Die Schrift vergleichet „ihn zu einem aus Erz gegossenen höchst polir-„ten reinsten und durchscheinenden Spiegel, und „Job sagte, du wirst die mächtigen Himmel „ausspannen, wie einen gegossenen Spiegel, „Schönheit und Stärke, Sieg und Ruhm, Was-„ser und Himmel und Feuer sind eins; Wasser und „Feuer, weiblich und männlich, leidend und „wirkend, und müssen dem ganzen Gebäude „(Hier wird nicht die Erde, oder die von un-„serer Erde uns sichtbaren Theile der Welten, „sondern das ganze Weltgebäude verstanden) „den Anfang gegeben haben, denn diese in ihrem „Mittelpunkt gekochte und von einander getrenn-

„te Elemente haben als zwei Linien, noch zwei „andere Elemente in dem Mittelpunkt des Umkreises gegeben, welche mit Umdrehung der „Kugel um ihren Mittelpunkt die Welt vollkommen gemacht haben, wie diese Figur wiederholt zeiget."

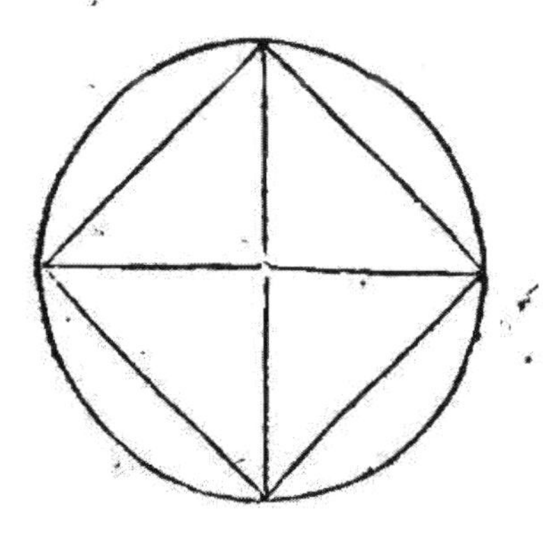

Das Wort: Es werde.

„Es werde. Worte des ersten Anfangs des „Unendlichen, den Gott und des Verstandes, das „Licht brachte aus den feuchten Wesen die Elemente hervor."

Gebar in dem Augenblick des Ausspruchs den Ausgang vom Vater und Sohn, den Geist, Licht, und folglich Farbe, das Feuer dieses Geistes der Himmel, das Wässrige desselben die Luft und das Wasser, das Radicalsalz aber die Erde.

„Eins, denn die drei ersten Dinge und eins, „denn Feuer, Wasser, Luft und Erde, und eins, „schnelle Wirkungen des göttlichen Willens."

„Wille und That eins in einem. Die erste „Grundursache der Dinge, dann der subtilste

„Theil, der weniger subtilere Theil, die Luft, „weniger subtilere, das Wasser, und von dem „solidesten dicksten Theile die Erde, so machte „1 2, 2 machte 3, und 3 machte 4."

In dieser Zahl liegt die Vervollkommung der Kugel, denn 1 2 3 und 4 machen 10, 10 aber ist die Zahl der Erde.

Ich muſs Sie mehrmalen von dem Zeichen des Chaos, vom Punkt auf einen andern Punkt führen.

Unsere Väter bezeichneten die Quintessenz eben so, die Quintessenz ist die reine durchdringende Kraft eines jeden Dinges, wenn sie aus dem Kleide der Natur entwickelt und also rein und blos zu ihrer Vollkommenheit gelangt ist.

„Die Kleidung, in welcher dieses fünfte We- „sen verborgen liegt, sind die Elemente selbst, „die ihre Kraft und Wirkung unter sich vermi- „schen, man muſs diese Kleidung abnehmen und „auflösen können, denn ohne ihrer gänzlichen „Entwickelung wird man nichts machen. Hier „ist der allgemeine Schlüssel, nemlich Feuer und „Wasser. Das Feuer ziehet das Kleid der Luft „und des Wassers. Das Wasser aber jenes der „Erde und des Feuers aus, man muſs dann Feu- „er und Wasser vereinigen, und ein Wasserfeuer, „das zu allen Dingen schicklich ist."

„Dieses ist das Mittel, die erste Grundur- „sache aller Dinge zu finden, sie in ihr erstes „Wesen und dann zu ihrer höchsten Vollkom- „menheit zu bringen. Paracelsus giebt die- „sem geheimen Schlüssel den Namen Alcahest. „Dies Wort mag der Mann aus der Grundspra- „che genommen haben, wo es כחיח Chahus „heiſst, vor welchem die Araber ihren gewöhn-

„lichen Artikel Al vorgesetzt haben, aus wel-
„chem der Alcahust oder Alcahest entstan-
„den seyn mag. Ein Wesen so alles in sein er-
„stes Ding zurückbringt. Ein Ding, so weder
„Feuer noch Wasser, weder Luft und Erde,
„wohl aber alles in allem in sich eingeschlossen
„hält."

Alle Dinge in der Welt bestehen aus Vermischung der vier Elemente, diese wirken beständig durch den jedem angemessenen Weltgeist und geben sich wechselweise ihre homogene Kräfte, oder besser, dieser Kraftpunkt ist das fünfte Wesen, das diese vier durch Kraft des allgemeinen Weltlebens gebähren. Die Quintessenz ist übrigens sehr verschieden, da sie nach der Zahl der Dinge mannigfaltig ist; sie ist aber allgemein, wenn sie aus dem Punkt selbt genommen wird.

„Abtulach sagt, dafs die allgemeine Quit-
„essenz in einen Punkt eingeschlossen sey.
„Dieser aber habe das himmlische, das animali-
„sche, das vegetabilische und das mineralische
„Reich in sich, jedes aber seine zwei Personen,
„die Könige, nemlich Sonne und Mond, Mann
„und Weib, Wein und Brod, Gold und Silber."

„Dieser allgemeine Punkt schafft alles, er-
„hält, belebt alles, nimmt alles an, und giebt
„alles von sich."

So wie aus dem bezeichneten Chaos, oder aus dem Punkt alles entspringt, so entspringen auch aus dem Punkt alle Linien. Die Natur zählet hauptsächlich zwei, eine gerade und eine Zirkellinie, die gerade ist jene, die von zwei entgegengesetzten Punkten, in einer gleichen Richtung gezogen wird, und also die kürzeste

Distanz macht; die Zirkellinie aber ist jene, die sich von ihren zwei äufsersten Punkten entweder erhöht oder erniedrigt, und bei ihrer Richtung immer die weiteste Distanz nimmt, mehr einfache Linien hat die Natur nicht.

„Hier ist nur die Rede von den beiden na„türlichen Linien, jene die in der Mefskunst „vermischt, eiförmig, und so weiter genannt wer„den, gehören nicht zur Natur der Linie, wenn „man aber mifst, so kann man aber keine andere „Linie als eine gerade oder krumme messen, „auch auftragen. Wohlgemerkt aber, so lehren „wir weiter, dafs es auf der Erde keine sichtba„re gerade Linie giebt, und geben kann."

Die Väter unserer alten Väter, der Vater dieser Väter, der erste Hermes zogen aus dem Punkte die Linien und bezeichneten damit, die der Natur dieser Zeichnung angemessene Dinge, und so gaben sie durch die Zeichnung jeden Dinges die Wesenheit, und die innerliche Kräfte und Bestandtheile des Dinges selbst zu erkennen, denn sie sagten: dafs es nicht möglich wäre, ein Wesen, sei es auch, welches es wolle, nach der natürlichen Ordnung zu bearbeiten, man wisse denn zuvor aus was es wirklich bestehe, und zusammengesetzt sey.

Frag. Wie verstehen Sie wohl dies?

Antw. Ich will Ihnen von den Zeichen der Elemente, der drei Anfänge, der eine von den Zeichen der sieben in Kreisen gesetzten Herrscher und von dem enden, was Ihnen untergeordnet ist. Ich will Sie aber nicht mit Gegenständen beschäftigen, die vor diesmal nicht zur Sache gehören, und viel zu schwer, viel zu ausgedehnt sind, als ich sie hier einschalten könnte, ich werde mich also platterdings auf den chemischen Theil einschränken, ein Theil, der das einzige Mittel ist, vieles, von dem heute geredet worden, verständlich zu machen.

Unsere Väter zeichneten die Erde mit einer geraden Linie und dies so ———, dies war die gradeste oder kürzeste; sie merkten die Luft mit einer Zirkellinie und dies so ⌒.

Diese beiden Linien waren unerschöpft, Feuer und Wasser aber noch unbezeichnet. Sie bezeichneten das erstere mit einem gleichseitigen △, und das letztere mit der vollen

Zirkellinie, und dies so 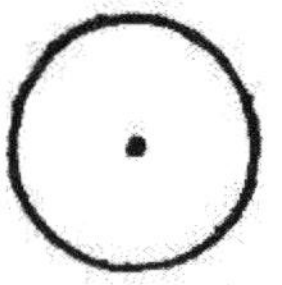

„Die jüngere Zeichen sind so △ 🜁 🜄 ▽,
„und ihre Anwendung einige wenige sehr gro-
„ſse und unbekannte Bedeutungen ausgenom-
„men, sind nicht so richtig, wenn diese nur
„allgemein genommen wird."

Nach dem Chaos oder dem Punkt und die bezeichneten Elemente, finden wir die drei Uranfänge der Dinge, diese nennen sich Schwefel, Mercur und Salz. Nun werfen wir einen Blick auf die Arbeiten der Natur selbst, so werden wir sehen, daſs sie jedem Element eine besondere Eigenschaft und besondere Kräfte gegeben hat, durch die es seine Wirkung hervorbringt. So ist dem Feuer die Wärme, der Luft die Feuchte, dem Wasser die Kälte und der Erde die Trockne eingepflanzt.

Zwischen den Elementen selbst aber herscht eine allgemeine homogene Verbindung, und so nahm das Feuer nach der Trockne der Erde, die Luft an der Wärme des Feuers, das Wasser an der Feuchte der Luft, und die Erde an der Kälte des Wassers seinen gesetzten und natürlich beschränkten Theil.

Alle diese Theile werden aber bei ihrer ersten Entstehung durch den allgemeinen Weltgeist angetrieben, wechselsweise unter sich zu wirken, ein jedes nach seiner Art, und auf diese Weise entstanden die drei Principien aller Dinge.

„Die drei Principien eingeschlossen in der „chaotischen Masse aller Dinge, waren von Anfang neu entwickelt da, sie wurden durch die „Kräfte des Geistes zum Leben gebracht, und „gingen von der Kraft zur Wirkung über, von „allzeit aber ganz untrennbar unter sich. Ich „will sagen, dafs es nicht möglich sey, dafs die „menschliche Kunst sie alle sichtbar von einan„der scheiden könne, so scheiden, dafs die leb„haften Principien von einander oder die Ele„mente von ihren Principien wirklich geschieden „sind, d. i. dafs man einen Schwefel ohne Mer„cur und Salz, oder ein Mercur ohne Salz und „Schwefel, oder ein Salz ohne Schwefel und „Mercur haben könne, man kann zwar eine „Substanz bekommen, worin Schwefel und Feuer „die Oberhand haben, auch sichtbar erscheinen, „aber dennoch sind alle Uebrigen verborgener„weise damit verbunden und darin enthalten, „man kann aber auch alle diese Theile in glei„che Grade verbinden, und sie durch das Band „der Magie selbst einschliefsen, und hier würde „man das Vollkommenste aller Vollkommensten „besitzen."

Wir wollen nun sehen, welche Bestandtheile

der Elemente die drei Principien in sich schliefsen. Das Feuer wirkte durch seine Wärme in die Feuchtigkeit der Luft, und so entstand eine feuchte Wärme, die Schwefel genannt wird, und also gehet der Schwefel vom Feuer durch die Luft in die Erde, und er wird also bezeichnet: Schwefel 🜍 △ Feuer,
🜁 Luft,
🜃 Erde.

und seine Bestandtheile sind also dreifach, die Luft wirkte durch ihre Feuchtigkeit in die Kälte des Wassers, und hier wurde eine kalte Feuchtigkeit, die Mercur genannt wird, und also gehet der Mercur von der Luft durch das Wasser in die Erde, und er wird also bezeichnet:

Merkur ☿ Luft,
Wasser,
Erde.

und seine Bestandtheile sind ebenfalls dreifach, das Zeichen des Mercur kommt zweimal verschieden vor. Erstens so ☿ und dann so ☿; ersteres scheint das Metall, lezteres aber das Mercurial-Principium anzuzeigen. Es ist weiter zu verstehen, dafs der Mercur nicht nur allein aus der Luft kommt, sondern dafs er auch da eben sowohl in der Erde wohne und bald in die Erde fällt, und sie eben so geschwind wieder verläfst und schweflichte nnd salzige Theile, so viel er bezwingen kann, mit sich nimmt, da sonst diese Theile gewifs einmal in die Höhe steigen würden.

Das Wasser wirkte endlich durch seine Trockenheit in die Erde, und hier wurde eine trockene Kälte, die Salz genannt wird, und also gehet das Salz vom Wasser in die Erde, und es wird also bezeichnet 🜔 ○ Wasser,
— Erde.

und

und seine Haupt-Bestandtheile sind, zweifach.

„Von den drei Principien haben die alten „Weltweisen sehr viel geschrieben, vorzüglich „aber schrieben sie viel von ihrem allgemeinen „philosophischen Merkur; dem sie mannigfaltige „Benennungen gaben. So nannten sie ihr Sal „Armoniicum ihr trocken Wasser, das keine „Hand netzt, ihren Adler; ihr hermetisch Vögelein etc.“

„Sie sagten von ihm, dafs er an allen Orten „ohne Kosten zum allgemeinen Gebrauch sey, „dafs alles durch ihn wachse. Hermes spricht; „das sein Vater die Sonne; und seine Mutter der „Mond sey, dafs ihn die Luft im Leibe trage, „und seine Amme die Erde sey.“

„Sendivogius sagt von ihm, dafs er aus „den Strahlen der Sonne und aus jenen des Mon„des auf eine magnetische Art gezogen werde, „der Chalybs liefs diese Kraft zur Wirkung „gehen. Das Wort Chalybs will eigentlich Stahl, „auch sehr oft Magnet bedeuten, Holigius „sagt davon:

„Chaly bedesis est Declinatis acies „magneticae. Sendivogius scheint hier das „Wort Chalybs als willkürlich angenommen zu „haben, da es ihm gleichgültig schien, welchen „Namen er seinen Magneten beilegte.“

„Eben so sprachen sie von ihrem Schwefel, „den sie ihr fixes Heil, ihr Gold, ihren Saamen, „ihren Mann, ihren Löwen nannten; so nannten „sie auch ihr Salz, die Milch, so in den Brüsten „der Erde wächst, ihren Drachen; ihren Mag„neten u. s. w.

Aus den allgemeinen Principien, von denen

X

ich mit Ihnen geredet habe, zeuget die Natur nun alle Dinge ohne Unterschied. So sehen wir die Geburten der Meteoren, jene der Animalien, der Vegetabilien und Mineralien. Wie aber diese Schwängerung, die Bildung und endlich die Geburt selbst zugehe, von diesen will ich Ihnen gleich ausführlicher reden.

So wie die drei allgemeine Principien, Schwefel, Mercur und Salz genannt werden, eben so sind die drei verschiedenen elementarischen Kräfte, aus welchen die Meteoren entspringen.

Die drei Regionen des Weltgebäudes, die genau von einer sehr feurigen Luft in Zirkel eingeschlossen sind, sind von der Art, dafs die oberste oder die erste feurig, voll der zarten Strahlen der Sonne, die mittlere aber kalt und wäfsrig, voll von den kalten Wasserdämpfen, die unterste aber sehr gemäfsitg ist.

Unter der elementarischen Luft, liegt die Kugel, in deren Mittpunkt sich die Geburtskräfte der obern Körper versammeln, und dies ist der Mittelpunkt des Ganzen.

Hier in diesem Mittelpunkt ruhet der Punkt der Natur, ein kräftiges thätiges Leben, und dies hat seinen Sitz sowohl im Umkreise der Luft als im Mittelpunkt der Erde, und es wird durch die beiden Ruhepunkte der Luft mit dem Mittelpunkt von Mittag gegen Mitternacht verbunden.

Es ist bekannt, dafs der Magnet von Mittag gegen Mitternacht inclinirt, die Ursache davon ist seine Lage, bei de[illegible] Empfängnifs und währender Zeit seiner B[illegible]g, wo der Weltgeist von Mittag sich ihm nä[illegible]t und ihn gegen Mitternacht verläfst, überhaupt aber ist er ein unzeitiges misgebohrnes Eisen, in welchem sich der Weltgeist in merklicher Stärke vereinigt, der denn das Eisen aus der Ursach an sich reifst, weil es ihn durch seinen vielen Schwefel sehr erhitzet, und von einem Punkt zum andern ziehet, das Eisen also als ein ihm homogenes Metall angreift, und seine Nahrung aus ihm nimmt. Die Erfahrung erweiset, daſs das Eisen in der Luft erst rostig und dann nach und nach magnetisch, der Magnet aber nach und nach in der Erde zu Eisen wird; so wird auch das Meer von Mittag gegen Mitternacht gezogen, und mit Gewalt von Mitternacht gegen Mittag zurückgestoſsen.

Hier gehen die wechselsweisen Anziehungen und Abstoſsungen vor sich.

In dem Mittelpunkt des Ganzen vereinigen sich die Strahlen und Kräfte aller Körper, diese Vereinigung verursacht eine groſse Wärme und dieser Aufenthalt wird der Archäus der Erde genannt. So fängt der Umlauf und die Geburt der Natur an, und versammeln sich durch die Kraft und Wirkung des Geistes alle syderische und elementarische Kräfte zärtlich im Mittelpunkt.

Dieser Mittelpunkt ziehet sie an sich, verdünnet sie, und giebt sie als einen allgemeinen Saamen durch die Oeffnungen der Erde zur Geburt der verschiedenen Dinge von sich, angenehmer und verträglicher Natur, er bleibt theilweise in der Erde hängen, und aus diesem werden die Metalle und Mineralien gebildet, wie ich Ihnen bald sagen werde, ein anderer Theil ziehet sich aber durch die Erde und dieser Theil ziehet die Saamen mit Macht in die Höhe, und er wird im Gegentheil von dem kühlen und feuchten Monde wieder zurüch und niedergedrückt.

Diese Wirkung fliefst der Erde ihre Fruchtbarkeit, und sie ist die Ursach der so sehr verschiedenen Meteoren.

Die Sonne mag gegen 140 mal gröfser als die Erde seyn, ihr Lauf ist sehr schnell, beinahe so unbegreiflich schnell, dafs sie in einer Stunde 200000 Meilen läuft. Gleiche Dicke mag sie im Durchmesser haben, sie ist ganz Feuer und glänzend und es kann kein unerleuchteter Fleck in ihr selbst seyn, denn das, was man aus Misverstand Flecken nennt, ist nicht in ihr, wohl aber in einem oder dem andern Punkt parallel mit ihr. Der Mond aber ist sehr kält, denn so sehr als die Strahlen der Sonne brennen, eben so sehr kühlen und feuchten jene des Monds; dies lehrt uns die Erfahrung, die jeder Physiker, von welchem System er auch immer sey, gemein hat, der Mond ist gegen 5600 mal kleiner als die Sonne, und wohl 40 mal kleiner als die Erde.

Die Hitze der Sonne ziehet an und reinigt gewaltig, die Natur des Mondes aber drückt sehr herab und lös't eben so nachdrücklich auf.

Diese Kräfte und Wirkungen erklären gewifs viele Geheimnisse der Natur, und sie sind unstreitig von der ersten Wichtigkeit, vor jenen, die den Arbeiten der Natur buchstäblich folgen wollen.

Die Meteoren entspringen ebenfals aus drei verschiedenen Grundursachen, sind schweflicht, oder ölicht und merkurialisch oder geistig, wässerig, und endlich salzig; sie erscheinen unter zweierlei Gestalten, bald feurig, bald wässerig, und die Kräfte, die sie von der Kraft selbst zur Wirkung übergehen lassen, sind ersternfals schwefelicht und salzig, und diese entzünden sich in der obersten Region, lezternfals sind sie mercurialisch und salzig, und diese ereignen sich in der mittlern Region, ihre Bewegung von einer Region in die andere giebt sich auf mannigfaltige Weise. Die Grundursach aber dieser Bewegung sind die Winde, und sie erscheinen denn bald gröſser und bald kleiner, bald dicker bald dünner, bald näher bald weiter, und sie sind uns bald eine lange, bald eine kürzere Zeit sichtbar. Sie ereignen sich auch öfters, wenn eine merkliche Kälte von einer eben so merklichen Wärme, und so wechselsweise Naturkräfte, eine von der andern eingeschlossen ist, wo sich denn ein gewaltiger Streit in den gedrängten Theilen der Kräfte ereignet, aus welchen endlich viel selten scheinende Dinge zum Anblick kommen. So sind die Grundsätze der Dinge beschaffen, aus welchen die Meteoren entstehen, deren Erscheinungen, von welcher Art sie auch immer seyn, jeder geübter und in der Natur der Dinge wohl erfahrener Chemiker in seinem Laboratorium selbst hervorbringen kann.

Wir haben in der Natur der Dinge unendlich viele Gründe, die auf Erfahrungen ruhen, die wir von ihnen haben, und die sich denn durch die Proben rechtfertigen, die wir aus ihnen bei, so zu sagen, zahllosen Versuchen immer gleich fanden.

Die Beobachtungen und Erfahrungen bestätigen die Ausführung, die die Geburt der Metalle halten, und von denen ich jezt reden will.

Zwei Dinge, der Geist und die Materie schaffen eine vermischte Masse der drei Principien, die sich von oben herab, gleich einem kleinen subtilen Dunst im Mittelpunkt der Erde ziehen, dieser Mittelpunkt empfängt diesen Dunst sehr gerne, denn er nähret ihn, so wie die Speisen im Magen den Menschen nähren, er verdaut ihn, kocht ihn zur Substanz und giebt ihn durch die Oeffnung der Erde in der Gestalt eines fetten Wesens wieder, dieses fette Wesen verdünstet sich aber nicht im Ganzen, denn es bleiben mannigfaltige Theile davon in der Erde selbst hängen, die sich denn nach und nach mit der Erde und dem Wasser vermischen, und eine gewisse fette Schmierigkeit oder Viscosität die man Gur nennt, bilden. Diese Gur d. i. diese drei Principien werden mit den irdischen und wässerigten Theilen die sie bei sich führen, in verschiedene Proportion gebracht, und nach den verschiedenen Graden der Wärme und Kälte, der Feuchte und Trockne ausgekocht und geboren.

Die Astronomen geben 7 Planeten an, die die sichtbare Welt in 7 Kreise einschliefsen, und die Erde hat in ihrem Eingeweide 7 Metalle verschlossen, von denen sie jedes in seiner Art hervorbringt.

Diese sieben Planeten sind im Ganzen vom weltschaffenden Geist geboren, und die sieben Metalle entstehen von einer Materie, die sich in drei Principien nach Maafs, Gewicht und Proportion eintheilen.

1. Blei, ♄, ein Metall, das aus viel Salz, wenig Schwefel und viel Mercur bestehet, und das in sich eines groben Leibes, leichtflüssig aber gewichtig ist.

Es ist chemisch erwiesen, daſs das Salz die Metalle grob oder zart vom Leibe mache, so wie der Schwefel leicht- oder schwerflüssig, der Merkur aber gewichtig oder ungewichtig macht.

So sind Blei, Zinn und Eisen wegen ihres Salzes sehr groben Leibes, und Mercur, Kupfer und Silber wegen ihres wenigen Salzes sehr zartleibig. Mercur, Blei und Zinn aber wegen ihres wenigen Schwefels sehr leichtflüssig.

Eisen, Kupfer und Silber hingegen, wegen ihres Schwefels sehr schwerflüssig, und so sind Blei und Silber wegen ihres vielen Mercurs mehr gewichtig als Kupfer, Eisen und Zinn, die dessen weniger haben; dieses läſst sich durch folgendes mehr erläutern.

Wenn ich zum Beispiel eine Kugel von Gold von 100 Unzen mache, so wird jene von Quecksilber $71\frac{1}{3}$, jene von Blei $60\frac{10}{19}$, jene von Silber $54\frac{12}{17}$, jene von Kupfer $47\frac{9}{10}$, jene von Eisen $42\frac{2}{19}$ und jene von Zinn $38\frac{10}{19}$ an Gewicht haben.

2. Zinn, ♃, ein Metall, welches aus viel Salz, wenig Schwefel und wenig Mercur besteht, und es ist groben Leibs, leichtflüssig und ungewichtig.

3. Eisen, ♂, ein Metall, welches aus viel Salz, viel Schwefel und wenig Mercur bestehet, es ist groben Leibs, schwerflüssig und ungewichtig

4. Kupfer, ♀, ein Metall, welches aus wenig Salz, viel Schwefel und wenig Mercur bestehet, es ist groben Leibs, schwerflüssig und ungewichtig.

5. Quecksilber, ☿, ein Metall, welches aus wenig Salz, wenig Schwefel und viel Mercur be-

stehet, es ist zarten Leibs, leichtflüssig und gewichtig.

6. Silber, ☽, ein Metall, welches aus wenig Salz, viel Schwefel und viel Merkur besteht, es ist zarten Leibs, schwerflüssig und gewichtig.

7. Gold, ☉, ein Metall, welches aus proportionirtem Salz, Schwefel und Mercur besteht, es ist schöner, feuriger und glänzender Natur, rein, flüssig und vollwichtig.

Dies sind nun sieben bezeichnete Metalle, deren Zeichnung unsere Väter aus der Urquelle der Dinge genommen haben, und die wirklich das Innerste davon, und ihren wahren Werth anzeigen, unsere Väter erkannten die Entstehung der Metalle, wie ich Ihnen schon sagte, und sie bezeichneten also das Edelste unter ihnen mit einem Zirkel und einem Punkt ☉ so, dieser Punkt zeiget die Quintessenz an, die die Natur in dieses Metall verborgen gelegt hat, dies ist also das Zeichen des Goldes,

Das Zeichen des Goldes ist ☉ auch das Zeichen der Sonne ☉, es ist aber auch, wie ich schon erinnerte, das Zeichen der Gottheit, unsere chinesischen Brüder machen noch eine andere Zeichnung von allen dreien, und dies ist ⊖, oder nach der gemeinen Art das Zeichen des Salzes. Salz, Feuer, Licht, sie sprachen das Zeichen Ge aus, das Zeichen ist nun von etlichen

verändert worden, allein es wird eben so wie das erstere ausgesprochen, und will bald Gott, Salz, Feuer, Licht, bald den weltschaffenden Geist, bald Ganimetrie und bald Sonne und Gold anzeigen.

Sie bezeichneten das Silber, weil es die Vollkommenheit der metallischen Natur noch nicht erreicht hatte, so ☽, und hier sollte der Punkt eine andere Quintessenz bedeuten.

Dem Eisen und dem Kupfer, die rothe goldartige Metalle sind, gaben sie weiter ihre Zeichen aus der Natur des Goldes, jene aber, die weiſs und silberartig, wie Blei und Zinn sind, schöpften sie ihre Zeichen aus der Natur des Silbers, dem Quecksilber aber gaben sie, um seine allgemeine Halbnatur anzuzeigen, eine zusammengesezte Zeichnung von Gold und Silber, und diese zeiget uns wirklich seinen wahren und innerlichen Werth an.

Eisen und Kupfer, Blei und Zinn, sind der Natur der Dinge nach, sehr unvollkommene Metalle, und unsere Väter wollten uns durch gewisse Zeichen, die sie ihnen beilegten, den Grad ihrer Unvollkommenheit und den Mangel, den sie erlitten, um die Vollkommenheit zu erreichen, klar anzeigen; sie deuten nehmlich ihren Mangel mittelst einer Linie an, die durch das Stück eines Zirkels ging und so ♆ gestellt war. Dies Zeichen hängten sie bald diesen Metallen am Haupt, bald in der Mitte, und bald am Fuſse an, je nachdem es die Unvollkommenheit des einen oder des andern am stärksten, mindern, oder am mindesten hatte, die gerade Linie mit der sie die Erde bezeichneten, sollte die grobe. feuerbeständige, erdige Salztheile, die Zirkellinie aber den flüchtigen, bösen, giftigen und todten Dunst anzeigen, die wechselsweise mit den unvollkommenen Metallen verbunden sind. So haben z. B. das Blei diesen Mangel am höchsten, das Zinn im mindern, und das Quecksilber im mindesten Grad, und so ist das Eisen minder und das Kupfer am mindesten mit geplagt. Hier will ich sagen, daſs das Quecksilber und das Kupfer sehr leicht, das Eisen und Zinn mit mehr Mühe, das Blei aber mit der gröſsten Mühe und Sorge von der Unvollkommenheit zu reinigen sei. Von der Kenntniſs der Natur der Dinge hangen die Folgen vieler der einschlagenden Arbeiten ab, und es ist unmöglich dies oder jenes Wesen zu bearbeiten, wenn man ungewiſs in seinen Bestandtheilen, und unbestimmt zu Werke geht; wer die Natur jedes Dinges kennt, wird mit Grund von seinem wahren Werth urtheilen können, man muſs z. B. bei den Metallen die gewisse geheime Eintracht kennen, die sie aufs genauste verbindet, so ist gewiſs, daſs das Quecksilber vor sich die Mutter der Metalle sei, daſs diesem das Blei, das Zinn und das Eisen, das Kupfer und endlich das Silber und Gold der Reihe nach folget, die Erfahrung bestätigt die erste Meinung, denn man kann durch die künstliche Eröffnung und Aufschliessung des metallischen Kerns aus jedem Metall lebendiges Quecksilber ziehen, und es wäre gar nicht unmöglich, aus lebendigem gereinigtem und zubereitetem Mercur, je nachdem die Zubereitung und Reinigung geschehen, Silber und Gold zu gebähren, wenn man ihm hinlänglich hitzigen und ausgekochten Schwefel einsenken kann, die eben so schwere und mühsame aber etwas ungleich entworfene Arbeit hat Z. — in Berlin seinen Brüdern mitgetheilt. Eben so gewiſs ist es, daſs man aus artificiellen Zinnober, artificielles Quecksilber machen könne. Es kommt noch zu erinnern, daſs nach der Natur der Metalle das Vollkommene sich immer von dem Geringern an sich ziehen lasse, dem es dann von seiner Güte in jedem Fall etwas mittheilt.

So ziehet z. B. bei den Auflösungen der Metalle, das Eisen das Kupfer, das Kupfer das Silber, das Silber das Gold an sich, und immer wird sich ein Theil des anziehenden Metalls in das Angezogene verwandeln

Die Natur gebähret nach den Metallen eine Art Mineralien oder metallische Erd-äfte, die aus der metallischen Materie der drei Principien entstehen; diese Mineralien stehen aber in einer gewissen Verbindung mit den Metallen selbst.

So ist Antimonium oder Spiefsglas mit dem Blei, Wifsmuth und Zink mit dem Zinn, Kobolt und der Magnet mit dem Eisen, Vitriol mit dem Kupfer, Zinnober mit dem Quecksilber und endlich die Marquasiten mit dem Silber und Gold verbunden.

Unter diesen Mineralien finden sich zwei, die, wenn wir ihre Natur nach den strengsten Regeln der Kunst zerlegen, mehr Metall als Mineral sind.

1. ♁ Antimonium oder Spiefsglas, dessen Natur jener des Bleis, und
2. 🜖 Vitriol, welches jener des Kupfers sehr homogen ist.

Man mufs von diesen Mineralien wissen, dafs sie der allgemeine Weltgeist mit ihrer unreifen und misgebornen Natur eben so leicht als kräftig, beides aber im höchsten Grade concentrire, auch mufs ich noch erinnern, dafs die drei verschiedenen Auswürfe der metallischen Materie, Salz, Schwefel und Gift gröfstentheils bei allen metallischen Minen zu finden sind.

Diese Auswürfe gebähren bei ihrer Vermischung theils eine feuerbeständige, giftige, irdische Salztrockne, theils einen flüchtigen raubenden giftigen Dunst, welche die Metalle angreifen, sie auch nach und nach verletzen und am Ende gar tödten. Dies ist die Ursach, warum sich am Quecksilber, am Blei, am Zinn, am Eisen und am Kupfer bei ihrer Bearbeitung so viel giftige Dünste ausbreiten.

Das Antimonium oder Spiefsglas hat das Zeichen des Goldes ohne Punkt, das Zeichen des Wassers mit der Linie ∇ . —— oben seinen natürlichen Mangel angemerkt, hier kommt noch, wie ich schon sagte, aufs nachdrücklichste zu erinnern, dafs unsere Väter die Metalle und Mineralien als Geburten des Wassers angesehen haben, weil sie die Erfahrung gelehrt hatte, dafs sich mit der Geburt die allgemeine metallische Materie das Wasser immer beschäftigte.

Das Wasser gebähret das Salz der Metalle durch die Erde, es vermischt sich mit der mineralischen Fette, und drückt durch die irdischen Theile sehr zurück, so dafs ein vollkommenes, flüssiges, kaltes, aber sehr trockenes Wasser daraus entsteht, welches der lebendige Mercur, und der wahre Saame der Natur der Metalle ist,

Dann finden sich in der Natur drei verschiedene Abtheilungen anderer Art, die salzig, schweflicht, und giftartig genannt werden, und in welcher bald dieser oder jener Grundanfang die Oberhand hat,

Hier entstanden verschiedene Bergsalze, Schwefel und Gifte, die bald Alaun, bald Niter und bald gemein Salz, bald schwarzer, rother oder gelber Schwefel, bald Arsenik, bald Operment u. s. w. genannt werden, ich will sie nach ihrer Bezeichnung mittheilen, da ich sie als die Hauptsächlichste ansehe die sich finden, und die sich jedem, der den Verstand dieser ersten Lehre zu Rathe ziehet, die Natur aller übrigen Theile des mineralischen Reichs kenntlich machen werde.

1. ⊕ Grünspahn, ein Mineral, dessen Zeichen aus der Zusammenlegung des Zeichens des Kupfers entstehet, das Kreutz im Zirkel zeiget an, daſs der Grünspan einen sehr merklichen Abbruch des raubenden erlitten, der sich im Kupfer findet.

2. ⊕ Vitriol, ein Mineral, dessen Zeichen beinah aus eben dieser Zusammensetzung ist. Es zeiget durch die umkreisende Zirkellinie an, daſs der Vitriol einen stärkern Abgang als der Grünspan erlitten, und daſs das in ihm verschlossene Gold, weil er einen groſsen Theil seiner irdischen Wohnung zurücklassen muſs, kann frei und ledig gemacht werden.

3. Zinnober, ☿, ein Mineral, dessen Zeichen aus Zertheilung des Zeichen des Mercur gebildet, weil der Zinnober selbst nichts anders als ein durch die Natur oder Kunst zertheilter Mercur ist; dessen zweifache Kräfte sich sehr leicht erweisen.

4. ⟋ Arsenik, ein Mineral, dessen Zeichen aus zwei geraden Linien, welche die Erde und ein feuerbeständiges, fressendes Wesen und aus zwei halben Zirkeln, welche die Luft und ein flüchtiges Mercurialgift anzeigen, bestehet.

5. 🜍 Schwefel, ein Mineral, dessen Zeichen als das Zeichen eines gemeinen Mineral betrach-

tet, aus dem Zeichen des Feuers und aus jenem seines natürlichen mineralischen Mangels besteht, weil er, wie der Arsenik, ein sehr starkes Bergfeuer hat, und ein Feind der Metalle ist.

6. O, Allaun, ein Salz, welches das Zeichen des Wassers führet, seine Natur ist auch in der That sehr leichtflüssig, denn es kocht sich im Wasser ab, und kommt der Natur des Wassers sehr nahe.

7. ⦶ Niter, Salniter; ein Salz das neben dem Zeichen des Wassers auch jenes der Luft hat. Seine Natur ist flüchtig und sein Leben brennend.

Das ihm zugegebene Zeichen der Luft aber bedeutet, daſs wenn gleich ihm sein brennendes Leben und Feuer genommen wird, er es immer in der Luft wieder empfängt.

8. ⊖ GemeinSalz, ein Salz das zum Zeichen seiner irdischen Natur die gerade Erdlinie in Gestalt eines Durchmessers hat, dieses Salz ist sehr hartflüssig im Feuer, und vitrficirt sich leicht mit der Erde, und wird endlich sehr leicht zur Erde selbst.

9. ✱ Sal amoniacum, ein durch Kunst aus Urin bereitetes Salz, seine Flüchtigkeit zeiget seine verschiedene Zirkel, als eben so viel Zeichen der Luft an.

10. □ Sal alcali, ein Salz so aus jedem feuerbeständigen Salz durch Kunst bereitet wird. Seine Natur ist irdisch und feuerbeständig, und sein Zeichen das seiner Mutter angemessene Viereck.

12. 🜿 Weinstein, die Natur des Weinsteins ist die Natur des bösen alcalischen Salzes, dies Zeichen führt aber jenes des Mangels, weil ihm eine grobe, irdische und stinkende Feuchtigkeit einverleibt ist.

Noch finden sich in dem Eingeweide und auf den Flächen der Erde verschiedene irdische Auswürfe, mit welchen die mineralischen Materien vermischt und bekleidet sind, die mineralische Materie bearbeitet diese bald fein bald grob, bald edel bald unedel, und bildet sie endlich hart.

Diese Auswürfe werden bald edle Steine, bald Steine mit verschiedenen Unterscheidungen genannt.

Die Natur bringt davon von allen Arten und Farben hervor; unter allen aber mag der Kieselstein ihre vorzüglichste Aufmerksamkeit verdienen. Er, der die drei ersten Theile der Metalle in seinen Kern eingeschlossen hat, hält ein Ding, das mehr als der höchste Diamant zu schätzen ist.

Frag. Sie haben uns heute sehr viel gesagt, könnten Sie uns aber über gewisse wichtige Dinge noch eine kleine Erläuterung geben?

Antw. Ich habe meine Lehre nach dem Maaſse meiner Fähigkeiten, die ich erworben habe, so klar als es die Umstände der Sache erlaubten, aufrichtig erläutert.

Wir haben schon beim Eingang des Kapitels von vielem gesprochen, so der Schluſs eben erkläret hat, ich habe das Bild der Schöpfung und der Natur, und die Geburten der Metalle und Mineralien, ihre Kräfte und ihren wahren innerlichen Werth angezeiget, man darf nur den Zusammenhang der Dinge selbst erwägen, so wird man sehr leicht die Mittel finden, dieser oder jener mineralischen Geburt sein überflüssiges, schweres Salz; oder seinen bösen und giftigen Dunst zu nehmen, und ihm seine natürliche vollkommene Geburt, sein Gewicht und Maaſs in jenem Grade zu geben, den seine höchste Vollkommenheit heischte. Hier muſste man sich aber allezeit erinnern, daſs Entstehung, Veränderung und Verwesung, das Loos eines jeden Dinges sind, daſs man bei dem lezten anfangen müsse; um dadurch die Veränderung oder seine Mittel, das erste zu erlangen.

Frag. Sind aber wohl alle Dinge gleich bequem zu dieser Untersuchung?

Antw. Ja! doch eins gegen das andere gehalten, theils mehr theils minder, theils bequemer, theils bequem, theils sehr leicht, theils sehr schwer; ich will aber, um diese Frage noch in etwas zu erleichtern, anmerken, daſs die drei Principien aller Dinge nirgends als im Wesen sind, das man bearbeitet, daſs aber diese drei Principien nicht aus dem irdischen Körper dieses Wesens selbst, wohl aber aus seinen Urprincipien müssen genommen werden. So ist z. B. der Saame des Goldes nicht im Golde, und jener des Silbers nicht im Silber zu finden.

Man muſs aber auch kein fremdes zur Bearbeitung des eigenen nehmen, die ächte Quellen, die wirklich diese Kraft zur Wirkung übergehen lassen, sind zwar mannigfaltig, doch sind 3 Urquellen, die sich von allen andern ausziehen.

Frag.

Frag. Wie nennen Sie diese?
Antw. Sie sind alle drei ein Punkt.
Frag. Erklären Sie dies!
Antw. Ich will den gemeinsten und den geringsten, aber nicht den allgemeinen von diesen dreien erklären, weil sie den Brüdern dieser Stuffe bekannt seyn muſs, und weil es Pflicht ist, sie Ihnen zu erklären.

Stellen Sie sich die Arbeitsstätte des Vulkans, ein schwarzes, glänzendes Behältniſs vor, in dessen Mittelpunkt die Natur das Verworfenste aller Verworfensten, eine elende Misgeburt hingehängt hat. Hier ist es, wo die höchste Vollkommenheit, das klarste Licht des Feuers, das leuchtet, flammet und nicht verzehret, wohnet; hier ist ein Theil des Geheimnisses des Steins, den Moses in der Erdrückung, Entfernung und in der Finsterniſs חשך Choschech gefunden hat. Er nennt diesen Stein bald ברכת Baraket oder einen blitzenden Stein, bald בופך Roschech, dies ist der Stein Scheninke פוך Pech, von dem gesagt wird: Siehe, ich will deine steinerne Fuſsböden mit glasartigen, hohlglänzenden Steinen überlegen.

אבןאקדח Eben Eck dach, will ebenfalls nichts anders als diesen blitzenden Stein sagen; dies ist der Stein, den unsere persische Brüder den Stein nennen, der alles was ist, in der Nacht und in ihm ist erleuchtet.

Sie nennen ihn allgemein Ischal Schirack oder Fackel der Nacht. Der Anfang seiner Bearbeitung aber ist eben gelehrt worden.
Frag. Sagen Sie mir sein Zeichen!
Antw. Ein ●.

Y

Frag. Hat er deren mehr?
Antw. Ja!
Frag. Sagen Sie mir diese!

Antw. Erstens ●, dann und so

auch so

sein entscheidendes Zeichen aber ist zusammengesetzt

von diesem .

Frag. Wie nennen Sie ihn sonsten?
Antw. Den Mann in der Verwesung, den Mann aus Tyr und Chiram, den Salomo oder den Frieden.
Frag. Wie nennen Sie sein Geheimniſs?
Antw. Das Geheimniſs der Reinigung, das man der heiligen Natur zum Opfer bringen muſs.

Der Obermeister. Lassen Sie uns dem Unendlichen in seinen Werken danken.

Alle sprechen: Wir danken dem Unendlichen in ihm selbst.

Zwölfter Abschnitt.

Frag. Was verstehen Sie unter dem Tapis der ersten Probestuffe?

Antw. Unsern Stifter und Erneuerer Johann den Evangelisten.

Frag. Was heifst das Buch?

Antw. Majim Cachum oder die versiegelte Quelle.

Frag. Was öffnet die versiegelte Quelle?

Antw. Der Schlüssel unserer Meister.

Frag. Wie nennen Sie ihn?

Antw. Beth, dies ist der Buchstabe, womit die Welt erschaffen worden.

Frag. Wissen Sie der Siegel Namen?

Antw. Ja!

Frag. Wie heifsen sie?

Antw. Das erste die Erde, das zweite das Wasser, das dritte die Luft, das vierte das Feuer, das fünfte der Himmel, das sechste das Buch der Natur des Menschen; das siebente das intellectualische Siegel.

Dreizehnter Abschnitt.

Frag. Wie nennen Sie den siebenarmigten Leuchter?

Antw. Al, Eben, Achath, Scheba, Enajim, d. i. auf einen Stein von sieben Augen.

Frag. Können Sie mir den Leuchter erklären?

Antw. Ja!

Frag. Erklären Sie ihn.

Antw. Es ist das aufgeschlossene Buch von sieben Siegeln, mit den offenen geheimen Characteren und Signaturen der Geister, und seine ganze Bedeutung ist: ✡.

Vierzehnter Abschnitt.

Frag. Was nennen Sie nun, da Sie die Lehre so verschieden eingetheilt und erläutert gehört haben, die Alchemie?

Antw. Das Wort Alchemie, heisst im eigentlichen Verstande Feuer.

Frag. Was für einen Unterschied machen Sie zwischen einem Alchimisten und uns?

Antw. Der Unterschied den ich mache, ist von der äufsersten Wichtigkeit. Die Alchemisten verrichten ihre Hauptarbeiten mit Gewalt und vielen Unkosten; Sie bedienen sich mannigfaltiger Oefen, und eben so viel verschiedener Feuer; Sie vermischen aus Mangel der Kenntnisse natürlicher Dinge, homogene und heteromogene Materien ohne alle Rücksicht zusammen.

Wir aber verrichten unsere Hauptarbeiten ohne Kosten und Lärmen mit einem Gefäfs, mit einem und dem nemlichen Ofen, und dann mit einer, oder wenn Sie wollen, zwei Materien, die aber im Grunde eins sind!

Frag. Was nennen oder was verstehen Sie unter dem Wort Natur?

Antw. Ich nenne Natur ein Wesen, zusammengesetzt aus zwei Actionen, die aber eins und eben das nemliche sind.

Frag. Sie sagten mir ja in ihren Antworten der gehaltenen Instructionen, dafs nur ein Punkt sey. Diesen Punkt nannten Sie ein Urprincip aller Dinge, seien sie gleich in oder aufser der Zeit, aus diesem Punkt, sagten Sie weiter, entstünden alle Mittelpunkte, die eben so viel Ausflüsse von ihm sind. Dieser Punkt sei also alles in allem, er zähle 1 und 4, bestehe aus drei Substanzen und einer Wesenheit, und zählte immer eins?

Antw. Das Urprincip aller Dinge, den Urpunkt und den Mittelpunkt, aus welchem alle Mittelpunkte ausfliefsen, nenne ich den Urborn des ewig selbstständigen Feuers, den Unendlichen, den selbstständigen Verstand, den Vater, in welchem wohnet das heilige Wort, von dem ausgegangen das Zeugnifs des Lichts des Geistes.

Frag. Wo wohnet der Vater?

Antw. Der Vater wohnt seit unendlichen Ewigkeiten in der unermefslichen Unendlichkeit, seine Allmacht im Feuer der Wahrheit, sein Thron ruhet auf den Säulen der Weisheit, der Schönheit und der Stärke, und alles dies zusammengenommen ist in ihm nur eins.

Frag. Und das Wort?

Antw. Das Wort ist der Sohn eines mit dem Vater in Rücksicht des Geistes aber die Mutter oder das leidende, der Vater aber das wirkende.

Frag. Und der Geist?

Antw. Ist die Ausgeburt vom Vater und dem Wort, der weltschaffende Geist.

Frag. Was nennen Sie Adam?

Antw. Ich nenne Adam den ersten Menschen, ohne Mutter aus rother jungfräulicher Erde.

Frag. Wo war denn der Adam?

Antw. Adam war im Unendlichen und war eins mit ihm.

Frag. Wie entstand Adam?

Antw. Durch den Vater und das Wort im Feuer.

Frag. Wo wohnte Adam?

Antw. Durch das Wort in dem Geist, im Vater zwischen zehn feurigen Punkten und sieben Geistern.

Frag. Was gab der Vater dem Adam?

Antw. Adam erhielt von ihm eine Gehülfin.

Frag. Wie nennen Sie diese?

Antw. Den ersten Ausfluſs von Adam, Heva, die Mutter aller Thiere.

Frag. Wo war denn Adam da er eine Gehülfin hatte?

Antw. In Eden, gegen Morgen zwischen vier Flüssen.

Frag. Was war denn seine Beschäftigung in Eden?

Antw. Der Dinst des Unendlichen, dem er opferte und anbetete.

Frag. Wie wurde Adam gelohnt?

Antw. Adam hatte die Erkenntniſs der ganzen Natur, er kannte den wahren innerlichen Werth aller natürlichen Wesen, denn er war der Schöpfer ihrer bezeichneten Namen.

Frag. Wie nutzte Adam diese Kenntnisse?

Antw. Nicht am vortheilhaftesten.

Frag. Warum?

Antw. Der Unendliche gab durch das Wort den weltschaffenden Geist, Adam entstand, und mit und in ihm die Kenntniſs aller natürlichen Dinge, seyen sie gleich in oder auſser der Zeit. Adam sah die unermeſsliche Herrschaft des Unendlichen, sah und kannte sie.

Er wuſste daſs der Unendliche, als der Vater, durch das Wort, als die Mutter, ihm angemessene Dinge, deren Herrlichkeit ins unendliche fiel, hervorgebracht hatte, seines gleichen kannte er nicht.

Der Unendliche hatte ihm auch verbothen diese Kenntnisse zu suchen. Adam sollte sich begnügen seinen Anfang zu kennen, er wufste mehr, dafs er den Gesetzen der Elemente nicht unterworfen wäre, denn das was nicht war, was nicht existirte, konnte keinen Verband mit dem Menschen haben, der die ganze verklärte Natur beherschte.

So war es, als sich Wesen vereinigten, wider den Unendlichen zu streiten, Wesen, die mit Adam im Unendlichen wohnten, die älter waren als Adam, die aber nicht wie Adam herrschen konnten. Diese Wesen hatten aber die Erkenntnifs, wie der Unendliche durch das Wort die verklärte Natur hervorgebracht hatte, diese Erkenntnifs mangelte aber Adam, und doch beherrschte Adam die ganze verklärte Natur. Hier entstand der erste Streit zwischen den so verschiedenen Wesen. Sie empörten sich offenbar wider den Unendlichen, vereinigten sich und bestürmten Heva. Du kannst, sagten sie, eine verklärtere Natur schaffen, Adam beherrschte zwar diese, aber er ist dem Unendlichen unterworfen, da wird er es nicht seyn. Was er schaft, beherrscht er denn ganz unabhängig! Heva du bist das Wort; Heva glaubte es, sagte das Wort Adam, Adam bestritt sie anfänglich, gab nach und schuf — das Chaos.

Frag. Wie schuf Adam das Chaos?

Antw. Der Unendliche verwarf die Widerstürmer. Er entzog durch die Strenge seiner Gerechtigkeit das heilige Licht, die Gnade. Der

Vater verwarf in eben dem nemlichen Augenblick Adam und Heva.

Das heilige Licht zog sich in einen Punkt zusammen, und alles was unter ihm war, war Finsternifs, und die ersten Verworfenen lagen in den Finsternissen; der Geist des Lichts schwebte aber über den Finsternissen. Hier schied sich das Chaos nach der Ordnung der Natur, der Unendliche sezte den Menschen und das Weib auf die erkenntliche materielle Erde.

Frag. Was brachte Adam mit sich auf die Erde?

Antw. Alle Kenntnisse die er in Eden besafs nebst der Kenntnifs des Lichts und der Finsternifs, des Guten und des Bösen.

Frag. In was bestanden eigentlich alle diese Kenntnisse?

Antw. In einer einzigen Sprache.

Frag. Wufste also Adam den ganzen Werth der Sprache aus Eden?

Antw. Ja! er wufste ihn, allein es war Niemand auf Erden der sie sprach.

Frag. Wenn er sie sprach, warum lehrte er sie nicht seinen Söhnen?

Antw. Weil die Sprache der Erde auf der Erde zu diesen Zeiten keiner Simplification mehr fähig war.

Frag. Was empfingen denn seine Söhne?

Antw. Adam gab ihnen die simplificirte Sprache in Bildern, lehrte ihnen die Bedeutung des Buchstaben Beth durch das Wort Mot, und die Geheimnisse aller Dinge. Er lehrte ihnen weiter den Gebrauch aller dieser Geheimnisse, weil er wufste, dafs dieses das Mittel sey, durch Reue und Buſse in der Erlösung die Verklärung zu finden.

Frag. Was genoſs Adam für Vortheile durch seine Kenntniſs?

Antw. Er konnte dem Unendlichen opfern, und hören daſs die Stimme des Unendlichen die Stimme der Versöhnung sey.

Frag. Gab es noch Menschen nach ihm, die diese Vortheile hatten?

Antw. Ja! unsere Brüder im patriarchalischen Bunde. Sie kannten den magischen Stein von 7 Augen.

Frag. Was nennen Sie den magischen Stein?

Antw. Ich nenne den magischen Stein, jenen, dessen Namen Beth ist.

Frag. Was hat dieser Stein vor Kraft?

Antw. Er schlieſst die abgebrochene Kette.

Frag. Was verstehen Sie mehr unter dem magischen Stein?

Antw. Der magische Stein hat die Benennung des theologischen Steins.

Frag. Wie viel Abtheilungen der Steine giebt es denn?

Antw. Zwei?

Frag. Wie nennen Sie sie dann?

Antw. Den theologischen, magischen auch den patriarchalischen Stein, und den Stein der Philosophen.

Frag. Zeigen Sie mir das Bild des theologischen Steins!

Antw. Hier ist es.

Frag. Und jenes des Steins der Philosophen?

Antw. Auch dies ist hier!

Frag. Sagen Sie mir das Hieroglyph des theologischen Steins!

Antw. Das erste darf ich nicht sprechen, und das zweite heifst Adam, oder die rothe jungfräuliche Erde.

Frag. Was ist denn diese Erde?

Antw. Ein dickes Wasser.

Frag. Aus was bestehet dieses Wasser?

Antw. Aus zwei Actionen die doch eins sind.

Frag. Was ist denn der Stein?

Antw. Es ist ein Ding, von welchem drei Elemente durch die Kunst können ausgezogen werden.

Frag. Wie soll man den Stein machen?

Antw. Man soll ihn theilen in zwei Theile, nemlich in den Obern, der in die Höhe dringt, und in den Untern, der fix und rein bleibt; denn was hierunter ist, ist gleich dem, das oben ist. Man muſs wissen, daſs er alle vier Elemente in sich schlieſst. Denn alle Dinge kommen von einem, durch die Ordnung dieses einzigen, hat weiter einen Vater und eine Mutter, d. i. Mann und Weib, Gold und Silber, der Wind trägt ihn in seinem Bauch; er nimmt die Nahrung von seiner Mutter. Seine Ernährerin aber ist die Erde; denn er muſs verwandelt werden in seine Erde; wann er dieſs ist, so ist seine Kraft vollkommen und herrlich, wenn zuvor die Erde vom Feuer künstlich geschieden ist, denn er steiget von der Erde zum Himmel, und steigt auch wieder so herab, denn so wie die Welt entstanden ist, entstehet unser Stein.

Frag. Ich möchte aber die Materie des Steins kennen!

Antw. Ich habe sie schon oft in diesen Instructionen genannt.

Man kann sie in allen Höhlen, in allen Flächen der bewohnten Erde finden. Man muſs sie aber fangen, eher sie die Sonne bescheint. Diese Materie ist wahrlich der Mercur der Weisen, die ächte jungfräuliche Erde, das edle Salz der Natur, das höchstverborgene unverbrennliche Feuer, das einzige wahre Mercuriale Wasser der Weisen, bei dem nichts fremdes ist.

Frag. Können Sie mir kein Gleichniſs geben?

Antw. Ja!

Frag. Sagen Sie es!

Antw. Ich sagte Ihnen daſs nichts fremdes dazu kommen müsse; aber es ist auch nicht alles fremd, was dem Unwissenden so scheint.

Bedenken Sie, wie ein Kind gezeugt wird. Ist nicht die Rose der Natur der Dinge, von eben der nemlichen Materie als jene, die das Kind wirklich zeuget? dem äuſserlichen dem gemeinen Urtheile nach scheint sie aber sehr verschieden zu seyn, und doch ist sie der zeugenden Materie gleich, und kann sehr leicht in ihr erstes Wesen zurückgebracht werden. Ich habe Ihnen dies Gleichniſs gesagt, das wahrlich weiter sonst nichts als ein reelles Gleichniſs ist.

Frag. Doch wünschte ich diese Materie noch besser erklärt zu haben.

Antw. Unsere Materie ist im strengsten Verstande eine fette, schwere, klebrichte Materie. Sie ist der klebrichte Schlamm aus welchem Adam entstanden. Sie ist der Thau des Himmels und die Fette der Erde.

Sie ist der Sohn der Sonne und des Monds, des Goldes und des Silbers, die wahre und einzige ächte Gur der Natur. Man muſs aber Sorge tragen, wenn man sie empfängt, daſs sie die Strahlen der Sonne und des Mondes ja nicht berühren. Bewahren Sie dies Geheimniſs mit der strengsten Sorgfalt, denn es ist der Baum des Lebens.

Funfzehnter Abschnitt.

Frag. Wie nennen Sie unser Geheimniſs?

Antw. Magie.

Frag. Was verstehen Sie unter dem Wort Magie?

Antw. Die Erkenntniſs des Unendlichen, und jene der verklärten und allgemeinen Natur.

Frag. Was ist der Grund, der uns zur Erkenntniſs der Magie führet?

Antw. Der theologische Stein.

Frag. Was ist der theologische Stein?

Antw. Ein Ursprung aller andern Dinge, seine Kraft im Mittelpunkt ist magisches Feuer, welches eine heilige Kraft zur Offenbarung in sich hat. Dieses Feuer erscheint im heiligen Licht, und das heilige Licht wohnt in der Unendlichkeit, in dieser als eine zweite Geburt sind die Himmel der Weisheit, in welchem von allen Zeiten an der Grund der Natur war, aus diesem Mittelpunkt kommen alle Geschöpfe und alle Thiere die unter der Macht der Weisheit ruhen.

Frag. Wo liegen die Mittel, dazu zu gelangen?

Antw. In dem Buch des Menschen von 10 Blättern.

Frag. In welchen Blättern ist vorzüglich der ächte Verstand dieser Dinge?

Antw. In dem 1. Z. ʒ. ◁. □. und j□.

Frag. Wir wissen es, und wir nehmen es daher zum unwandelbaren Grund an; sagen Sie mir also die Namen der 7 Herrscher, von welchen in der ersten Instruction die Rede ist?

Antw. Michael, Gabriel, Raphael, Anuël, Samuel, Zachariel und Aephiel.

Frag. Und ihre Signaturen?

Antw. Sind in der Figur enthalten.

Frag. Wie nennen Sie ihre entgegengesetzte Herscher?

Antw. Oeh, Phul, Phaleg, Ophiel, Bethor, Hagith und Araton.

Frag. Und ihre Signaturen?

Antw. Sind in der Figur enthalten.

Frag. Wissen Sie die Stunde aller Herrscher nach ihren Signaturen?

Antw. Ja!

Frag. Wie sind sie eingetheilt?

Lntw. Auf folgende Art:

Sonntag ☉ um 1 Uhr des Tages. Michael.

Varcan.

Sonntag um 2 Uhr des Tages. Anuël

Sarabotes

; nntag um 3 Uhr des Tages. Raphael.

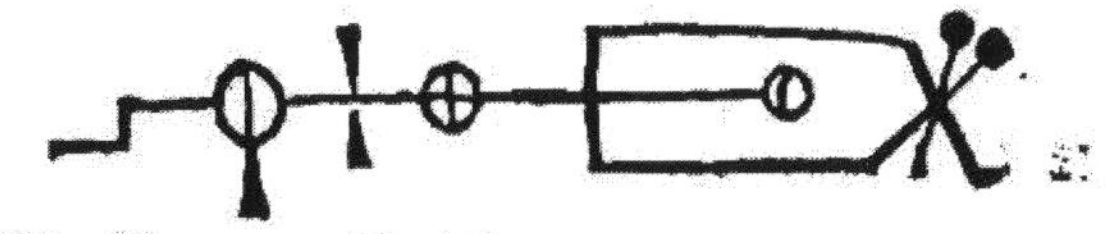

Mediat v. Modiat.

Sonntag um 4 Uhr des Tages. Gabriel. Arcan.

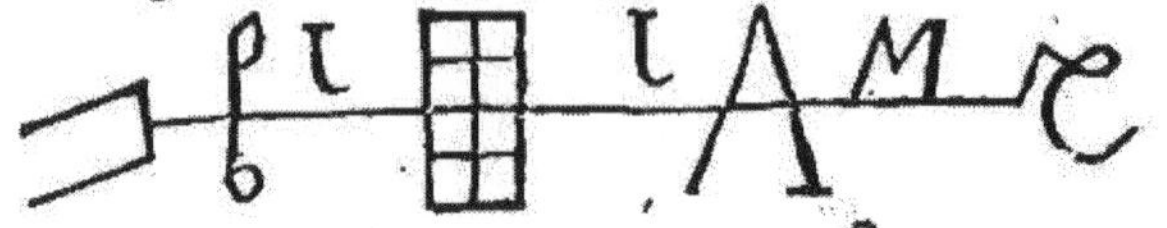

Sonntag um 5 Uhr des Tages. Cassiel. Maymon.

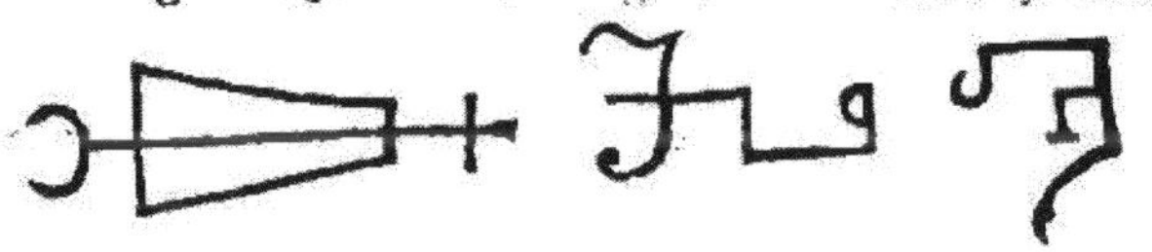

Sonntag um 6 Uhr des Tages. Sachiel. Sut.

Sonntag um 7 Uhr des Tages Samuel. Samax.

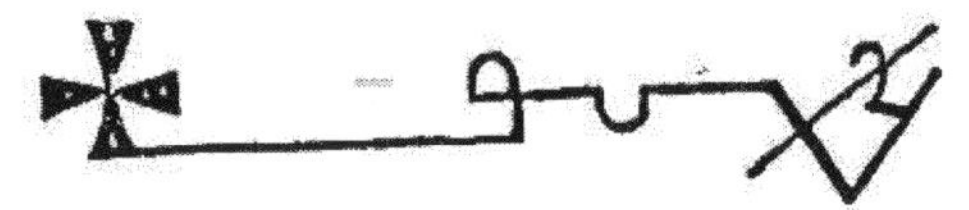

Sonntag um 8 Uhr des Tages regieret:

	Michael. Tanic.
- 9 -	Anuël. Neron.
- 10 -	Raphael. Jayon.
- 11 -	Gabriel. Abay.
- 12 -	Cassiel. Natalon.

Nacht-Stunden.

Sonntag um 1 Uhr Nachts regieret:

	Sachiel. Beron.
- 2 -	Samuel. Barol.
- 3 -	Michael. Thanir.
- 4 -	Anuel. Athie.
- 5 -	Raphael. Mathon.
- 6 -	Gabriel. Rana.
- 7 -	Cassiel. Netos.

Sonntag um 8 Uhr des Nachts Sachiel. Tafrae.
- 9 - Samuel. Sassur.
- 10 - Michael. Aglo.
- 11 - Anuel. Calern.
- 12 - Raphael. Salam.

Montags. ☾.

Tag-Stunden.

Montag um 1 Uhr des Tages regieret:
Gabriel. Yayon.
- 2 - Cassiel. Janor.
- 3 - Sachiel. Nasnia.
- 4 - Samuel. Salla.
- 5 - Michael. Sadedaly.
- 6 - Anuel. Thamur.
- 7 - Raphael. Ourer.
- 8 - Gabriel. Thanic.
- 9 - Cassiel. Neron.
- 10 - Sachiel. Jayon.
- 11 - Samuel. Abay.
- 12 - Michael. Natalon.

Nacht-Stunden.

Montag um 1 Uhr der Nacht regieret:
Anuel. Beron.
- 2 - Raphael. Barol.
- 3 - Gabriel. Thanu.
- 4 - Cassiel. Athir.
- 5 - Sachiel. Mathon.
- 6 - Samuel. Rana.
- 7 - Michael. Netos.
- 8 - Anuel. Tafrac.
- 9 - Raphael. Sassur.
- 10 - Gabriel. Aglo.
- 11 - Cassiel. Calerna.
- 12 - Sachiel. Salam.

Dienstag ♂.

Tag-Stunden.

Dienstag um 1 Uhr des Tages regieret:

Samuel. Jayon.
- 2 - Michael. Janor.
- 3 - Anuel. Nasnia.
- 4 - Raphael. Salla.
- 5 - Gabriel. Sadedaly.
- 6 - Cassiel. Thamur.
- 7 - Sachiel. Ourer.
- 8 - Samuel. Thanic.
- 9 - Michael. Neron.
- 10 - Anuel. Jayon.
- 11 - Raphael. Albay.
- 12 - Gabriel. Natalon.

Nacht-Stunden.

Dienstag um 1 Uhr der Nacht regieret:

Cassel. Beron.
- 2 - Sachiel. Barol.
- 3 - Samuel. Thanu.
- 4 - Michael. Athir.
- 5 - Anuel. Maton.
- 6 - Raphael. Rana.
- 7 - Gabriel. Netos.
- 8 - Cassiel. Tafrac.
- 9 - Sachiel. Sassur.
- 10 - Samuel. Aglo.
- 11 - Michael. Calerna.
- 12 - Anuel. Salam.

Mittwoch II.

Tag-Stunden.

Mittwoch um 1 Uhr des Tages regieret.

Raphael. Jayon.

Mittwoch

Mittwoch um 2 Uhr des Tages regieret:

	Gabriel. Janon.
- 3 -	Cassiel. Nasnia.
- 4 -	Sachiel. Salla.
- 5 -	Samuel. Sadedaly.
- 6 -	Michael. Thamur.
- 7 -	Anuel. Ourer.
- 8 -	Raphael. Thanic.
- 9 -	Gabriel. Neron.
- 10 -	Cassiel. Jayon.
- 11 -	Sachiel. Abay.
- 12 -	Samuel. Natalon.

Nacht-Stunden.

Mittwoch um 1 Uhr der Nacht regieret:

	Michael. Beron.
- 2 -	Anuel. Barol.
- 3 -	Raphael. Thanu.
- 4 -	Gabriel Athir.
- 5 -	Cassiel. Maton.
- 6 -	Sachiel. Rana.
- 7 -	Samuel. Netos
- 8 -	Michael. Tafrac.
- 9 -	Anuel. Sassur.
- 10 -	Raphael. Aglo.
- 11 -	Gabriel. Calerna.
- 12 -	Cassiel. Salam.

Donnerstag ♃.

Tag-Studen.

Donnerstag um 1 Uhr des Tages regieret:

	Sachiel. Jayon.
- 2 -	Samuel. Janor.
- 3 -	Michael. Nasnia.
- 4 -	Anuel. Salla.
- 5 -	Raphael. Sadedaly.

Z.

Donnerstag um 6 Uhr des Tages regieret:

	Gabriel. Thamur.
- 7 -	Cassiel. Ourer.
- 8 -	Sachiel. Thanic.
- 9 -	Samuel. Neron.
- 10 -	Michael. Jayon.
- 11 -	Anuel. Abay.
- 12 -	Raphael. Natalon.

Nacht-Stunden.

Donnerstag um 1 Uhr der Nacht regieret:

	Gabriel. Beron.
- 2 -	Cassiel. Barol.
- 3 -	Sachiel. Thanu.
- 4 -	Samuel. Athir.
- 5 -	Michael. Maton.
- 6 -	Anuel. Rana.
- 7 -	Raphael. Netos.
- 8 -	Gabriel. Tafrac.
- 9 -	Cassiel. Sassur.
- 10 -	Sachiel. Aglo.
- 11 -	Samuel. Calerna.
- 12 -	Michael. Salam.

Freitag ♀.

Tag-Stunden.

Freitag um 1 Uhr des Tages regieret:

	Anuel. Jayon.
- 2 -	Raphael. Janor.
- 3 -	Gabriel. Nasnia.
- 4 -	Cassiel. Salla.
- 5 -	Sachiel. Sadedaly.
- 6 -	Samuel. Thamur.
- 7 -	Michael. Ourer.
- 8 -	Anuel. Canic.
- 9 -	Raphael. Nerou.

Freitag um 10 Uhr des Tages regieret:

	Gabriel. Jayon
- 11 -	Cassiel. Abay.
- 12 -	Sachiel. Natalon.

Nacht-Stunden.

Freitag um 1 Uhr der Nacht regieret:

	Samuel. Beron.
- 2 -	Michael. Barol.
- 3 -	Anuel. Thanu.
- 4 -	Raphael. Athir.
- 5 -	Gabriel. Maton.
- 6 -	Cassiel. Rana.
- 7 -	achiel. Netos.
- 8 -	Samuel. Cafrac.
- 9 -	Michael. Sassur.
- 10 -	Anuel. Aglo.
- 11 -	Raphael. Calerna.
- 12 -	Gabriel. Salam.

Samstag ♄.

Tag-Stunden.

Samstag um 1 Uhr des Tages regieret:

	Cassiel. Jaon.
- 2 -	Sachiel. Janor.
- 3 -	Samuel. Nasnia.
- 4 -	Michael. Salla.
- 5 -	Anuel. Sadedaly.
- 6 -	Raphael. Thamur.
- 7 -	Gabriel. Ourer.
- 8 -	Cassiel. Canic.
- 9 -	Sachiel. Neron.
- 10 -	amuel. Jayon.
- 11 -	Michael. Abay.
- 12 -	Anuel. Natalon.

Z 2

Nacht-Stunden.

Samstag um 1 Uhr der Nacht regieret:

	Raphael. Beron.
- 2 -	Gabriel. Barol.
- 3 -	Cassiel. Chanu.
- 4 -	Sachiel. Athir.
- 5 -	Samuel. Maton.
- 6 -	Michael. Rana.
- 7 -	Anuel. Netos.
- 8 -	Raphael. Tafrac.
- 9 -	Gabriel. Sassur.
- 10 -	Cassiel. Aglo.
- 11 -	Sachiel. Calerna.
- 12 -	Samuel. Salam.

Frag. Warum setzer Sie hier diese Eintheilung der Tage und Stunden her?

Antw. Um dadurch zu sagen, daſs man keine wahre Arbeit unter uns als nur zu den angesetzten Stunden anfangen könne.

Frag. Haben sie keine weitere Bedeutung?

Antw. Ja! sie zeigen die Eintheilung der 7 Herscher und ihre entgegengesetzten Herscher an.

Frag. Wie können Sie zu diesem wahren Erkenntniſs kommen?

Antw. Durch die eröffnete Quelle, d. i. durch die eröffnete 7 Siegel des Buchs von 10 Blättern.

Frag. Was nehmen Sie daraus, um diese Erkenntniſs zu erlangen?

Antw. Den Stein!

Frag. Welchen Stein?

Antw. Der theologische Stein ist das Urim und Thumim, ist der Stein, auf Simag; der philosophische Stein ist jener, der die Krankheiten der Menschen und Metalle heilte, der Stein von dem ich nun rede, ist das Sinnbild der Waffe und Lanze, die aus einem amalgamirten Metall bestand.

Frag. Aus was besteht dieser Stein?

Antw. Aus den 7 zusammengesetzten unsichtbaren Metallen.

Frag. Wie machen Sie diesen Stein?

Antw. Mit Hülfe der 7 sichtbaren Metalle, ein jedes in seinem Zeichen, seinem Tag und seiner Stunde.

Frag. Wie verstehen Sie das?

Antw. Ich schliefse die 7 sichtbare Metalle in ihr erstes Vehiculum, Kraft dieses Vehiculums empfange ich die 7 unsichtbare Metalle, in einem und eben dem nemlichen Punkt, nur scheide ich beide, und nachdem ihre Reinigung geschehen, so vereinige ich sie wieder nach unserer Art.

Frag. Giebt es noch eine andere Weise zur Erkenntnifs der 7 Herscher?

Antw. Allgemein — Nein! insbesondere Ja! mit gewissen andern natürlichen Operationen!

Frag. Sagen Sie mir diese!

Antw. Man hat mir für diesmal zu fragen verboten.

Sechszehnter Abschnitt.

Allgemeine Grundsätze der Cabala.

§. 1. Aufser den Elementen oder einfachen Bestandtheilen der Dinge, die wegen ihrer Untheilbarkeit keiner wesentlichen Veränderung fähig sind, ist alles in der Natur, es möge flüssig oder fest, von einem zarten oder starken Bau seyn, beständiger Veränderung unterworfen.

§. 2. Diese Veränderungen geschehen in einer gewissen unwandelbaren Ordnung, welche sich auf Gesetze gründet, die sich aus den wechselseitigen Verhältnissen neben einander existirender Gegenstände hinlänglich erklären lassen.

§. 3. Wer die Ordnung dieser Veränderungen bemerket, und also aus den gegenwärtigen die künftigen zu bestimmen weiſs, der verdient den dem Pöbel so sehr verachteten Ehrennamen, Cabalist.

§. 4 Noch hat man keinen Menschen von stumpfen Sinnen, und so ohnmächtiger Vernunft gesehen, daſs er nicht die Ordnung jener gemeinen Veränderungen, welche sich gleichsam uns überall in die Augen stellen, sollte beobachtet haben.

Jedermann weiſs daſs Tag und Nacht, Frühling, Sommer, Herbst und Winter beständig auf einander folgen.

§. 5. Diejenigen, welche zuerst unter den Menschen die Ordnung solcher gemeinen Veränderungen beobachtet haben, und durch bloſses Abzählen der Tage, die Zeit des Neu- und Vollmonds, aus den von den Gebirgen emporsteigenden Nebeln oder dem Dunstkreise um den Mond, den Regen, und aus der im Untergang rother Sonne einen heitern Tag vorzusagen wuſsten, wurden damals von ihren einfältigen Nebenmenschen, welche noch nicht wahrnahmen, daſs von diesen Erscheinungen immer die lezte auf die erste folget, sonder Zweifel für sehr groſse Propheten gehalten.

§. 6. Aber so gering auch die Beobachtungen der ersten Naturforscher waren, so sind sie doch der Saame der berühmten kaldäischen Cabala, welche man mit Recht einen Schlüssel zu allen Geheimnissen der Natur nennen konnte.

§. 7. Da die Cabala in einer richtigen Kenntniſs der Ordnung bestehet, nach welcher die Veränderungen der natürlichen Dinge auf einander folgen, so hat sie keine geringere Grenzen als die Natur. Sie kann daher von keinem Menschen ganz, sondern nur theilweise gefaſst werden.

§. 8. Weil jedes Ding mit allen übrigen in der Natur zusammenhängt, so muſs natürlich der unendliche Verstand, welcher die Art ihres Zusammenhanges kennt, aus der geringsten Veränderung des unbeträchtlichen Gegenstandes, alle Veränderungen der ganzen Natur zu folgern wissen.

§. 9. Aber des Menschen kurzsichtige Vernunft fasset nur die engsten Verbindungen der Dinge. Sie kann daher nur von denjenigen, die in einem sehr nahen Zusammenhange sind, mit einiger Sicherheit schlieſsen.

§. 10. Den Weg zu cabalistischen Kenntnissen öffnet die Erfahrung. Ich habe z. B. 100 mal gesehen, daſs der Sohn eines Geizhalses ein Verschwender geworden, ich schlieſse nun von Peter, der einen sehr geitzigen Vater hat, daſs er ein Verschwender werden wird.

§. 11. So lange ich aber die Verbindung, welche die Verschwendung des Sohns mit dem geitzigen Vater hat, nicht einsehe, ist eine cabalistische Kenntniſs noch nicht vollkommen sicher.

§. 12. Bin ich aber glücklich, diese Verbindung zu entdecken, weiſs ich z. B. daſs der Sohn am meisten die nachtheiligen Folgen der bösen Handlungen seines Vaters empfindet, daſs sie ihm bald Mangel, bald Schaden, bald andere

Uebel zuziehen, so begreife ich nicht, daſs er die Laster jenes Vaters verabscheuen, und durch Verabscheuung derselben (denn man sucht sich von dem, so man hasset, so weit nur möglich zu entfernen) auf die entgegengesetzte gerathen muſs.

Durch Entdeckung dieser Verbindung, wird daher meine Kenntniſs erst im eigentlichen Verstande cabalistisch.

§. 13. Es ist, daher, wie man siehet, eben nicht nothwendig, die Cabala an die Sternkunde zu knüpfen, denn was immer mit den Gegenständen in so naher Verbindung stehet, daſs sich daraus die künftigen Schicksale derselben erklären lassen, Temperamente, Physiognomie, Himmels-Gegend, Erziehung und dgl kann zum Anfangspunkt ihrer Schlüsse dienen.

§. 14. Lassen sich bei Dingen, die dem Zufall zugeschrieben werde, keine sichere Anfangspunkte entdecken, so bleibt uns nur der Weg der Erfahrung.

§. 15. Diese lehret uns erstens, daſs alle Dinge durch eine zirkelförmige Bewegung in stets gleicher Ordnung auf einander folgen, und daſs also derjenige, welcher ihre Zukunft bestimmen will, seine ganze Aufmerksamkeit auf diese Ordnung zu richten habe.

§. 16. Zweitens lehret sie uns, daſs bei dieser zirkelförmigen Bewegung auch die Punkte des Zirkels, in dem sie geschiehet und der sich ebenfalls nach unveränderlichen Gesetzen beweget, zu beobachten sind.

§. 17. Denn wie in der kleinen Kette ein Ring dem andern folget, und man also aus der Gegenwart des Ringes A, die Ankunft des damit verbundenen Ringes B, zu folgern weiſs; so kann man auch mittelst der Wirkungen, welche die groſse und kleine Kette auf einander haben, die zufällige Eigenschaften eines jeden Ringes bestimmen.

§. 18. Diese Lehrsätze, welche der Grund aller cabalistischen Kenntnisse sind, vollkommen zu begreifen, betrachte man mit Aufmerksamkeit folgende Figur.

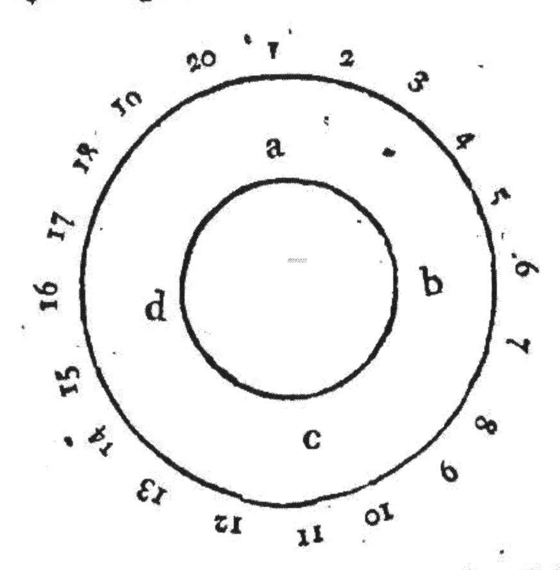

§. 19. Der kleine Zirkel a. b. c. d. soll den Umlauf der 4 Jahreszeiten, das a den Frühling, b den Sommer, c den Herbst, d den Winter bedeuten, und die zwanzig Zahlen des gröſsern Zirkels 20 verschiedene Planetenstände, die gleich den Jahreszeiten in unveränderlicher Ordnung auf einander folgen.

§. 20. Solchergestalt trift auf a oder Frühling bald der Planetenstand 1, bald der Planetenstand 2 auch 3, bald auch 4, bald auch 5.

§. 21 In jedem dieser Planeten-Stände bleibt a der Frühling, aber jedem erscheint er mit andern zufälligen Eigenschaften, in diesem Planetenstand trocken, in jenem feucht, in einem andern reich an Blüthe.

§. 22. So hängt jeder kleine Zirkel auf einander folgender Begebenheiten mit einem gröſsern, oder wohl gar mit einer unendlichen Menge von gröſsern Zirkeln zusammen, denn man kann sich keinen Zirkel denken, den nicht wieder ein Zirkel umgiebt.

§ 23. So hängt auch jeder kleinste kaum bemerkbare Zirkel mit einer unendlichen Menge noch mit kleinern Zirkeln zusammen, denn in dem kleinsten kann ich noch einen kleinern begreifen.

§. 24. Es ist aber zu genauen Kenntnissen, was immer für eines Zirkels eben nicht nöthig, daſs man eine vollständige Kenntniſs aller damit verbundenen Zirkel besitze, denn je weiter sie von demjenigen entfernt sind, welchen ich zum Gegenstande meiner Betrachtung gewählet habe, desto unmerkbarer wird ihr Einfluſs auf denselben.

§. 25. Jedes einzelne Ding kann als Mittelpunkt und als Punkt der Peripherie eines Zirkels angesehen werden. In beiden Fällen ist es zugleich leidend und wirkend.

§. 26 Die Wirksamkeit der Kräfte eines jeden Individuums wird theils durch seine Natur bestimmt. Wenn z. B. eine Kugel über eine flache Bahn fortlaufen soll, so muſs sie durch einen Stoſs in Bewegung gesetzt werden, daſs aber die Bewegung der Kugel nicht so hüpfend und unordentlich ist als eines eckigten Körpers, daſs sie geschwinder und weiter läuft, hängt blos von ihrer Beschaffenheit ab.

§. 27. Obgleich nie eine Wirkung ohne Leiden entstehet, so ist doch nicht jedes Leiden im Stande eine Wirkung hervorzubringen. Die Leiden welche Bewegung hervorbringen sollen, müssen daher eine den Widerstand des Objects überwiegende Stärke haben.

§. 28. Kenntniſs der Kräfte und Leiden, oder astronomisch zu reden, Fortitudinum et debilitatum ist das einzige, womit sich derjenige Theil der Cabala beschäftiget, welche die Alten Weissagungskunde nannten.

§. 29. Weil aber Schwäche und Stärke von Gröſse, Festigkeit, Schwere, Structur, oft auch von der äuſserlichen Gestalt, dem Ort, der Zeit und darneben existirenden Gegenständen abhangen, so kann man ohne die Verhältniſskunde, welche die geringste Verschiedenheiten berechnen lehrt, in der Wissenschaft, wovon hier die Rede ist, nie vollkommen werden.

§. 30. Der Gegenstand, dessen künftige Schicksale man berechnen will, ist jederzeit als Mittelpunkt des Zirkels anzusehen, und was immer diesen Punkt umgiebt, und auf ihn mittelbar oder unmittelbar würket, macht seine Peripherie.

§. 31. Wie die Peripherie des Zirkels aus 2360 Graden bestehet, so kann auch die Peripherie des menschlichen Lebens, und eines jeden andern Dinges in der Natur nie mehr und nie weniger seyn als 360.

§. 32. Bei Verfertigung der Peripherie können daher 3 verschiedene Fehler begangen werden. Der erste Fehler geschiehet, wenn man mehrere Gagenstände hineinsetzt, als auf das Object, welches den Mittelpunkt bildet, könne Einfluſs haben. Der zweite, wenn man solche wegläſst, die dem Object Leiden verursachen, welche ihrer Stärke halber nothwendig Wirksamkeit hervorbringen müssen. Der dritte, wenn man die Ordnung verkehret und Dinge, die in der Peripherie übereinander stehen sollten, weit aus einander wirft, oder was in verschiedene Dreiecke sollte vertheilt werden, in ein einziges zusammenstellt.

§. 33. Kein Punkt kann weiter wirken, als auf seine Principien, denn die Peripherie ist die Beschränkung der Wirksamkeit des Mittelpunkts.

§. 34. Nach Verschiedenheit der Kräfte des Mittelpunkts, kann zwar seine Peripherie von einem weitern oder engern Umfange seyn, aber dessen ungeachtet behält sie gleich dem Zirkel jederzeit die Zahl 360 oder was eins ist, die Tripel der Materie.

§. 35. Wenn die Kräfte nicht durch eine gewisse Peripherie beschränket würden, so müſste sie aus Mangel des Leidens, der Spannung und der Reaction beständig unthätig bleiben.

§. 36. Beschränkung ist Leiden, und Leiden wie §. 26 ist gezeigt worden, der Grund aller Thätigkeit. So, wenn ein Kind nicht durch die Leiden des Hungers getrieben würde, Nahrung zu suchen, hätte solches auch keinen Beweggrund an seiner Mutter-Brüsten zu saugen, oder eine andere zur Erhaltung des Lebens nöthige Speise anzunehmen.

§. 37. Daſs aber jede Beschränkung 360 ist,

kömmt blos daher, daſs der Punkt, ob ihn gleich die Mathematiker für untheilbar annehmen, 360 Ausflüsse hat.

§. 38. 360 ist die einzige Zahl, welche durch so viele Zahlen als Planeten sind, kann getheilt werden, nemlich durch 2 3 4 5 6 8 9, 4 ist die Sonne, 8 die Luna, 3 der Mars, 5 der Mercur, 6 der Jupiter, 2 die Venus, 9 der Saturn.

(L. S.)

Erinnerung.

Wegen der Druckfehler, die man etwa finden sollte, bemerkt der Herausgeber, daſs diese sich selbst im Original befinden, und daſs man dieses mit gewissenhafter Genauigkeit als ein diplomatisches Dokument abgedruckt habe.

Anhang
Ueber die Nichtigkeit
der
Feſslerschen Reformation.

Ich will, um das Feſslersche System genau prüfen zu können, erstens die Darstellung desselben vorangehen lassen und dann zweitens die nöthige Prüfung anstellen.

Der Beruf des Freimaurers muſs, nach Feſsler, aus dem Wesen und der Tendenz der Freimaurerei bestimmt werden.

Das Wesen der Freimaurerei besteht in dem Vernunftglauben, in durchaus richtigen Solid-Einsichten und einer gesetzlichen Gesinnung, als erlangte Kunstfertigkeiten betrachtet. Eine ganze menschliche Gesellschaft, in der sämtliche Mitglieder diese Kunstfertigkeiten sich erworben hätten, stünde unter keinen andern, als unter öffentlichen Tugendgesetzen, die insgesammt zwangsfrei sind; sie würde mithin ein Reich der Tugend, einen Ethischen Staat bilden. Die Idee eines solchen Reichs muſs von jedermann als ein von der Vernunft aufgestelltes Ziel betrachtet werden, zu dessen Annäherung mitzuwirken, allgemeine Menschenpflicht ist; weil es aber jedem Bürger des politischen gemeinen Wesens unter den öffentlichen Rechtsgesetzen völlig frei steht, ob er mit andern Mitbürgern auch noch in eine ethische Verbindung treten, oder lieber im Naturzustand dieser

Aa

Art bleiben wolle, weil es von dem guten Willen der Menschen nicht leicht erwartet werden kann, dafs sie sich jemals zu einem ethischen gemeinen Wesen insgesammt vereinigen werden und der Begriff desselben doch immer auf das Ideal eines Ganzen aller Menschen bezogen werden mufs; so bleibt die allmähliche Realisirung dieser, von der Vernunft gegebenen und in der Tendenz der Freimaurerei selbst enthaltenen Idee eines ethischen Staats, der eigenthümliche Endzweck der Freimaurer-Brüderschaft, zu welchem jedes Mitglied in seinem Wirkungskreise und nach Maafsgabe seiner Kräfte, hinzuwirken, berufen und verpflichtet ist.

Der Beruf des freien Mauters ist also überall, wo einer wirken kann und darf, für die Majestät der Vernunft und der Tugend zu arbeiten, und durch zweckmäfsige Anleitung zur Selbstthätigkeit des Verstandes, zur freien Anwendung der Geisteskräfte, zur Erkenntnifs des Wahren, Guten und Rechten, der Tugend Verehrer, dem Reiche der Vernunft Bürger zuzuführen.

Die Erfüllung dieses Berufs ist nur nach gewissen Vorschriften der moralischen Klugheit möglich. Ihr erstes Wort ist: bereite deine Schritte mit Weisheit vor.
II. Wandle in gemessenen Schritten zum Ziele.
III. Sei auf deiner Hut, damit dein Eifer für Wahrheit und Recht rein bleibe, von stol-

zer Selbstsucht und eitler Begierde zu glänzen.

(Wir bitten Herrn Feſsler recht sehr!)

IV. Laſs den Menschen ihr theuerstes Eigenthum, ihre Meinungen, ihre Bilder, ihre Gebräuche unverletzt.

V. Führe allmählich und unvermerkt ihre Meinungen auf Grundsätze zurück.

VI. Lehre sie ihren Bildern einen erhabenen Sinn unterlegen.

VII. Lenke ihre Gebräuche zu einem höhern Zweck.

VIII. Ueberschreite in deinem Wirken die Ordnung nicht, welche der Natur des Menschen angemessen ist.

IX. Wirke mit Resignation auf den Erfolg.

X. Der Beruf des freien Maurers ist allgemein, und kann von jedem vollständig erfüllt werden.

XI. In der Erfüllung des maurerischen Berufs besteht die eigentliche wahre maurerische Wohlthätigkeit, welche allein reine und bleibende Dankbarkeit begründet.

Der Mensch kann in Ansehung seines Zustandes in doppelter Rücksicht betrachtet werden; einmal als Bürger dieser Sinnenwelt, und dann als Kandidat der Unsterblichkeit: in beider Hinsicht bedarf er der Wohlthätigkeit seiner Mitmenschen; eine Wohlthätigkeit zum Wohlstande des Menschen in dieser Sinnenwelt, und eine Wohlthätigkeit zur Würde des Menschen in dem moralischen Vernunftreiche.

Wer wird es leugnen, daſs dies System auf

den ersten Anblick höchst treflich und schön sei und daſs man wünschen müſste, es möge recht viel solcher ethischen Gesellschaften geben. Indessen verhält es sich hiermit wie mit der französischen Republik. Im Jahr 1784 war jeder für sie eingenommen, und sie hatte enthusiastische Verehrer in Menge, im Jahr 1793 wurde ihr Ruf aber stinkend und im Jahr 1802 näherte sie sich den europäischen Staatsverfassungen wieder. Guter Gott! es giebt der Dinge viel im Himmel, auf der Erden und unter der Erden, von denen sich Feſsler nichts träumen läſst, rufe ich hier mit Hamlet aus. Wo nähme denn Feſsler das Personale zu diesen ethischen Staaten her? — Die Freimaurer müſsten sorgfältiger in ihrer Aufnahme seyn, mehr auf Edelmuth als auf 30 Rthlr. Receptionskosten sehen, wenn sie darauf Ansprüche machen wollten, im moralischen Staat Gottes, einen noch moralischern zu bilden.

Nichts thut mir weher, nichts empört mein Inneres so sehr, als wenn sich die Freimaurer für eine moralische, zu besondern moralischen Zwecken verbundene Gesellschaft ausgeben. Die Moralität ist das Eigenthum aller Menschen, sie soll öffentlich und im Angesicht der ganzen Welt, nicht aber hinter verschlossenen Thüren kultivirt, und die Mittel zu ihr sollen als kein Geheimniſs angesehen und der andern Welt auſser den Freimaurern vorenthalten werden. Es ist entsetzlich, wie Feſsler hier gefallen ist und wie er sich in seine eigene Stricke verwickelt hat.

Was die Entwickelung der Moralität des Menschen betrifft, so ist kein Mittel als moralisch denkbar, das man geheim halten und nur demjenigen kund thun sollte, der einige Possen mit sich vornehmen und dann einen Feſsler, der über diese Possen recht herzlich im Stillen lacht, mit der Miene der Weisheit sie als hehr und bedeutungsvoll erklären zu lassen. Ja, wenn die Aufnahmen noch schwürig wären und es viele Mühe kostete Freimaurer zu werden! aber wird der Vornehme, der Reiche, der gebildete Mann in der Regel, wenn man ihn nicht öffentlich für einen Schurken hält, trotz aller seiner Immoralität wohl abgewiesen? nein! — die 6 Stück Friedrichsd'or Rezeptionsgebühren thun der Kasse zu wohl, und Feindschaft, die wollen sich die Brüder auch nicht machen. Nun wünschte ich aber doch wohl zu wissen, wie es möglich fiele, daſs durch alle Aufnahme-Gebräuche eine Sinnesänderung im Aufgenommenen hervorgebracht würde, und er nun nach der Aufnahme mehr Empfänglichkeit für Tugend hätte, als vorher? Und wie ist denn das Personale, im Allgemeinen genommen, beschaffen? Lieber Freund, die Schule der Pythagoräer wirst du vergebens hier suchen — sie setzt Philosophen und Männer von Kenntniſs zum voraus und das ist eine Gabe, die nicht allen zu Theil ward. Wer ertheilt uns die Kunstfertigkeit zur Tugend in der Maurerei und wodurch wird sie uns? Doch nein! hier ist ja nicht von reiner Tugend, sondern von der erkünstelten die Rede, nun da könnte Feſsler allerdings wohl

Recht haben! Aber mein Gott, der Verfasser des Mark Aurels, der genügsame Philosoph, der kalte Prüfer dessen was Recht und Nichtrecht sey, dieser spricht von Kunstfertigkeiten. Bei Bibern z. B. würde dies eine Fertigkeit bedeuten, welche wenig oder gar nicht von menschlichen Fertigkeiten unterschieden, und dennoch keine Ueberlegung und Verstand zum voraus setzte, sondern blos instinktmäſsig wäre. Bei Menschen setzt dies aber eine vorher erlernte Kunst und eine Fertigkeit in derselben zum voraus. Die Tugend ist aber dem Menschen, als solchen und nicht als Thier betrachtet, natürlich, und darf nicht erst durch Kunst erlernt werden. Und wenn der Widerstreit zwischen Vernunft und Sinnlichkeit auch tausendmal obwaltet, so soll diese jener doch nicht durch Kunst, sondern einzig durch Gründe, welche die Vernunft zu mehrerer Kraft erheben, untergeordnet werden. Der Schauspieler, in dessen Innerm Rache und Tücke gegen die Prima Donna kocht, die ihn gestern zurückstieſs, und der dennoch heute den Liebhaber zu ihr mit der gröſsten Zufriedenheit der Zuschauer macht, dieser und nur dieser zeigt eine erlangte Kunstfertigkeit — die Kunst sich zu verstellen und statt die Bosheit sehen zu lassen, Tugend zu heucheln — nicht aber darf und soll sie der Mensch, als solcher, d. i. als moralisches Wesen zeigen. Und wenn sich diese Kunstfertigkeiten eine ganze menschliche Gesellschaft erworben hat, mithin einen ethischen Staat, ein Reich der Tugend bildet, ein Ziel, zu dessen Annäherung jeder Mensch mitzuwirken verpflichtet ist, so soll, wenn man dies Naturzustand nennt, ausser diesem Naturzustand noch eine ethische Gesellschaft, d. i. ein solches Reich im Kleinen denkbar seyn. Da sich alle Menschen nun einmal zu keinem ethischen Reich vereinigen werden, so soll, sage ich, die Freimaurerei die allmählige Realisirung dieses ethischen Staats bewürken. Gott gebe seinen Seegen dazu! aber dann frage ich: Warum läſst man denn die Weiber aufhören Mensch zu seyn, und warum sollen einzig die Männer Theil an diesem ethischen Staat nehmen? Trinkt man doch Wein und singt man doch in denselben, warum schlieſst man die Weiber aus:

Wer nicht liebt Wein, Weiber und Gesang
Der bleibt ein Narr sein Lebenlang,

so sagt Doktor Luther.

Und dann die Benennung Profane, wie sehr muſs sie unter dieser Voraussetzung die Nichtmaurer beleidigen? Menschen, die nicht wüſsten, nicht begriffen was Tugend sey, und wie man sich vervollkommne, solche Menschen wären die Nichtmaurer. Armer Less, armer Reinhold, armer Kant — ihr tugendhaften und edlen Männer, die ihr für Tugend so viel thatet und noch thut, und die ihr euere gesammte Thätigkeit der Menschheit weihetet — ihr seyd keine Eingeweihte, nein! ihr seyd Profanen. Es hat etwas äuſserst rebutirendes für jedes empfindende Gemüth und für jeden aufgehellten Verstand, eine besondere Gesellschaft sich zu denken, die gerade tugendhafter als andere seyn und sich über andere hinwegsetzen will, da sie doch nicht die mindesten Mittel dazu hat und von Gott kein Geheimniſs, die Tugend zu befördern, anvertraut erhielt. Die Mittel, uns zu vervollkommnen, liegen der gesammten Menschheit vor Augen, und sind nur dem verborgen, welcher in Hinsicht auf Kultur und Entwickelung seiner Vernunft zurückgeblieben ist. Der arme Zöllner — ein vornehmer römischer Accise-Officiant übrigens — der an seine Brust schlug und sprach: Herr sei mir armen Sünder gnädig, der war Gott angenehmer, als der stolze Pharisäer, welcher viel von seinen guten Werken sprach. Und zu Pharisäern wollte Feſsler die Freimaurer erniedrigen?

Die Freimaurer sind gute, rechtliche und ehrwürdige Männer, sie sagen, du Mensch muſst tugendhaft seyn, ehe du zu uns kommen kannst, und du sollst Aufmunterung zur Tugend unter uns finden, d. i. wir wollen uns durch gute Beispiele vorgehen, und durch Wohlthätigkeit auf die Menschheit wirken. Die Metaphysik und eine gewisse Schwärmerei, die Feſslern als historischem Romanendichter eigen ist, hat ihn verleitet, mehr zu thun als er wollte und wünschte. Das Reich Gottes auf Erden ist eine trefliche Idee, und es, jedoch ohne Kunstfertigkeiten, befördern zu wollen, macht Feſslern alle Ehre; die Maurerei hat aber keine Mittel in ihren symbolischen Gebräuchen, um es befördern, und zwar mehr als der Nichtmaurer befördern zu können. Der gerechte König, der gewissenhafte Richter und der musterhafte Religionslehrer befördern das Reich der Tugend auf Erden gewiſs mehr, als irgend jemand auf dieser sublunarischen Welt, der Gesellschaften hinter verschlossenen Thüren zu diesem Endzweck versammlet. Die französische Revolution gieng von trefflichen Ideen aus, und gieng sie nicht eben dadurch zurück? vermochte sie wohl das Glück der Menschheit, das Glück Frankreichs, so lange diese metaphisischen Ideale bestanden, zu bilden? Doch Feſsler will den Bildern einen erhabenen Sinn unterlegen! gut: er trägt daher offenbar etwas aus der profanen Welt in die Maurerei über, das nicht in sie hinein gehört und was das Eigenthum der gesammten Menschheit, nicht aber einer geschlossenen Gesellschaft ist.

Tugend zu bewürken, das Reich Gottes auf Erden zu gründen, muſs stets öffentlich geschehen und darf nie Eigenthum einer besondern Klasse von Menschen seyn. Verketzere man mich desfals, setze man mich herab, genug ich kann von meiner Ueberzeugung nicht abgehen, es ist kein Mittel das Reich Gottes auf Erden zu bilden, denkbar, das nicht das Eigenthum der gesammten Menschheit wäre, und das einer geschlossenen Gesellschaft eigenthümlich zukäme. Und verlacht Feſsler die Maurer nicht, indem er sagt, er wolle den Bildern der Maurerei einen erhabenen Sinn unterlegen? Der Sinn, der ihnen dem Orden gemäs unterliegt, taugt also nicht, und folglich sie, diese Bilder, eben so wenig; ein Mann von Kopf soll erst etwas aus ihnen machen und sie dadurch zu Bildern von Sinn und Nutzen erheben.

Laſst uns Maurer, im ehrwürdigen Sinn des Worts, bleiben, Menschen, die wir uns nicht besser dünken als andere, und die wir einzig darauf hinarbeiten, als moralische Menschen zusammen zu kommen, uns unter einander zu erbauen, und wenn sich das Laster erheben will, diesem gewaltsamen Widerstand leisten, und die wir auf diese Weise ein Gegengewicht gegen die Herrschsucht des Lasters, und das Reich des Teufels auf Erden bilden.

Das Feſslersche System, denn ein System hat er aufgestellt, so sehr er sich auch dagegen sträubt, wenn man, wie hier, den Sinn, den man den Bildern unterlegt, in sofern er ein zusammenhängendes Ganze ausmacht, System nennen will, hat aber nicht blos den Nachtheil, daſs es einen aus bloſsen Männern bestehenden, und die Weiber und Kinder unter 25 Jahren ausschlieſsenden ethischen Staat projectirt, wo das Bürgerrecht zur ersten Stufe der Ethik drei und dreiſsig, zur zweiten Stufe derselben dreizehn, zur dritten zwei und zwanzig und zu jeder folgenden moralischen Initiation einige dreiſsig Thaler kostet, so daſs das Bürgerrecht im innern Orient, wo man die Sonne schaut, wenn alles bezahlt wird und einem kein Talent zu gut kommt, netto auf 200 Rthlr. zu stehen kommt, der dann Verachtung der Uneingeweihten bei weniger kultivirten Brüdern zur unausbleiblichen Folge haben muſs; sondern es fehlt ihm auch an einem Kanton, aus dem es diesen Staat gehörig zu rekrutiren und mit lauter ethischen Mitgliedern zu bevölkern vermöchte.

Sobald aber die ethischen Mitglieder in Ermangelung gehen, um mich kanzleimäſsig auszudrücken, sobald geht auch der ganze schöne, noch so gut projectirte ethische Staat zu Grunde.

Was bessert es den Menschen endlich, wenn man ihm auch die treflichsten Sachen in einer ihm ganz unverständlichen Sprache vorsagt, wenn man in Terminologien mit ihm spricht und derselbe keine Zeit und Gelegenheit hat, sich mit diesen Terminologien bekannt zu machen und ihren wahren Sinn kennen zu lernen. Kants Kritik der reinen Vernunft, so wie Fichte's Wissenschaftslehre sind ohne Zweifel trefliche Werke, indessen einzig für den Eingeweihten, für den mit den gehörigen Vorkenntnissen Versehenen, nicht für den Dilettanten. Eben so ist es mit der Maurerei. Wenn Feſsler den Brüdern in hochtönenden Kantischen Phrasen etwas vorpredigte, und vom Zweck an sich auch noch so gründlich sprach, so half dies wenig oder gar nichts, da er von den meisten nicht verstanden wurde, und seine Reden folglich auch keinen Einfluſs auf sie haben konnten. Was auf das Gemüth wirken soll, muſs vorher vom Verstand und durch denselben begriffen werden. Viele Brüder unsers Feſsler waren herzensgute Leute, aber die wissenschaftliche Bildung fehlte ihnen und ihre Begriffe verstiegen sich nicht sehr über die gewöhnliche Hausmoral und über eine etwas geregelte, obgleich noch immer lüsterne Sinnlichkeit. Eine Ausnahme machte wohl freilich der hochwürdige Bruder Fischer, in den sich die Dame Eunomia desfals verliebte, und der Maler Darbes, ein ganz feiner Kopf, und dabei ein sehr lebendiger Mensch, und der Ausnahmen gäb's noch mehrere, was wollten diese aber wohl unter so vielen?

Feſsler hätte indessen mehr gewirkt, hätte man nicht befürchtet, er, als Stifter, möchte sich vielleicht ganz zum König seines ethischen Staats aufwerfen, das denn freilich übel gewesen wäre, und eine höchst strenge hierarchische Regierung herbeigeführt hätte. Die Schwester Feſsler (nicht die jetzige, sondern die ehemalige separirte) hatte mehr Liebe, aber auch weniger Prätension als er, der Bruder.

Das allerschönste, zum Schluſs dieser Feſslerischen ethischen Staatsgeschichte, ist nun noch dieses. Feſsler wollte in demselben selbst einige eingeweihte Ouvriers und von ihm abhängige Fabrikanten, wie Brüder nemlich sagen, haben und aufnehmen. Hier ist nicht die Rede von den schönen Kuchen, die der hochwürdige Bruder Basset mit so vieler brüderlicher Liebe die Güte hatte zu liefern, eben so wenig als von den medizinischen Erfindungen des heimgegangenen hochwürdigen und sehr geliebten Bruders Matthieu, wodurch so manchem lieben Bruder der Bandwurm abgezapft und Kopf und Blut erleichtert würde, auch spreche ich nicht von den auf der silbernen Maschine expreſs für Brüder verfertigten Pillen des sehr ehrwürdigen und reinlichen Descendenten unsers guten Doktor Martin Luthers, in dessen Petschaft das Maurer-Bijou wie ein Johanniterkreutz glänzt und von zwei wilden Männern gehalten wird — der Name wäre hier überflüssig. — Das Alles gehört eigentlich nicht zur Loge und existirte auſser derselben, obgleich freilich in der Loge Gebrauch davon gemacht wurde, — sondern ich rede von der Buchdruckerei, welche er anlegen und dadurch der Loge theils ein erkleckliches ersparen, theils ihr Gewinn machen wollte. Nach dieser Buchdruckerei sollte, wenn sie eingerichtet worden wäre, mehr dergleichen an die Reihe kommen und auf diese Art im ethischen Staat auch etwas für den physischen Menschen gethan werden. Mich gemahnt das eben so, als wenn einmal ein Erbpächter des Weddings bei Berlin eine Stadt auf diesem Vorwerk anlegen und dadurch Berlin, indem er alle Handwerker dahin zöge, Abbruch thun wollte. Basedow, Bahrdt, Feſsler! sonderbar, alle diese drei Reformatoren dachten, um die Reformationskasse zu bereichern, auch an Fabriken.

Mehr über das Feſslersche System wird das Taschenbuch für Maurer für 1803 bis 1804 sagen und findet man auch schon im Taschenbuch für 1802 bis 1803. Wenn wir in einigen Punkten auch von den Herrn X. Y. Z. abgehen, und nicht desfals loben, weil uns der Herr Verleger, der auch unser Verleger ist, die

Probebogen mitgetheilt hat, so müssen wir den Brüdern diese Werke doch als maurerisch wichtige und selbst klassische empfehlen.

Wenn wir nun gleich nicht die Männer sind, welche der Herr Einsender sich wünscht, wofür sich zu bekennen, er äuſserst viel Eitelkeit verrathen würde, so glauben wir uns dennoch berufen und fähig.

Avertissement.

den politischen Artikeln des Hamburger unpart. Korresp. ist ohne mein Vorwissen der Herausgabe dieses Werks, und daſs es „mit vielen hundert Kupfern und Holzschnitten verziert“ erscheinen würde, erwähnt. Die Kürze der Zeit von einer, und der beträchtliche Kostenaufwand und dadurch veranlaſste hohe Preiſs des Werks selbst, von der andern Seite, vermochte mich, da die Kupfer nach dem Urtheile Sachverständiger, ganz entbehrlich sind, selbige wegzulassen und bloſs die nöthigen erklärenden Holzschnitte zuzufügen. Die Zeichnungen zu den ersten sind jedoch fertig. Sollte sich eine hinlängliche Anzahl Subscribenten finden und ich durch selbige in Rücksicht der Kosten gedeckt werden, so liefere ich sie für den Preis von 4 Frd'or in Kurzem nach.

Der Verleger.

Diese Figur gehört zu Seite 65.

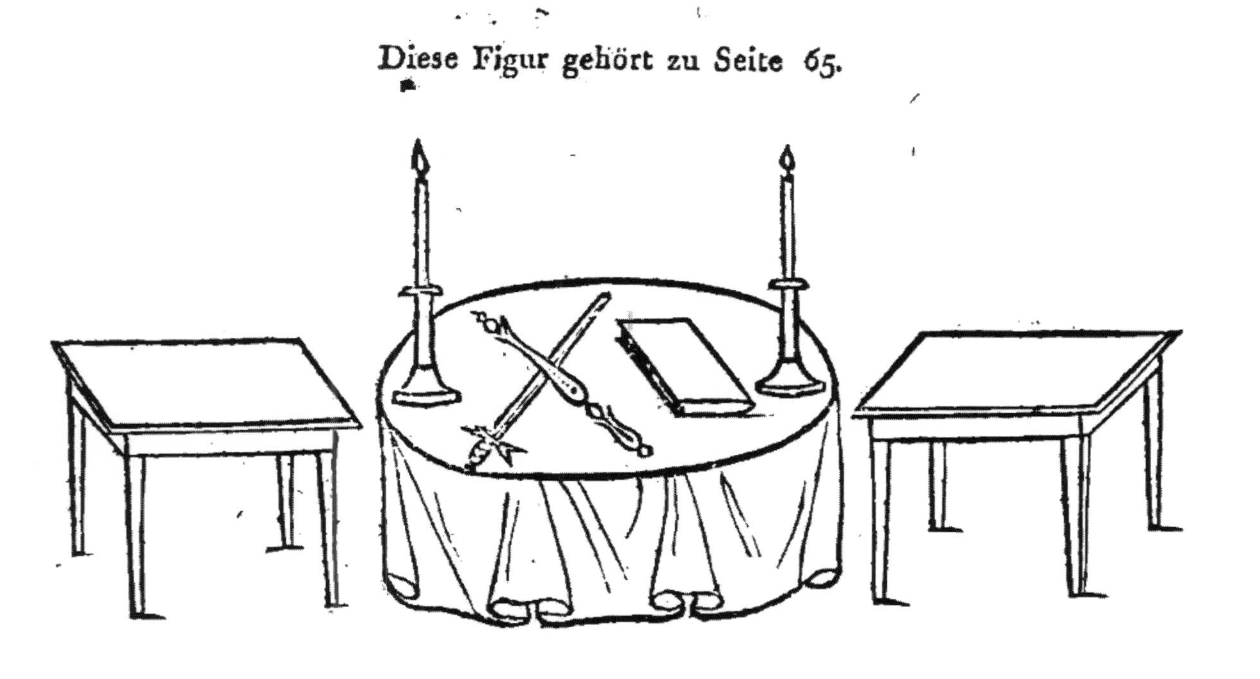